KB171878

산업연관분석
사례 연구

이민규, 박현석 지음

산업연관분석 사례 연구

발 행 | 2024년 01월 04일
저 자 | 이민규, 박현석
펴낸이 | 정현주
펴낸곳 | 이든북스
출판사등록 | 2018.12.03.(제2018-35호)
주 소 | 부산광역시 해운대구 좌동순환로99번길 22
전 화 | 051-731-3454
이메일 | edenbooks@naver.com

ISBN | 979-11-964783-6-0(93320)

본 책은 저작자의 지적 재산으로서 무단 전재와 복제를 금합니다.

머리말

오늘날 4차 산업혁명 시대가 도래하면서 빅데이터, 인공지능, 사물인터넷 등 새로운 기술혁신이 우리나라 경제 및 산업에 많은 영향을 미치고 있습니다. 우리나라의 경제구조에 큰 변화가 나타나고 있는 상황에서 산업연관표의 활용과 산업연관분석의 적용이 지속적으로 요구되고 있습니다. 산업연관분석은 산업연관표를 이용하여 산업간 상호의존관계를 정량적으로 파악하는 것으로서 경제 및 산업 구조를 분석하고 경제적 파급효과를 제시할 수 있습니다.

이러한 장점에도 불구하고 기존 산업연관분석 설명서가 분석 기법 위주로 기술되어 있어서 산업연관분석을 활용하고자 하는 연구자들이 어려움을 겪곤 하였습니다. 본 「산업연관분석 사례 연구」는 산업연관표, 산업연관분석에 대한 설명과 더불어, 산업연관분석 사례를 소개함으로써 다양한 연구자들이 본인 분야에서 산업연관분석을 적용할 수 있도록 꾀하고 있습니다.

아무쪼록 많은 연구자들이 산업연관분석을 활용하여 경제적 파급효과를 추정할 수 있기를 기대하면서, 이 책이 이러한 여정에 도움을 제공할 수 있기를 기대합니다. 이 책의 미흡한 점은 지속적으로 수정 보완해 나갈 예정이니 여러분의 관심과 아낌없는 조언을 부탁드립니다.

2023년 12월

대표저자 이민규 씀

목   차

표 목 차

그 림 목 차

제1장
산업연관표

1

정 의

한 국가경제에서 각 산업은 생산활동을 위해 상호 간에 재화와 서비스를 구입·판매하는 과정을 통해 직접 또는 간접적으로 서로 관계를 맺게 된다.

산업연관표[1](Input-Output Tables)는 일정 기간 한 지역에서 재화와 서비스를 생산하고 처분하는 과정에서 발생하는 모든 거래를 일정한 원칙과 형식에 따라 행렬형태로 기록한 통계표이다. 이러한 산업연관표를 이용하여 산업 간 상호의존관계를 수량적으로 분석하는 것을 산업연관분석(Inter-Industry Analysis, Industrial Input-Output Analysis) 또는 투입산출분석(Input-Output Analysis)이라 한다[2].

산업연관표는 국민소득통계와 함께 국민경제 전체를 분석하는 데 사용되는 대표적인 통계로서 경제계획의 수립과 예측 그리고 산업구조 정책방향 설정 등에 유용한 분석도구로 활용되고 있다. 산업연관분석을 이용하면 거시적 분석이 미치지 못하는 산업 간 연관 관계의 분석이 가능하므로 구체적인 경제구조를 분석하는

---

1) 산업 간 매트릭스(Inter-Industry Matrix)라고도 한다.

2) 한국은행(2014), 「산업연관분석 해설」, 서울: 한국은행.

데 유리할 뿐만 아니라 최종수요에 의한 생산, 고용, 소득 등 국민경제에 미치는 각종 파급효과를 산업부문별로 나누어서 분석할 수 있다. 특히 우리나라와 같이 생산기술이나 산업구조가 빠르게 변화하고 있는 경제에서는 거시경제모형에 의한 총량분석과 산업연관분석이 상호보완적으로 이루어질 때 더욱 효과적으로 경제를 분석할 수 있다[3]. 그러므로 산업연관분석은 생산활동을 통하여 이루어지는 산업 간의 상호연관관계를 수량적으로 분석하는 경제분석방법으로 실증경제학의 발전에 크게 이바지하여 왔다.

일반적으로 한 국가경제에서는 기업과 가계, 기업과 기업 사이에 화폐가 환류(還流)하고, 소득의 흐름을 통하여 생산과 소비가 되풀이되는 경제활동의 순환과정이 발생하게 된다. 이런 국민경제의 순환과정을 경제순환(Economic Circulation)이라 하며, 경제순환은 소득순환과 산업 간 생산물순환이라는 두 가지 측면에서 파악할 수 있다.

소득순환은 소득의 발생으로부터 분배 및 처분과정, 즉 생산활동 결과로 발생한 국민소득이 이윤, 임금, 이자 등의 형태로 분배되어 소비재와 자본재의 구입이라는 처분활동을 거쳐 다시 다음의 생산과정으로 환류되어 가는 과정을 나타내고 있다. 이에 반해 산업 간 생산물순환은 기업에서 만든 제화와 서비스가 다른 산업에서 부품이나 원료로 활용되는 생산부문 상호 간의 중간생산물 거래를 나타내므로, 산업 간 연관관계를 파악하는 데 매우 유용하다.

---

3) 김민수(2012), 「KDI 산업연관표 DB」, 서울: 한국개발연구원.

여기서, 국민소득통계는 한 나라의 국민이 생산활동의 결과로 얻은 최종생산물의 총액을 나타낸 통계로써 생산과정에서 소비된 중간생산물의 가치(중간 소비)를 산출액 총계에서 제외한 최종생산물의 가치를 나타낸다. 반면 산업연관표는 소득순환과 산업 간 생산물순환을 모두 나타내는 통계이므로 복잡한 산업 간의 상호연관관계 등 국민경제구조를 총체적으로 나타내고 있는 자료로서, 경제구조 및 생산·배분구조, 경제정책의 파급효과 등을 분석하기 위해 사용된다.

산업연관표는 1930년대 초 미국의 레온티에프(Wassily W. Leontief) 교수가 처음 작성한 것으로, '레온티에프표'라고도 하며, 국민경제분석의 유용한 도구로서 세계적으로 널리 보급되었다. 또한, 국민소득통계, 자금순환표, 국제수지표 및 국민대차대조표 등과 더불어 5대 국민경제통계를 하나의 체계로 통합하는 국민계정체계(SNA: System of National Accounts)[4]의 한 부분으로서 산업연관표의 작성이나 분석방법 등이 연구 발전되었다. 이밖에도 지역산업연관표 및 국제산업연관표가 작성되어 지역경제분석이나 국제경제의 파급효과분석에 활용되는 등 산업연관분석은 그 이론과 응용의 양면에서 비약적인 발전을 거듭하여 오늘날에 와서는 응용경제학의 중심적인 위치를 차지하게 되었다.

---

4) 국민계정체계(SNA: System of National Accounts)는 한 나라의 경제 수준과 경제주체 간에 이뤄진 거래 활동을 기록하는 국제기준이다. 각 기업의 경영 활동의 결과로 나타나는 재정 상태 등을 작성하는 재무제표처럼 한 국가의 국민경제를 종합적으로 나타낸 종합 재무제표라 할 수 있다. 산업별 생산활동을 나타내는 산업연관표, 국민소득통계, 화폐의 흐름을 나타내는 자금순환표(현금 흐름표), 국가 전체의 자산과 부채 상황을 나타내는 국민대차대조표, 해외와의 거래를 자세하게 기재한 국제수지표 등 5가지 기본적인 통계를 통합하여 작성된다.

우리나라는 1960년부터 한국은행에서 산업연관표를 작성하여 5년마다 끝자리가 0과 5인 연도(예를 들면 2010년, 2015년)에 기준년표를 작성하고 그 밖의 5년 사이의 연도에는 기준년표의 부문분류와 포괄범위 등을 작성기준으로 적용하고 부분조사를 통해 자료를 수정·보완하여 간접추정방식으로 작성하는 비교년표를 작성한다. 기준년표는 실지조사를 통해 작성하므로 실측표라고 하며, 비교년표는 연장표라고 한다.

기준년표의 작업과정을 보면 기초통계 수집 및 실지조사 등을 통해 필요한 기초자료를 확보하는 기획 및 실지조사 단계가 있고, 최종수요 및 부가가치, 산업 및 상품 투입구조 등을 추계하고 조정하는 추계 단계가 있다. 이를 통해 먼저 공급표를 작성하고, 사용표를 작성한 후, 자가공정 행렬을 반영하여 최종 투입산출표를 확정하는 확정 단계가 있다. 이런 실지조사를 통한 기준년표의 작성에는 전문인력과 각종 통계자료 등 방대한 자원뿐만 아니라 상당한 작업기간(통상 2년 이상)이 소요된다.

산업연관표는 한국은행 경제통계시스템(ECOS)의 통계검색 화면에서 확인할 수 있다. <그림 1-1>에 한국은행 경제통계시스템 (ECOS)의 통계검색 화면을 나타내었으며, 통계검색 화면에서는 통화/금융, 국민계정, 환율/통관수출입/외환보유액, 물가, 기업 경영분석, 심리지수, 지급결제, 산업/가계/기타 및 해외/북한 등의 각종 통계자료를 볼 수 있다. 이들 중 산업연관표는 국민계정에 속해있으며, 국민계정은 국민소득통계, 산업연관표, 자금순환표, 국민대차대조표, 국제수지표, 국제투자대조표/대외채권채무가 있다.

<그림 1-1> 한국은행 경제통계시스템(ECOS)

(참고) 한국은행 경제통계시스템(ECOS)(2023), "통계검색", https://ecos.bok.or. kr/#/SearchStat(2023.07.03.).

한국은행 경제통계시스템(ECOS)에서 산업연관표를 클릭하여 들어가면 <그림 1-2>와 같이 연도별로 정리된 산업연관표와 각 연도별로 투입산출표/공급표/사용표, 통합대분류/통합중분류/통합소분류/기본부문 및 지역표와 고용표 등 산업연관표의 종류별로 내려받을 수 있는 창이 나타난다.

\<그림 1-2\> 한국은행 경제통계시스템(ECOS) 산업연관표

(참고) 한국은행 경제통계시스템(ECOS)(2023), "통계검색", https://ecos.bok.or. kr/#/SearchStat(2023.07.03.).

산업연관표는 한국은행 경제통계시스템(ECOS)에 확인한 바와 같이 동일 연도의 내용이라도 투입산출표, 공급표, 사용표가 있으며, 각각에 대해서도 기본부문, 통합소분류, 통합중분류, 통합대분류가 있고, 기초가격, 생산자가격 및 구매자가격 등 여러 가지 종류가 있다. 이 종류에 대해서는 "제1장 2절 종류" 에서 설명하겠다.

내려받은 파일 중 하나를 열어보면 아래 \<그림 1-3\>과 같이 상품/상품 또는 상품/산업으로 분류된 Excel 시트를 확인할 수 있다.

〈그림 1-3〉 산업연관표 Excel 화면

투입산출표_총거래표(2019년 가격)
2019년
생산자가격
단위 : 백만원

상품	0111 벼	0112 맥류 및 잡곡류	0113 콩류	0114 감자류	0121 채소	0122 과실	0191 화훼작물	0192 약용작물	0193 잎담배	0194 천연고무	0195 종자	0196 기타식...
0111 벼	138,846	632	4,018	9,582	35,513	1,654	556	62,379	312	0	5,837	
0112 맥류 및 잡곡	0	7,625	0	0	0	0	0	0	0	0	0	
0113 콩류	0	0	14,543	0	6,479	0	0	0	0	0	0	
0114 감자류	0	0	0	54,381	0	0	0	0	0	0	0	
0121 채소	91	15	20	10	529	65	39	19	2	0	9	
0122 과실	56	9	12	6	77	40	24	11	1	0	5	
0191 화훼작물	0	0	0	0	0	0	41,589	0	0	0	0	
0192 약용작물	0	0	0	0	0	0	0	45,846	0	0	0	
0193 잎담배	0	0	0	0	0	0	0	0	0	0	0	
0194 천연고무	0	0	0	0	0	0	0	0	0	0	0	
0195 종자	0	0	0	0	378,263	43,462	44,327	26,560	546	0	77,661	
0196 기타식용작물	0	0	0	0	0	0	0	0	0	0	0	
0199 기타 비식용작물	0	0	0	0	0	0	0	0	0	0	0	
0211 낙농	1,736	9	0	0	2,931	753	179	701	0	0	0	
0212 축우	87,656	523	0	0	300,673	93,804	0	58,728	99	0	0	
0291 양돈	0	0	0	0	0	0	0	0	0	0	0	
0292 가금	207	8	0	0	8,289	613	0	484	0	0	0	
0299 기타축산	1,083	221	0	0	8,585	726	0	193	0	0	129	
0301 벌림	0	0	0	0	0	0	0	0	0	0	0	
0302 원목	0	0	0	0	6,217	0	0	7	3	10	0	
0303 식용 임산물	0	0	0	0	0	0	0	0	0	0	0	
0309 기타 임산물	1,666	78	1,538	1,917	9,216	4,133	23	2,358	52	0	138	
0401 수산어획	31	5	7	3	43	23	13	6	1	0	3	
0402 수산양식	20	3	5	2	26	14	8	5	1	0	1	
0500 농림어업 서비스	232,431	14,433	17,790	24,306	269,248	29,568	1,086	2,593	1,257	0	14	
0611 무연탄	0	0	0	0	0	0	0	0	0	0	0	
0612 유연탄	0	0	0	0	0	0	0	0	0	0	0	
0621 원유	0	0	0	0	0	0	0	0	0	0	0	
0622 천연가스(LNG)	0	0	0	0	0	0	0	0	0	0	0	

시트탭: A표_총거래표(생산자) | A표_수입거래표(생산자) | A표_국산거래표(생산자) | 총투입계수(A) | 수입투입계수(Am) | 국산투입계수(Ad) | 생산유발계수 | 수입유발계수

(참고) 한국은행 경제통계시스템(ECOS)(2023), "통계검색", https://ecos.bok.or.kr/#/SearchStat(2023.07.03.).

Excel 시트에 나타난 산업연관표를 보면 많은 수의 행과 열의 구성과 행과 열이 교차하는 지점에 해당하는 숫자가 입력되어 있음을 알 수 있다. 또한, 표 아래에 워크시트의 이름을 보면 A표_총거래표, A표_수입거래표, A표_국산거래표, 총투입계수(A), 수입투입계수(Am), 국산투입계수(Ad), 수입유발계수 등 의미를 달리하는 다양한 산업연관표가 존재함을 알 수 있다. 그 각각에 대한 의미는 "제1장 2절 종류"에서 살펴보도록 하겠다.

산업연관표 정의

산업연관표는 일정 기간 한 지역에서 재화와 서비스를 생산하고 처분하는 과정에서 발생하는 모든 거래를 일정한 원칙과 형식에 따라 행렬형태로 기록한 통계표이다.

정의로 나타난 의미를 풀어서 보면, 다음과 같다.

① '일정 기간'은 통상 1년을 의미한다. 해당 연도는 산업연관표의 좌측 상단에 Table 명, 기준가격 및 단위 등 산업연관표의 기본 정보와 같이 표기된다.

② '한 지역'은 산업연관표의 작성대상이 되는 경제활동 영역을 의미하며, 통상적으로 한 국가의 국민경제를 대상으로 한다. 그러나 최근에는 작성대상을 국가에서 세분화하여 시도의 지역별 경제구조와 지역 간 산업연관관계를 나타낸 지역산업연관표도 발행되고, 국가의 범위를 넘어서 국가 간 무역(Bilateral Trade) 통계를 적극적으로 활용하여 작성하는 세계산업연관표(WIOT, World Input-Output Tables), 아시아 국제산업연관표(Asian International Input-Output Tables) 등이 있어 '한 지역'의 범위가 다양하게 적용될 수 있음을 알 수 있다.

③ '재화와 서비스'는 개인이나 기업 등이 대가를 치르고서 갖고자 하는 물건이나, 제공되는 일을 각각 재화와 서비스라고 하며, 산업연관표에서는 작성대상이 되는 '한 지역'의 모든 재화와 서비스가 MECE(Mutually Exclusive Collectively Exhaustive) 하게 나타나므로 '재화와 서비스'의 분류체계가 중요하다.

산업연관표에서 '재화와 서비스'의 분류는 "산업분류", "상품분류"로 두 가지 종류가 있다.

산업분류는 국제산업분류기준(GICS, Global Industry Classification Standard)과 한국표준산업분류(KSIC, Korean Standard Industrial Classification) 및 기초통계자료의 분류체계 등을 반영하여 국제기준에 부합하고 추계의 효율성을 높일 수 있어야 하며, 상품분류에서는 동일 부문에 포괄되는 품목들의 동질성이 있어야 하고 그 투입구조나 배분구조에 있어 유사성이 있어야 한다.

이론적으로 볼 때 하나의 재화 또는 서비스를 하나의 부문으로 설정하는 것이 이상적이라 할 수 있겠으나 부문을 지나치게 세분할 경우 분류표의 작성에 어려움이 따르게 될 뿐만 아니라 원재료 간의 대체 가능성이 증대되어 오히려 투입구조의 안정성을 유지하기가 더 어려워지므로 실제 산업연관표 작성에서는 아래와 같이 몇 가지 원칙에 따라 재화와 서비스를 적절한 수의 기본부문으로 통합하게 된다.

첫째, 투입구조 및 배분구조가 유사한 품목들은 동일한 부문으로 분류한다.

둘째, 품목별 총산출액, 투입구조, 배분구조 등을 조사할 때 기초통계자료 이용의 용이성 여부 및 여타 통계와 비교 가능성 등을 고려하여 분류한다.

셋째, 과거에 작성된 산업연관표와의 비교 및 국제기준과의 비교 가능성 여부에 따라 분류한다.

우리나라의 2015 기준년 산업연관표에서는 산업분류를 기본부문 278개 부문으로 분류하였으며, 분석목적에 따라 다양하게 이용할 수 있도록 기본부문을 통합하여 소분류 174개 부문, 중분류 78개 부문, 대분류 32개 부문으로 분류하여 나타내었다.

상품분류도 기본부문을 381개 부문으로 분류하고, 유사 품목으로 통합하여 소분류 165개 부문, 중분류 83개 부문, 대분류 33개 부문으로 분류하였다.

또한, 2015년 실측표 중 "부문별 품목별 공급액표"를 보면 상품분류의 기본부문을 구성하는 "기초부문"이 표현되어 있으며, 이 기초부문은 3,079개 부문으로 분류되어 있다.

<그림 1-4>에 한국은행 경제통계시스템(ECOS)의 산업연관표 중 "2015 부문분류표"의 상품분류표의 일부를 나타내었다.

<그림 1-4> 2015_부문분류표_상품분류표 일부

기본부문(381)		소분류(165)		중분류(83)		대분류(33)	
코드	부문명	코드	부문명	코드	부문명	코드	부문명
0111	벼	011	곡물 및 식량작물	01	작물	A	농림수산품
0112	맥류 및 잡곡						
0113	콩류						
0114	감자류						
0121	채소	012	채소 및 과실				
0122	과실						
0191	화훼작물	019	기타작물				
0192	약용작물						
0193	잎담배						
0194	천연고무						
0195	종자						
0196	기타식용작물						
0199	기타 비식용작물						
0211	낙농	021	낙농 및 축우	02	축산물		
0212	축우						
0291	양돈	029	기타 축산				
0292	가금						
0299	기타축산						
0301	영림	030	임산물	03	임산물		
0302	원목						
0303	식용 임산물						
0309	기타 임산물						

그리고, <그림 1-5>에 우리나라 국민경제의 모든 재화와 서비스를 표현한 기본부문인 381개 부문보다 더욱 세분화한 기초부문 3,079개 부문이 있는 "부문별 품목별 공급액표"를 나타내었다.

<그림 1-5> 부문별 품목별 공급액표(2015년 가격)

	A	B	C	D	E	F
1	부문별 품목별 공급액표(2015년 가격)					
2	2015년					
3	기초가격					
4	단위 : 백만원					
5	기본부문	기초부문	부문명칭	국산산출액	수입액	총공급액
6	0111	****a	벼	7,085,319	0	7,085,319
7	0111	0000	벼	0	0	0
8	0111	0100	벼	6,777,603	0	6,777,603
9	0111	9900	부산물	307,716	0	307,716
10	0112	****a	맥류 및 잡곡	275,110	3,804,758	4,079,868
11	0112	0000	맥류 및 잡곡	0	242	242
12	0112	0101	쌀보리(나맥)	61,627	217	61,844
13	0112	0102	겉보리(대맥)	32,747	9,333	42,080
14	0112	0103	맥주보리	27,716	15,932	43,648
15	0112	0200	밀(소맥)	27,582	1,250,118	1,277,700
16	0112	0300	옥수수	87,871	2,492,650	2,580,521
17	0112	0400	메밀	12,467	1,585	14,052
18	0112	8800	기타	17,648	34,577	52,225
19	0112	9901	부산물(맥류)	1,860	0	1,860
20	0112	9902	부산물(잡곡)	5,592	104	5,696
21	0113	****a	콩류	498,451	733,951	1,232,402
22	0113	0000	콩류	0	1,636	1,636
23	0113	0100	콩	383,164	731,128	1,114,292
24	0113	0200	팥	20,125	0	20,125
25	0113	0300	땅콩(낙화생)	42,958	1,017	43,975
26	0113	0400	녹두	15,893	0	15,893
27	0113	8800	기타	33,525	170	33,695

④ '생산하고 처분하는 과정'이란 분류된 각 산업부문 또는 상품 부문에서 생산하고 처분하는 과정을 말하며, 이는 산업연관표 행렬의 세로 방향은 생산과정을 나타내고, 가로 방향은 처분과정을 나타내고 있음을 표현한다.

즉, 산업연관표의 세로 방향을 보면 각 산업(상품)이 생산활동을 하기 위하여 지출한 생산비용을 나타내며, 이는 생산과정에서의 "투입구조"로 표현된다. 투입구조는 중간재투입을 나타내는 "중간투입 부문"과 임금, 이윤, 세금 등 본원적 생산요소의 구입비용을 나타내는 "부가가치부문"으로 구성된다.

또한, 가로 방향을 보면 각 상품이 어떤 산업(상품)에 얼마나 이용되었는지와 최종수요로 얼마나 사용되었는지를 알 수 있는데 이를 처분과정을 나타내는 "배분구조"라고 한다. 배분구조는 다른 산업의 생산에 중간재로 사용되는 내역을 나타내는 "중간수요부문"과 소비, 투자, 수출 등의 최종재로 판매되는 "최종수요부문" 등으로 구성된다.

<표 1-1>에 산업연관표의 간단한 예시와 생산과 처분과정을 나타내었다.

〈표 1-1〉 산업연관표 - 예시

상품＼상품		중간수요				최종수요					
		A 농림수산품	B 광산품	C 음식료품	9090 중간수요계	9111 소비	9131 투자	9140 수출	9190 최종수요계	9290 총수요계	9310 총산출
A	농림수산품	4,473,043	4,319	36,127,095	40,604,457	17,897,539	463,243	1,080,949	19,441,731	59,967,439	46,262,813
B	광산품	560	2,180	25,247	27,987	15,274	1,989,682	112,927	2,117,883	2,145,870	2,038,602
C	음식료품	9,667,065	8,084	25,928,631	35,603,780	66,889,874	1,633,300	8,744,802	77,267,976	112,871,756	97,391,970
9590	중간투입계	14,140,668	14,583	62,080,973	76,236,224	84,802,687	4,086,225	9,938,678	98,827,590	174,985,065	145,693,385
9610	피용자보수	6,547,023	865,254	12,249,964	19,662,241						
9621	영업잉여	19,440,368	818,387	5,193,952	25,452,707						
9622	고정자본소모	5,142,485	367,194	4,825,511	10,335,190						
9630	생산세	992,269	-26,816	13,041,570	14,007,023						
9690	부가가치계	32,122,145	2,024,019	35,310,997	69,457,161						
9790	총투입계	46,262,813	2,038,602	97,391,970	145,693,385						

(단위:백만원)

처분
배분구조 - 생산물 판매 내역

생산
투입구조 - 생산을 위한 구입 내역

⑤ 산업연관표에서 표현되는 '모든 거래'는 최종수요(소비, 투자, 수출)를 충족시키기 위한, 각 산업부문의 생산활동으로 나타난다.

한편 산업연관표는 내생부문과 외생부문으로 구성되는데 재화와 서비스의 산업 간 모든 거래를 나타내는 부분을 내생부문이라 하고 최종수요와 부가가치를 외생부문이라 한다.

외생부문은 산업 간 모든 거래와 관계없이 모형 밖에서 독립적으로 주어지며, 주어진 외생부문을 충족시키기 위하여 내생부문의 모형 내에서 산업 간 모든 거래의 값이 결정된다. 그러므로 내생부문은 산업연관표 작성과정에서 가장 어려운 부분이며 작성된 표의 분석이나 이용에서도 가장 중요한 부분이다.

따라서, 외생부문의 변동이 내생부문인 국민경제에 어떠한 파급효과를 미치는가를 알아보려는 것이 산업연관분석이고 산업연관표 작성의 목적이라고 할 수 있다. <표 1-2>에 산업연관표의 내생부문과 외생부문을 나타내었다.

〈표 1-2〉 산업연관표 내생부문, 외생부문 - 예시

(단위:백만원)

상품＼상품	중간수요 A 농림수산품	B 광산품	C 음식료품	9090 중간수요계	최종수요 9111 소비	9131 투자	9140 수출	9190 최종수요계	9290 총수요계	9310 총산출
A 농림수산품	4,473,043	4,319	36,127,095	40,604,457	17,897,539	463,243	1,080,949	19,441,731	59,967,439	46,262,813
B 광산품	560	2,180	25,247	27,987	15,274	1,989,682	112,927	2,117,883	2,145,870	2,038,602
C 음식료품	9,667,065	8,084	25,928,631	35,603,780	66,889,874	1,633,300	8,744,802	77,267,976	112,871,756	97,391,970
9590 중간투입계	14,140,668	14,583	62,080,973	76,236,224	84,802,687	4,086,225	9,938,678	98,827,590	174,985,065	145,693,385
9610 피용자보수	6,547,023	865,254	12,249,964	19,662,241						
9621 영업잉여	19,440,368	818,387	5,193,952	25,452,707						
9622 고정자본소모	5,142,485	367,194	4,825,511	10,335,190						
9630 생산세	992,269	-26,816	13,041,570	14,007,023						
9690 부가가치계	32,122,145	2,024,019	35,310,997	69,457,161						
9790 총투입계	46,262,813	2,038,602	97,391,970	145,693,385						

내생부문
외생부문

또한, '모든 거래'의 표현은 금액단위로 작성한다.

산업연관표는 정확한 생산기술구조를 파악하기 위하여 일정 기간에 발생한 모든 재화 및 서비스의 거래, 즉 산업과 상품의 공급 및 판매내역을 물량단위로 기록하는 것이 이상적이나 현실적으로 한 나라에 존재하는 서로 이질적인 수많은 재화와 서비스의 거래를 하나의 단일 기준 물량의 단위로 파악하여 기록한다는 것은 사실상 불가능하므로 물량기준 대신에 통일된 금액단위로 작성한다.

물론 금액단위로 재화와 서비스의 거래를 기록할 때도 '구매자 가격', '생산자가격' 또는 '기초가격' 등 어느 거래 단계에서의 가격을 기준으로 기록할 것인가 하는 문제가 생긴다.

이 거래액의 평가 기준에 대해서는 "제1장 2절 종류"에서 살펴 보도록 하겠다.

2

종 류

　산업연관표는 일정 기간 한 지역에서 재화와 서비스를 생산하고 처분하는 과정에서 발생하는 모든 거래를 일정한 원칙과 형식에 따라 행렬형태로 기록한 통계표이다. 그러므로 산업연관표는 산업·상품분류, 지역 구분, 거래액 평가방법, 수입액 취급방법 및 기록하는 원칙과 형식에 따라 여러 가지 형태로 작성될 수 있다.

　산업연관표의 체계는 거래표와 부속표로 구성된다. 거래표는 재화와 서비스의 거래를 투입구조와 배분구조로 기록한 것으로 산업연관표 체계의 중심이다. 부속표는 도소매마진표, 화물운임표, 잔폐물 발생·수요표, 고정자본형성표, 부문별·품목별 공급액표, 부문분류표, 고용표 등 세부적인 설명과 추가되는 자료로 이루어진 통계표이다.

　산업연관표는 '산업' 및 '상품' 기준으로 분류하며, 산업기준의 생산내역을 나타낸 공급사용표와 상품기준의 생산내역을 나타낸 투입산출표로 구분하고, 공급사용표는 다시 공급표와 사용표로 나누어진다. 각 산업 및 상품의 분류는 세분화 및 통합 정도에 따라 통합대분류, 통합중분류, 통합소분류, 기본부문 및 기초부문으로 구분한다.

재화와 서비스 거래액의 가격평가방법에 따라 구매자가격평가표와 생산자가격평가표, 기초가격평가표로 구분하며, 수입거래액을 어떻게 처리하느냐에 따라 경쟁수입형표와 비경쟁수입형표로 구분된다. 경쟁수입형표로는 총거래표가 있고, 비경쟁수입형표에는 국산거래표와 수입거래표가 있다.

그리고, 통계자료의 실측 여부에 따라 기준년표(실측표)와 비교년표(연장표)가 있으며, 비교년표는 작성하는 당해연도의 명목(경상)가격을 기준으로 작성하는 명목(경상)산업연관표와 기준연도의 가격을 기준으로 작성하는 실질(불변)산업연관표가 있다. 또한, 순수 물량요인에 의한 경제구조의 변화 및 파급효과를 분석하기 위하여 특정연도(기준년)의 명목(경상)가격기준으로 부문분류를 동일하게 통일시켜 작성하는 접속불변산업연관표도 있다.

산업연관표는 1930년대 초 레온티예프(Wassily W. Leontief)에 의해 작성되기 시작한 이래 지금까지 이론과 실증의 양면에서 비약적인 발전을 거듭해 왔다. 경제구조 분석방법이 다양해지고 경제의 국제화가 진전됨에 따라 종래의 산업연관표를 확장한 복잡한 모형의 개발과 더불어 새로운 형태의 산업연관표 작성이 시도되고 있다. 그 내용을 보면, 지역산업연관표 및 국제산업연관표, 에너지 및 환경산업연관표, 사회회계행렬과 연산일반균형모형 등이 있다.

<표 1-3>에 산업연관표의 종류를 요약하여 나타내었다.

거래표	부속표

■ 산업·상품기준
공급사용표
   - 공급표, 사용표
투입산출표
 	
■ 가격평가 기준
구매자가격평가표
생산자가격평가표
기초가격평가표
 	
■ 수입거래 처리방식 기준
경쟁수입형표
   - 총거래표
비경쟁수입형표
   - 국산거래표, 수입거래표
 	
■ 실측 여부 기준
기준년표(실측표)
비교년표(연장표)
   - 명목(경상)산업연관표
   - 실질(불변)산업연관표
 	
■ 확장모형
지역산업연관표
국제산업연관표
에너지산업연관표
환경산업연관표
사회회계행렬
	■ 부문분류표
	산업분류표
	상품분류표
	
	■ 부문별·품목별 공급액표
	
	■ 고용표
	취업자 수 및 피용자 수
	취업형태 및 성별 취업자 수
	총실제근로시간
	
	■ 기타 부속표
	도소매마진표
	화물운임표
	순생산물세표
	잔폐물 발생표
	잔폐물 수요표
	
	■ 수입거래표
	
	■ 고정자본형성표

우리나라의 산업연관표는 1958년에 부흥부 산업개발위원회가 1957년과 1958년을 대상으로 산업연관표를 작성하면서부터 시작하였다. 그러나 이 표는 기초통계자료의 부족과 전자계산기의 이용 제약 등으로 그 내용이 미흡한 시산표에 불과한 수준이었다. 우리나라의 산업연관표가 체계적인 형식과 내용을 갖추게 된 것은 한국은행이 1960년 산업연관표를 작성하면서부터이다.

1960년 산업연관표는 국가재건최고회의의 요청에 따라 한국은행에서 최초로 작성한 표로서 1962년 3월 작성에 착수하여 1년 4개월간의 작업 끝에 완성하여 1964년에 공표하였다.

이 표는 주요물자의 수급정책 등 제1차 경제개발 5개년계획(1962-1966)의 입안에 필요한 기초자료로 활용하기 위해 작성하였으나 작업기간의 장기화로 제1차 경제개발 5개년계획의 기초자료로는 이용되지 못하였다. 그러나 이 작업은 산업연관분석을 새로운 경제분석방법으로 인식하는 계기가 되었다.

이후부터 한국은행은 경제규모의 확대와 경제발전에 따른 산업구조의 변화를 좀 더 정확히 파악하고 경제개발계획 수립의 기초자료 및 제반 경제정책의 입안자료로 이용하기 위하여 산업연관표를 정기적으로 작성하였다.

지금까지 작성한 산업연관표는 1960년, 1963년, 1966년, 1970년, 1975년, 1980년, 1985년, 1990년, 1995년, 2000년, 2003년, 2005년, 2010년, 2015년의 기준년표(실측표)와 1968년, 1973년,

1978년, 1983년, 1986년, 1987년, 1988년, 1993년, 1998년, 2006년, 2007년, 2008년, 2009년, 2010년, 2011년, 2012년, 2013년, 2014년, 2016년, 2017년, 2018년, 2019년의 비교년표(연장표)이다.

그뿐만 아니라 2007년에 6개 광역권의 2003년 지역산업연관표를 처음으로 작성·공표하였으며, 이후로 2005년, 2010년, 2013년, 2015년의 지역산업연관표를 작성하였다.

<표 1-4>에 우리나라의 산업연관표 작성연혁을 나타내었다.

〈표 1-4〉 우리나라의 산업연관표 작성연혁

실측표 작성연도	1960	1963	1966	1970	1975	1980	1985	1990	1995	2000	2003	2005	2010	2015
연장표 작성연도			1968	1973	1978	1983	1986 1987 1988	1993	1998			2006 2007 2008 2009	2011 2012 2013 2014	2016 2017 2018 2019
분류기준	산업												산업(상품)	
부문분류 대분류							19	20	26	28	28	28	30(30)	32(33)
부문분류 중분류	43	43	43	56	60	64	65	75	77	77	77	78	82(82)	78(83)
부문분류 소분류	109	109	117	153	164	162	161	163	168	168	168	168	161(161)	174(165)
부문분류 기본부문	266	270	298	340	392	396	402	405	402	404	404	403	328(384)	278(381)
가격평가	생산자가격			생산자가격 구매자가격								생산자가격 구매자가격 기초 가격		
수입의 취급	경쟁. 비경쟁수입 절충형			경쟁수입형 및 비경쟁수입형										

(참고) 김민수(2012), 「KDI 산업연관표 DB」, 서울: 한국개발연구원.

이렇듯이 우리나라의 산업연관표는 1960년부터 작성되었으며, 이후 우리나라 경제규모의 확대와 경제발전에 따른 산업구조의 변화를 좀 더 정확히 파악하기 위하여 산업부문의 분류체계를 실제 산업구조와 비교, 조정하며 발전하였다. 또한, 산업분류뿐만 아니라 2010년부터 상품분류도 추가하였으며, 가격평가도 생산자가격, 구매자가격 및 기초가격을 추가하며 발전하였다.

그러므로 산업연관표를 이용하고자 하는 연구자는 산업연관표의 원자료를 사용할 경우 다음의 사항을 확인하여야 한다.

첫째, 산업연관표의 원자료는 연도에 따라 작성양식이 다르므로 연도마다 변수 배치의 일관성, 변수의 누락 확인, 표의 작성 여부 등과 같은 사항을 확인해야 한다.

둘째, 작성연도에 따른 산업연관표 체계 내에서 성립하는 항등식 및 표 사이에서 성립하는 항등식의 점검과 기본부문을 통합 대/중/소 분류로 변환하는 부문분류 간 정합성을 확인해야 한다.

셋째, 산업연관표의 원자료는 Excel 파일로만 제공되기 때문에 실증분석에 직접 사용하기 위한 적절한 가공작업이 필요하다. 특히 한국은행에서 CD-ROM으로 제공되는 산업연관표 중 Excel 2007 버전 이전의 Excel 파일은 열(column) 수가 256개로 제한되어 두 개의 시트로 나누어 제공되므로 하나의 시트로 통합하는 작업이 필요하고, 1990년 이전 자료는 숫자와 콤마로만 이루어진 텍스트 파일로 제공되므로 Excel 파일로 변환하는 작업이 필요하다[5].

산업연관표 원자료 입수 방법 구분

우리나라 산업연관표의 자료는 한국은행에서 발표하는 산업연관표 CD-ROM과 한국은행 경제통계시스템(ECOS)에서 입수할

5) 김민수(2012), 「KDI 산업연관표 DB」, 서울: 한국개발연구원.

수 있으며, 기본적으로 두 자료는 동일하다. 다만, 명목가격 생산자가격평가표 기본부문, 기초가격평가표 기본부문, 연도별 부문별·품목별 공급액표는 산업연관표 CD-ROM에만 수록되어 있으며, 1970년 이전 자료와 2006~2008년 불변가격 생산자가격평가표는 한국은행 경제통계시스템(ECOS)에서만 입수할 수 있다. 따라서 산업연관표의 원자료를 이용할 때에는 산업연관표 CD-ROM과 한국은행 경제통계시스템(ECOS)을 적절히 이용하는 것이 좋다. 또한, 산업연관표 CD-ROM과 한국은행 경제통계시스템(ECOS)에서 구할 수 없는 자료에 대해서는 한국은행 경제통제국 국민계정부 투입 산출팀의 담당자로부터 원자료를 직접 입수할 수도 있다. 아래 <표 1-5>에 한국은행 경제통계시스템(ECOS)을 통하여 입수할 수 있는 2015년 기준년 산업연관표, 2019년 비교년표, 2015-2019년 연결표 및 2015 지역표의 목록을 나타내었다.

〈표 1-5〉 한국은행 경제통제시스템(ECOS) 산업연관표 자료 목록

수록 표 종류	부문분류별			
	대	중	소	기본
■ 기준년표(2015 실측표)				
공급표				
기초가격				
S표(공급표)	○	○	○	○
사용표				
기초가격				
U표(사용표)_총거래표(기초가격)	○	○	○	○
U표(사용표)_수입거래표(기초가격)	○	○	○	○
U표(사용표)_국산거래표(기초가격)	○	○	○	○

수록 표 종류	부문분류별			
	대	중	소	기본
생산자가격				
U표(사용표)_총거래표(생산자가격)	○	○	○	○
U표(사용표)_수입거래표(생산자가격)	○	○	○	○
U표(사용표)_국산거래표(생산자가격)	○	○	○	○
구매자가격				
U표(사용표)_총거래표(구매자가격)	○	○	○	○
U표(사용표)_수입거래표(구매자가격)	○	○	○	○
U표(사용표)_국산거래표(구매자가격)	○	○	○	○
투입산출표				
기초가격				
A표_총거래표(기초가격)	○	○	○	○
A표_수입거래표(기초가격)	○	○	○	○
A표_국산거래표(기초가격)	○	○	○	○
총투입계수표(A)	○	○	○	○
수입투입계수표(Am)	○	○	○	○
국산투입계수표(Ad)	○	○	○	○
생산유발계수표$(I-Ad)^{-1}$형	○	○	○	○
수입유발계수표	○	○	○	○
부가가치유발계수표	○	○	○	○
최종수요 항목별 생산유발액	○	○	○	○
최종수요 항목별 수입유발액	○	○	○	○
최종수요 항목별 부가가치유발액	○	○	○	○
생산자가격				
A표_총거래표(생산자가격)	○	○	○	○
A표_수입거래표(생산자가격)	○	○	○	○
A표_국산거래표(생산자가격)	○	○	○	○
총투입계수표(A)	○	○	○	○
수입투입계수표(Am)	○	○	○	○

수록 표 종류	부문분류별			
	대	중	소	기본
국산투입계수표(Ad)	○	○	○	○
생산유발계수표$(I-Ad)^{-1}$형	○	○	○	○
수입유발계수표	○	○	○	○
부가가치유발계수표	○	○	○	○
최종수요 항목별 생산유발액	○	○	○	○
최종수요 항목별 수입유발액	○	○	○	○
최종수요 항목별 부가가치유발액	○	○	○	○
구매자가격				
A표_총거래표(기초가격)	○	○	○	○
A표_수입거래표(기초가격)	○	○	○	○
A표_국산거래표(기초가격)	○	○	○	○
부속표				
부문분류표				
2015 기준년 상품 및 산업분류표	○	○	○	○
2010 및 2015 기준년 상품분류 비교표	X	X	X	○
IO-KSIC 비교표	X	X	X	○
IO-HS code 비교표	X	X	X	○
고용표				
취업자 수 및 피용자 수(상품/산업)	○	○	○	X
취업형태별 및 성별 취업자 수(상품/산업)	○	○	○	X
총실제근로시간(산업)	○	○	○	X
취업 및 고용계수(상품/산업)	○	○	○	X
취업형태별 및 성별 취업계수(상품/산업)	○	○	○	X
취업 및 고용유발계수(상품)	○	○	○	X
취업형태별 및 성별 취업유발계수(상품)	○	○	○	X
취업유발계수표(2015년~2019년)	○	○	○	X
고용유발계수표(2015년~2019년)	○	○	○	X
최종수요 항목별 취업유발인원	○	○	○	X

수록 표 종류	부문분류별			
	대	중	소	기본
최종수요 항목별 고용유발인원	○	○	○	X
기타 부속표				
도소매마진표(상품기준)	○	○	○	○
화물운임표(상품기준)	○	○	○	○
순생산물세(국산)	○	○	○	○
순생산물세(수입)	○	○	○	○
잔폐물 발생표(상품기준)	○	○	○	○
잔폐물 수요표(상품기준)	○	○	○	○
부문별 품목별 공급액표				
부문별 품목별 공급액표(2015년 가격)	기초 품목별			

■ 비교년표(2019 연장표)

공급표				
기초가격				
S표(공급표)	○	○	X	X
사용표				
기초가격				
U표(사용표)_총거래표(기초가격)	○	○	X	X
U표(사용표)_수입거래표(기초가격)	○	○	X	X
U표(사용표)_국산거래표(기초가격)	○	○	X	X
구매자가격				
U표(사용표)_총거래표(구매자가격)	○	○	X	X
U표(사용표)_수입거래표(구매자가격)	○	○	X	X
U표(사용표)_국산거래표(구매자가격)	○	○	X	X
투입산출표				
생산자가격				
A표_총거래표(생산자가격)	○	○	○	○

수록 표 종류	부문분류별			
	대	중	소	기본
A표_수입거래표(생산자가격)	○	○	○	○
A표_국산거래표(생산자가격)	○	○	○	○
총투입계수표(A)	○	○	○	○
수입투입계수표(Am)	○	○	○	○
국산투입계수표(Ad)	○	○	○	○
생산유발계수표$(I-Ad)^{-1}$형	○	○	○	○
수입유발계수표	○	○	○	○
부가가치유발계수표	○	○	○	○
최종수요 항목별 생산유발액	○	○	○	○
최종수요 항목별 수입유발액	○	○	○	○
최종수요 항목별 부가가치유발액	○	○	○	○

■ 2015-2010 연결표

생산자가격(경상)

거래표 및 각종 계수표

10-A표_총거래표(생산자)	○	○	○	X
10-A표_국산거래표(생산자)	○	○	○	X
10-A표_수입거래표(생산자)	○	○	○	X
10-총투입계수(A)	○	○	○	X
10-국산투입계수(Ad)	○	○	○	X
10-수입투입계수(Am)	○	○	○	X
10-생산유발계수$(I-Ad)^{-1}$형	○	○	○	X
10-부가가치유발계수	○	○	○	X
10-수입유발계수	○	○	○	X
10-최종수요 항목별 생산유발액	○	○	○	X
10-최종수요 항목별 부가가치유발액	○	○	○	X
10-최종수요 항목별 수입유발액	○	○	○	X

수록 표 종류	부문분류별			
	대	중	소	기본
15-A표_총거래표(생산자)	○	○	○	X
15-A표_국산거래표(생산자)	○	○	○	X
15-A표_수입거래표(생산자)	○	○	○	X
15-총투입계수(A)	○	○	○	X
15-국산투입계수(Ad)	○	○	○	X
15-수입투입계수(Am)	○	○	○	X
15-생산유발계수$(I-Ad)^{-1}$형	○	○	○	X
15-부가가치유발계수	○	○	○	X
15-수입유발계수	○	○	○	X
15-최종수요 항목별 생산유발액	○	○	○	X
15-최종수요 항목별 부가가치유발액	○	○	○	X
15-최종수요 항목별 수입유발액	○	○	○	X
생산자가격(불변)				
거래표 및 각종 계수표				
10-A표_총거래표(생산자)	○	○	○	X
10-A표_국산거래표(생산자)	○	○	○	X
10-A표_수입거래표(생산자)	○	○	○	X
10-총투입계수(A)	○	○	○	X
10-국산투입계수(Ad)	○	○	○	X
10-수입투입계수(Am)	○	○	○	X
10-생산유발계수$(I-Ad)^{-1}$형	○	○	○	X
10-부가가치유발계수	○	○	○	X
10-수입유발계수	○	○	○	X
10-최종수요 항목별 생산유발액	○	○	○	X
10-최종수요 항목별 부가가치유발액	○	○	○	X
10-최종수요 항목별 수입유발액	○	○	○	X

수록 표 종류	부문분류별			
	대	중	소	기본
■ 2015 지역표				
투입산출표				
생산자가격				
A표_총거래표(생산자가격)	○	○	○	X
총투입계수(A)	○	○	○	X
생산유발계수(I-Ad)⁻¹형	○	○	○	X
수입유발계수	○	○	○	X
부가가치유발계수	○	○	○	X
최종수요 항목별 생산유발계수	○	○	○	X
최종수요 항목별 수입유발계수	○	○	○	X
최종수요 항목별 부가가치유발계수	○	○	○	X
부속표				
고용표				
취업자 수	○	○	X	X
취업계수	○	○	X	X
취업유발계수표	○	○	X	X
최종수요 항목별 취업유발인원	○	○	X	X

공급표(Supply Table)

공급표는 산업별 재화 및 서비스의 공급내역에 대한 정보를 「상품×산업」 행렬형태로 나타낸 통계표이다. 세로(열) 방향으로 보면 각 산업이 어떤 상품을 생산하여 공급하였는지의 내역을 알 수 있고 가로(행) 방향으로 보면 각 상품이 어떤 산업에서 생산되어 공급되었는지의 내역을 파악할 수 있다.

<표 1-6>의 예시와 같이 농림어업, 제조업, 서비스업의 3개 산업과 농림수산품, 광산품, 서비스의 3개 상품으로 이루어진 정방형 공급표를 가정해 보면, 세로(열) 방향은 특정 산업에서 농림수산품, 광산품, 서비스의 상품을 생산한 기록을 나타내고 있으며, 가로(행) 방향은 각 상품이 어떤 산업에서 생산되었는지 내역을 나타내고 있다.

〈표 1-6〉 공급표 - 예시

(단위 : 조원)

산업 \ 상품	농림어업	제조업	서비스업	상품별 산출계 (기초가격)	수입	잔폐물 발생액	상품별 총공급계 (기초가격)	순생산 물세	도소매 마진	화물 운임	가격 전환계	상품별 총공급계 (구매자가격)
농림수산품	56	0	0	56	13	0	69	1	12	0	13	82
광산품	0	1,731	1	1,732	636	14	2,382	69	183	7	259	2,641
서비스	0	22	1,662	1,684	72	0	1,756	56	-195	-7	-146	1,610
해외직접구매	0	0	0	0	22	0	22	0	0	0	0	22
잔폐물발생(-)	0	0	0	0	0	-14	-14	0	0	0	0	-14
산업별 산출계 (기초가격)	56	1,753	1,663	3,472	743	0	4,215	126	0	0	126	4,341

　　또한, 국내에 공급되는 상품은 국내산출 외에도 수입과 잔폐물[6]이 있다. 공급표에서 수입은 상품별로 구분하여 기록하고 있으나 거주자가 해외에서 소비하거나 직접 구입한 내역은 상품별로 구분하지 않고 총액으로 별도로 표시한다. 상품별 산출액[7]에 수입과 잔폐물을 더하면 기초가격기준 상품별 총공급액이 되며 여기에 순생산물세, 도소매마진, 화물운임을 더하면 구매자가격기준 상품별 총공급액이 된다.

---

6) "잔폐물"이란 상품의 생산이나 최종생산물의 사용과정에서 발생하는 고철, 페지, 페플라스틱, 빈병, 파유리 등 재활용되는 물품을 말한다.

7) 공급표 및 사용표에서 가로 방향은 "상품별" 자료이고, 세로 방향은 "산업별" 자료이므로 표에서 합계 등의 표현에서 상품별 또는 산업별이란 단어를 사용하지 않는다. 즉, 상품별 산출액은 총산출액, 상품별 총공급액은 총공급액으로 나타낸다.

사용표(Use Table)

사용표는 산업별 상품의 사용내역과 부가가치, 최종수요의 항목별 사용내역에 대한 정보를 「상품×산업」 행렬형태로 나타낸 통계표이다. 세로 방향으로 보면 각 산업이 생산활동을 하기 위하여 지출한 생산비용의 구성, 즉 투입구조를 나타낸다. 투입구조는 중간재투입을 나타내는 중간투입 부문과 임금, 이윤, 세금 등 본원적 생산요소의 구입비용을 나타내는 부가가치부문으로 구성된다. 가로 방향으로 보면 각 상품이 어떤 산업에 얼마나 이용되었는지 또는 최종수요로 얼마나 사용되었는지를 알 수 있는데 이를 배분구조라고 한다. 배분구조는 다른 산업의 생산에 중간재로 사용되는 내역을 나타내는 중간수요부문과 소비, 투자, 수출 등의 최종재로 판매되는 최종수요부문으로 구성된다. <표 1-7>에 농림어업, 제조업, 서비스업의 3개 산업과 농림수산품, 광산품, 서비스의 3개 상품으로 이루어진 사용표의 예시를 나타내었다.

<표 1-7> 사용표(기초가격) - 예시

(단위 : 조원)

상품 \ 산업	중간수요				최종수요				총수요계
	농림어업	제조업	서비스업	상품별 중간수요계	소비	투자	수출	상품별 최종수요계	
농림수산품	4	39	9	52	15	1	1	17	69
광산품	17	1,078	331	1,426	149	131	676	956	2,382
서비스	4	243	457	704	687	271	94	1,052	1,756
국내직접판매	0	0	0	0	-12	0	12	0	0
해외직접구매	0	0	0	0	22	0	0	22	22
순생산물세	1	9	37	47	51	28	0	79	126
잘폐물발생(-)	0	-6	-2	-8	-2	-4	0	-6	-14
중간투입계	26	1,363	832	2,221	910	427	783	2,120	4,341
부가가치계	30	390	831	1,251					
산업별 투입계	56	1,753	1,663	3,472					

예시의 내용을 살펴보면, 사용표의 세로 방향으로 해당 산업의 생산활동을 위해 필요한 상품을 투입하였고 투입된 중간재에 부가된 순생산물세와 본원적 생산요소인 부가가치를 더하여 산업별 투입을 나타낸다. 이 산업별 투입계는 <표 1-6>의 공급표에서 산업별 산출계와 같다.

또한, 사용표의 가로 방향은 해당 상품이 중간수요에서 산업별로 생산활동을 하기 위해 사용된 내역을 나타내고, 상품별 최종수요에서 소비, 투자, 수출의 내역을 나타내고 있다. 상품별 중간수요와 상품별 최종수요를 더한 상품별 총수요계는 <표 1-6>의 공급표에서 상품별 총공급계와 같다. 즉, 공급표에서 산업별 산출계와 이에 대응되는 사용표의 산업별 투입계 및 공급표의 상품별 총공급계와 사용표의 상품별 총수요계는 항상 일치한다.

투입산출표(Input-Output Table)

투입산출표는 각 상품의 생산과 사용내역, 부가가치, 최종수요의 항목별 사용내역에 대한 정보를 「상품×상품」 행렬형태로 나타낸 통계표이다.

투입산출표도 사용표와 마찬가지로 투입구조와 배분구조로 살펴볼 수 있다. 사용표와의 차이점은 「상품×상품」 행렬형태로 이루어져 있으므로 세로 방향은 산업의 투입구조가 아닌 상품의 투입구조를 나타낸다.

즉, 세로 방향으로 보면 각 상품의 생산활동 중에 지출한 생산 비용의 구성, 즉 투입구조를 나타내며, 투입구조는 중간재투입을 나타내는 중간투입 부문과 임금, 이윤, 세금 등 본원적 생산요소의 구입비용을 나타내는 부가가치부문으로 구성된다. 가로 방향은 각 상품이 어떤 상품의 생산에 얼마나 이용되었는지 또는 최종 수요로 얼마나 사용되었는지의 배분구조를 나타낸다.

<표 1-8>에 농림수산품, 광산품, 서비스의 3개 상품으로 이루어진 투입산출표의 예시를 나타내었다. 세로(열) 방향은 특정 상품의 생산활동을 위해 투입된 중간재투입과 순생산물세, 잔폐물 발생 및 부가가치를 더하여 총투입계를 나타내고 있다. 가로(행) 방향은 상품의 생산에 중간재로 사용되는 내역을 나타내는 중간수요부문과 소비, 투자, 수출 등의 최종재로 판매되는 최종수요 부문 및 수입, 잔폐물 발생 등으로 구성된다.

〈표 1-8〉 투입산출표 - 예시

(단위 : 조원)

상품＼상품	중간수요				최종수요				총수요계	총산출	자가공정산출액	수입	잔폐물발생(+)	총공급계
	농림수산품	광산품	서비스	중간수요계	소비	투자	수출	최종수요계						
농림수산품	4	39	9	52	15	1	1	17	69	56	0	13	0	69
광산품	17	1,183	334	1,534	150	131	681	962	2,496	1,732	108	642	14	2,496
서비스	4	235	465	704	696	271	101	1,068	1,772	1,684	0	88	0	1,772
소계	25	1,457	808	2,290	861	403	783	2,047	4,337	3,472	108	743	14	4,337
순생산물세	1	8	38	47	51	28	0	79	126	105	0	21	0	126
잔폐물발생(-)	0	-6	-2	-8	-2	-4	0	-6	-14	0	0	0	-14	-14
중간투입계	26	1,459	844	2,329	910	427	783	2,120	4,449	3,577	108	764	0	4,449
부가가치계	30	381	840	1,251										
총투입계	56	1,840	1,684	3,580										

세로 방향의 총투입액은 특정 상품을 생산하기 위해 투입된 모든 중간재 상품과 부가가치 등을 나타내므로, 행렬의 가로(행) 방향의 총산출액과 자가공정 산출액[8]을 더한 금액과 같다.

공급사용표와 투입산출표 비교와 항등 관계

공급사용표는 공급표와 사용표를 동시에 이르는 말이며, 공급사용표는 「상품×산업」 행렬형태로 구성되어 있고, 투입산출표는 「상품×상품」 행렬형태로 구성되어 있다.

공급사용표는 상품과 산업의 이중분류를 적용하여 경제현실을 그대로 반영할 뿐만 아니라 일정 기간 각 산업부문 간에 거래된 재화와 서비스의 흐름, 각 산업부문에서의 노동, 자본 등 생산요소 투입 그리고 각 산업부문 생산물의 소비, 투자, 수출 등 최종수요를 나타내므로 공급과 수요구조, 산업구조, 부문별 투입과 배분구조, 최종수요 구성 및 수입구조 등 산업부문별로 세분된 구조분석이 가능하다. 또한, 산업기준으로 작성되는 국민소득통계와 국민대차대조표 등 국민계정 통계 간 상호 정합성을 유지하는 데도 중요한 역할을 하므로 국민계정체계(SNA)에서는 공급사용표 작성을 권장하고 있다. 우리나라는 투입산출표만 작성해 오다가 국민계정 통계 간 정합성 제고와 국제기준의 이행을 위하여 2010 기준년표부터 공급사용표를 함께 작성하고 있다.

투입산출표는 재화와 서비스의 모든 거래를 상품기준으로 상품별 산출액과 투입구조를 나타내는 것이기 때문에 하나의 산업에서 하나의 상품만을 생산한다는 기본가정이 있으며, 이 가정으로 인하여 동일한 생산기술이 사용된다는 점에서 생산유발효과, 부가

---

8) 자가공정이란 사업장 내에서 생산된 생산품이 외부로 판매되지 않고 동일 사업장 내 다른 제품을 생산하기 위해 쓰이는 것을 말한다.

가치유발효과, 고용유발효과 등 경제적 파급효과 분석에 유용한 측면을 가진다. 그러나 이와 같은 단순화한 기본가정으로 인하여 경제현실을 제대로 반영하지 못한다는 문제점이 있으며 여타 산업별 통계와 직접 연결하는 데 제약이 있다.

<표 1-9>에 공급사용표와 투입산출표의 주요 차이점을 나타내었으며, 이런 특징으로 공급사용표는 경제구조 분석에, 투입산출표는 경제적 파급효과 분석[9]에 주로 이용된다.

〈표 1-9〉 공급사용표와 투입산출표 비교

공급사용표	투입산출표
- 상품×산업(정방형/장방형) - 결합생산(product mix) 반영 - 경제현실에 부합 - 경제구조 분석에 이용	- 상품×상품(정방형) - 단일 상품 생산을 전제 - 생산기술에 부합 - 경제적 파급효과 분석에 이용

공급사용표와 투입산출표의 기록 내용에 대한 차이는 공급사용표에서는 자가공정 투입액과 산출액이 제외되어 있고, 투입산출표에서는 자가공정 투입액과 산출액이 포함되어 있다. 이는 투입산출표는 상품 단위로 생산과 처분 내역을 나타내고 있으므로 하나의 사업장에서 일관생산체제[10]에 의해 생산되더라도 사업장 내에서 생산된 생산품이 외부로 판매되지 않고 동일 사업장 내

---

9) 산업연관표를 활용한 파급효과분석을 경제적 파급효과 분석, 산업연관효과분석 등의 표현을 사용하며, 본서에서는 경제적 파급효과 분석으로 통일하여 사용한다.

10) 일관생산체제(Integrated Production System)란 1차 제품에서 2차·3차 또는 최종 제품에 이르기까지 자기 회사 공정 내에서 생산하는 체제를 말한다.

다른 제품을 생산하기 위해 쓰이는 자가공정 투입액을 각각 구분하여 생산과 사용내역을 기록하게 된다.

이와 달리 공급사용표에서는 산업 단위의 생산활동을 나타내고 있으므로 산업 간 거래를 기준으로 작성하고 산업 내에서 이루어지는 자가공정 생산활동에 대해서는 별도로 포착하지 않는다. 이에 따라 공급사용표와 투입산출표의 산출액과 총수요액 등에서 차이가 있다.

또한, 공급사용표에서는 국민계정체계(SNA) 기준에 따라 거주자 해외 소비에 대해서 별도 항목으로 처리하고 있으나 투입산출표에서는 품목별로 구분하여 수입과 민간소비지출에 포함시키고 있다. 비거주자가 국내에서 직접 구매한 내역에 대해서도 투입산출표에서는 품목별로 구분하여 수출로 처리하고 있으나 사용표에서는 품목별로는 민간소비지출에 포함시키고 총액을 차감하여 수출에 더해주는 방식을 취하고 있다. 이에 따라 공급사용표와 투입산출표의 민간소비지출, 수출 및 수입의 총액은 일치하지만 품목별로는 서로 다르게 나타난다.

표를 구성하는 형식 면에서도 공급사용표와 투입산출표는 일부 차이가 있다. 투입산출표는 「상품×상품」 행렬형태로 상품기준의 공급과 수요를 하나의 표에 모두 나타내고 있지만, 공급사용표는 공급과 수요를 각각 공급표와 사용표에 「상품×산업」의 행렬형태로 나타낸다.

또한, 공급사용표와 투입산출표는 일정 기간 한 지역에서 재화와 서비스를 생산하고 처분하는 과정에서 발생하는 모든 거래를 기록한 행렬형태의 통계표로서 같은 자료를 사용하고 있으므로 거래표 사이에 항등 관계가 성립된다. 공급사용표와 투입산출표 형식의 비교와 거래표 사이의 항등 관계를 보면 〈표 1-10〉과 같다.

〈표 1-10〉 공급사용표와 투입산출표 비교 및 항등 관계

[공급표 - 예시]

(단위 : 조원)

상품＼산업	농림어업	제조업	서비스업	상품별 산출계 (기초가격)	수입	잔폐물 발생액	상품별 총공급계 (기초가격)	순생산 물세	도소매 마진	화물 운임	가격 전환계	상품별 총공급계 (구매자가격)
농림수산품	56	0	0	56	13	0	69	1	12	0	13	82
광산품	0	1,731	1	1,732	636	14	2,382	69	183	7	259	2,641
서비스	0	22	1,662	1,684	72	0	1,756	56	-195	-7	-146	1,610
해외직접구매	0	0	0	0	22	0	22	0	0	0	0	22
잔폐물발생(-)	0	0	0	0	0	-14	-14	0	0	0	0	-14
산업별 산출계 (기초가격)	56	1,753	1,663	3,472	743	0	4,215	126	0	0	126	4,341

[사용표 - 예시]

(단위 : 조원)

상품＼산업	중간수요				최종수요				총수요계
	농림어업	제조업	서비스업	상품별 중간수요계	소비	투자	수출	상품별 최종수요계	
농림수산품	4	39	9	52	15	1	1	17	69
광산품	17	1,078	331	1,426	149	131	676	956	2,382
서비스	4	243	457	704	687	271	94	1,052	1,756
국내직접판매	0	0	0	0	-12	0	12	0	0
해외직접구매	0	0	0	0	22	0	0	22	22
순생산물세	1	9	37	47	51	28	0	79	126
잘폐물발생(-)	0	-6	-2	-8	-2	-4	0	-6	-14
중간투입계	26	1,363	832	2,221	910	427	783	2,120	4,341
부가가치계	30	390	831	1,251					
산업별 투입계	56	1,753	1,663	3,472					

[투입산출표 - 예시]

(단위 : 조원)

상품＼상품	중간수요				최종수요				총 수요계	총산출	자가 공정 산출액	수입	잔폐물 발생(+)	총 공급계
	농림 수산품	광산품	서비스	중간 수요계	소비	투자	수출	최종 수요계						
농림수산품	4	39	9	52	15	1	1	17	69	56	0	13	0	69
광산품	17	1,183	334	1,534	150	131	681	962	2,496	1,732	108	642	14	2,496
서비스	4	235	465	704	696	271	101	1,068	1,772	1,684	0	88	0	1,772
소계	25	1,457	808	2,290	861	403	783	2,047	4,337	3,472	108	743	14	4,337
순생산물세	1	8	38	47	51	28	0	79	126	105	0	21	0	126
잘폐물발생(-)	0	-6	-2	-8	-2	-4	0	-6	-14	0	0	0	-14	-14
중간투입계	26	1,459	844	2,329	910	427	783	2,120	4,449	3,577	108	764	14	4,449
부가가치계	30	381	840	1,251										
총투입계	56	1,840	1,684	3,580										

그리고, 산업연관표를 구성하는 원칙 사이의 적용되는 항등식은 다음과 같다.

총투입 = 중간투입계 + 부가가치계
총수요 = 중간수요계 + 최종수요계
총산출 = 총수요(또는 총공급) - 수입계
총투입 = 총산출
총수요 = 총공급
총공급 = 총산출 + 수입계
중간투입, 중간수요 = 국산거래액 + 수입거래액
최종수요 = 국산거래액 + 수입거래액
생산자가격표 = 국산거래표 + 수입거래표

가격평가 기준 종류

일정 기간에 발생한 재화 및 서비스의 거래를 기록하는 것은 물량단위로 하는 것이 가장 이상적이라 할 수 있으나 수많은 재화와 서비스를 하나의 통일된 물량단위로 파악하여 기록한다는 것은 매우 어려우므로 산업연관표에서는 금액단위로 통일하여 작성한다. 그런데, 금액단위로 재화와 서비스의 거래를 기록하는 것에도 생산자의 출하가격 또는 구매자의 구매가격 등 가격평가 기준에 따라 기록의 내용이 달라진다.

산업연관표는 구매자의 구매가격으로 평가하여 작성한 구매자가격평가표와 생산자의 출하가격으로 작성한 생산자가격평가표 및 생산자가 실제 수취하는 금액인 기초가격으로 작성한 기초가격 평가표로 나누어진다. <표 1-11>에 가격평가 기준을 나타내었다.

〈표 1-11〉 산업연관표 가격평가 기준

구 분	정 의
구매자가격	구매자가 원하는 시간과 장소에서 재화나 서비스를 제공받기 위해 구매자가 지급하는 가격
생산자가격	구매자가격에서 유통마진을 차감한 가격으로 생산자가 구매자로부터 수취하는 금액 (생산자가격 = 구매자가격 - 도소매마진 - 화물운임)
기초가격	생산자가격에서 생산물세를 차감하고 생산물 보조금을 더한 가격으로 생산자가 실제 수취하는 금액 (기초가격 = 생산자가격 - 생산물세 + 생산물 보조금)

그리고, <그림 1-6>에 투입산출표에서 가격평가 기준에 따른 항등식을 표로 정리하여 나타내었다.

〈그림 1-6〉 투입산출표 가격평가 기준에 따른 항등식

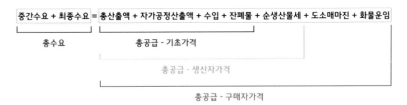

구매자가격평가표는 재화 및 서비스의 거래액이 실제거래가격대로 평가되어 있다는 점에서 각 부문의 투입내역을 현실 그대로 반영하는 장점이 있지만, 같은 재화나 서비스라 하더라도 서로

다른 유통마진율 적용으로 그 차이만큼 각종 분석의 결과가 다르게 나타나는 단점을 지니고 있다. 따라서 기술구조의 안정성을 토대로 산업 상호 간의 물량적 의존관계를 분석하는 경우에는 구매자가격평가표보다 유통마진이 포함되지 않은 가격으로 평가된 생산자가격평가표가 더욱더 적합하다고 할 수 있다.

또한, 생산자가격에는 생산물세가 포함되기 때문에 수요처가 기업, 가계 또는 정부에 따라 다른 세율이 적용되거나, 한 부문에 세율이 다른 여러 품목을 포함하고 있을 때는 생산자가격평가표를 이용하면 파급효과 측정에 오류가 생길 수 있으므로 생산파급효과를 정확히 측정하기 위해서는 기초가격평가표를 이용하는 것이 합리적이라고 할 수 있다.

국민계정체계(SNA) 기준에서도 기초가격기준 산업연관표 작성을 권장하고 있다. 우리나라는 2003년부터 기초가격평가표를 작성하고 있으며 2010년부터는 분석의 주지표를 기초가격으로 변경하였다.

한편 구매자가격평가표의 각 거래액에 포함된 도소매마진, 화물운임 및 순생산물세를 분리하여 기타 부속표로 별도로 작성한 것이 도소매마진표, 화물운임표 및 순생산물세표이다.

수입거래 처리방식에 따른 종류

산업연관표는 수입의 취급방법에 따라 경쟁수입형과 비경쟁수입형으로 나눌 수 있다. 경쟁수입형표는 거래되는 재화나 서비스의 종류가 같으면 그것이 국내생산품인지 또는 수입품인지를 구분하지 않고 각 수요부문에 일괄 기록(배분)하여 작성하는 반면, 비경쟁수입형표는 동종의 재화일지라도 국산품과 수입품을 구분하여 작성하는 표를 말한다.

한국은행 경제통계시스템(ECOS) 등을 통해 입수한 산업연관표 EXCEL 파일을 열어보면, <그림 1-7>과 같이 표 아래에 워크시트의 이름이 A표_총거래표, A표_수입거래표, A표_국산거래표 등이 있다.

〈그림 1-7〉 총거래표, 수입거래표, 국산거래표 예시

	A	B	C	D	E
1	투입산출표_총거래표(2019년 가격)				
2	2019년				
3	생산자가격				
4	단위 : 백만원				
5/6	상품 상품		A 농림수산품	B 광산품	C01 음식료품
7	A	농림수산품	4,473,043	4,319	36,127,095
8	B	광산품	560	2,180	25,247
9	C01	음식료품	9,667,065	8,084	25,928,631
10	C02	섬유 및 가죽제품	569,224	14,538	183,925
11	C03	목재 및 종이, 인쇄	679,709	10,732	2,895,843
12	C04	석탄 및 석유제품	1,392,722	112,267	443,378
13	C05	화학제품	4,294,807	134,635	3,954,306
14	C06	비금속광물제품	24,301	7,591	746,161
15	C07	1차 금속제품	54,805	5,724	6,413

A표_총거래표(생산자)	A표_수입거래표(생산자)	A표_국산거래표(생산자)

총거래표는 국산품인지 수입품인지 구분하지 않고 작성하는 경쟁수입형표이고, 국산거래표와 수입거래표는 각각 국산품, 수입품의 거래만을 기록하는 비경쟁수입형표이다.

경쟁수입형표와 비경쟁수입형표의 이용상의 장단점을 비교해 보면 경쟁수입형표에서는 최종수요의 변동에 따른 생산파급효과 중 수입에 의해 해외로 누출되는 부분(수입유발효과)을 가려내기 곤란한 반면, 비경쟁수입형표에서는 각 부문별 수입품 투입구조가 파악되므로 수입유발효과의 계측이 가능하게 된다. 따라서 비경쟁수입형표를 이용하면 최종수요 변동에 따른 생산파급효과를 국내생산유발효과와 수입유발효과로 나누어 파악할 수 있다.

그러나 비경쟁수입형표의 경우 하나의 생산부문 내에서도 경제여건에 따라 동종 품목의 국산품과 수입품의 투입구성이 가변적이라 할 수 있으므로 국산 및 수입투입계수가 안정적이라고 보기 어렵다는 문제점을 지니고 있다. 따라서 장기적이고 종합적인 경제 예측이나 경제계획을 수립하는 데는 더욱 안정적인 투입구조를 반영하는 경쟁수입형표가 더 유용하다.

실측 여부에 따른 종류

산업연관표는 끝자리가 0과 5인 년도에 기준년표를 작성하고 그 밖의 연도에는 비교년표를 작성한다. 기준년표는 실지조사를 통해 작성하므로 실측표라고 하며, 비교년표는 기준년표의 부문 분류와 포괄범위 등을 작성기준으로 적용하고 부분조사를 통해 자료를 수정·보완하여 간접추정방식으로 작성하므로 연장표라고 한다.

기준년 산업연관표의 작업과정을 보면 기획 단계에서 작업계획 수립과 작업원칙 및 부문분류 등을 결정하고, 실지조사 단계에서 기초통계 수집 및 실지조사 등을 통해 필요한 기초자료를 확보하며, 부문별 추계작업 단계에서 최종수요 및 부가가치, 산업 및 상품 투입구조 등을 추계하여 먼저 공급표를 작성하고, 사용표를 작성한 후, 자가공정 행렬을 반영하여 최종 투입산출표를 확정하는 확정 단계로 진행한다. 기본부문을 바탕으로 확정된 작성 결과를 다시 통합소분류, 통합중분류 및 통합대분류로 통합하고 각각의 표에 대해 투입계수와 생산유발계수, 수입 및 부가가치유발계수 등 각종 계수를 정리하는 과정으로 마무리한다. <그림 1-8>에 실지조사를 통한 기준년표 작업과정을 단계별로 나타내었다.

<그림 1-8> 기준년표 작업과정

이처럼 실지조사를 통한 기준년표의 작성에는 부문분류와 작성원칙 검토에서부터 각종 조사 및 자료수집, 전산처리, 산출액 추계 및 확정작업 등을 위한 방대한 자료와 작업 및 전문인력이 필요하기 때문에 통상 2년 이상의 기간이 소요된다. 그러므로 기준년표 작성대상 연도와 발표시점 간에 시차가 발생하므로 기준년표를 활용하여 국내외 경제여건의 급격한 변화를 분석하는 데는 제약이 있다. 이에 산업연관표의 연속성과 시의성을 높이기 위해 끝자리가 0과 5인 기준년표 작성대상 연도 사이에 매년 비교년표를 작성하고 있다.

비교년표는 해당 연도의 최근 기준년표 부문분류와 작성기준을 동일하게 적용하여, 외생부문인 산출액, 부가가치, 최종수요 및 수입 등은 직접 추계하고, 상당한 시간과 비용이 소요되는 내생부문은 산업 또는 상품 부문에서 투입구조의 변동이 심하다고 판단되는 일부 부문의 투입구조는 직접조사하고, 그 외 부문은 기준년표의 투입구조를 연장하여 추계하는 간접추정방식 등을 활용하여 작성한다.

간접추정방식은 작업의 방법에 따라 크게 3가지로 나누어진다. 첫째, 각 행과 열에 일정한 규칙에 따라 특정한 수를 곱하는 작업을 반복하여 수렴하는 행렬을 구하는 방법(Scaling Method)이 있으며, 둘째, 주어진 제약조건으로 목적함수를 최적화하는 방법(Optimization Method)이 있다. 그리고 두 가지 방법에 속하지 않는 기타 방법이 있다. <그림 1-9>에 간접추정 산출방법의 종류를 나타내었다.

〈그림 1-9〉 간접추정 산출방법 종류

Scaling Method에 속하는 방법으로는 RAS 방법[11](RAS Method), 수정 RAS 방법[12](Modified RAS Method), V-RAS 방법[13], 평균증가배율법[14] 및 DSS 방법[15](Diagonal Similarity Scaling Method) 등이 있고, Optimization Method에 속하는 방법으로는 Lagrange 승수법[16](Lagrange's Method of Undetermined Multiplier), 선형계획법[17](Linear Programming Method),

---

11) RAS 방법(RAS Method)은 기준연도 투입계수로부터 예측연도의 투입계수를 추정하는 방법으로써 예측연도의 중간수요계, 중간투입계, 총산출액을 추계한 후 행변화계수(R계수)와 열변화계수(S계수)를 측정하여 예측연도의 중간수요계, 중간투입계에 근사한 값을 얻을 때까지 반복계산하는 방법이다. 이중비례조정법(Biproportional Adjustment Method)이라하며 수정 RAS 방법과 비교하여 단순 RAS 방법이라고도 한다.

12) 수정 RAS 방법(Modified RAS Method)은 단순 RAS 방법의 한계인 행 또는 열의 각 원소들의 변화 방향이 다른 경우 행변화계수(R계수)와 열변화계수(S계수)에 의해 투입계수의 조정에서 심한 편차가 발생하는 것을 극복하기 위한 방법이다.

13) V-RAS 방법은 총요소생산성(Total Factor Productivity)과 상대가격 (Relative Prices)의 변화를 반영할 수 있도록 한 방법이다.

14) 평균증가배율법은 기준연도의 중간거래 행렬에 예측연도의 산출액, 중간수요 합계 및 중간투입 합계의 평균치를 이용하여 예측연도의 투입계수를 구하는 방법이다.

15) DSS 방법(Diagonal Similarity Scaling Method)은 RAS 방법과 마찬가지로 선형 조건에 일치하도록 기준연도의 행렬 앞뒤에 일정한 규칙에 따라 행렬을 곱하여 조정하는 방법이다.

16) Lagrange 승수법(Lagrange's Method of Undetermined Multiplier)은 기준연도의 실측된 투입계수, 예측연도의 중간수요계, 중간투입계 및 산출액이 주어졌을 때 이들의 제약조건 하에서 기준연도 투입계수와 예측연도 투입계수의 차의 제곱 합이 최소가 되는 예측연도 투입계수를 구하는 방법이다.

17) 선형계획법(Linear Programming Method)은 2차 비선형계획법

비선형계획법[18](Quadratic Programming Method), 엔트로피법[19] (Entropy Method) 등이 있다. 그리고 이 분류에 속하지 않는 것으로 사전예측법[20](Ex-ante Method) 등이 있다.

또한, 비교년표의 가격기준으로 당해연도의 명목(경상)가격[21] (Current Market Price)을 기준으로 작성하는 명목(경상)산업 연관표와 기준년의 가격을 기준으로 작성하는 실질(불변)산업연관표 가 있다.

산업연관표는 산업과 상품의 공급 및 판매내역을 물량단위로 기록하는 것이 이상적이나 현실적으로 한 나라에 존재하는 서로

(Quadratic Programming Method)의 장점을 살리면서 보다 단순한 형태의 모형을 설정하여 계산 비용을 줄일 수 있는 방법이다.

18) 비선형계획법(Quadratic Programming Method)은 Lagrange 승수법 의 한계(예, 부등식의 제약조건을 설정할 수 없으며, 투입계수의 부호가 0보다 크다는 것을 보장할 수 없음)를 극복하기 위한 방법이다.

19) 엔트로피법(Entropy Method: Maximum Entropy Method and Minimum Cross Entropy Method)은 정보이론(Information Theory) 을 기초로 불확실성을 측정하는 비선형 목적함수(Nonlinear Criterion Function)를 극대화 또는 극소화하는 방법으로서 예측연도의 산업 연관표와 사회계정행렬(SAM, Social Accounting Matrix)의 추정에 최근 많이 활용되고 있는 방법이다.

20) 사전예측법(Ex-ante Method)은 기준연도 투입계수의 수정보다는 투입계수표의 작성을 위한 통계자료에 경제학적 지식을 근거로 투입 계수를 합리적으로 주관적 판단으로 예측하고 이를 바탕으로 투입계수 를 조정하는 방법이다.

21) 명목가격, 경상가격(Current Market Price)은 어느 한 시점의 화폐 단위로 표시한 재화의 가격을 말한다. 명목(경상)가격은 한 해의 경제 활동을 비교, 분석하는 데 주로 이용되지만, 서로 다른 시점의 경제 활동을 분석하는 데에는 부적합하다. 한편, 실질적인 경제활동의 변화를 나타내기 위하여 물가 변동을 고려하여 명목(경상)가격을 조정한 가격 을 불변가격 또는 실질가격(Constant Market Price)이라고 한다.

이질적인 수많은 재화와 서비스의 거래를 하나의 단일 기준 물량 단위로 파악하여 기록한다는 것은 사실상 불가능하므로 통일된 금액단위로 작성한다. 이때 통일된 금액단위의 기준이 대부분은 당해연도 가격인 명목가격으로 작성하고 있다.

그런데 명목가격으로 작성된 산업연관표를 이용하여 일정 기간의 생산기술구조변화를 파악할 경우 도출된 투입구조의 변화에는 물량 변동요인에 의한 실질적인 기술변화효과뿐만 아니라 가격 변동요인에 의한 변화까지 포함되어 바람직한 결과를 얻기 힘들다. 따라서 투입구조의 변화 요인 중 가격변동요인을 제거하여 순수한 물량 변동에 의한 투입구조의 변화, 즉 생산기술구조의 변화만을 파악하기 위해 각 연도의 명목산업연관표를 기준연도의 가격으로 환가(換價, Conversion)하여 재작성한 산업연관표를 실질(불변)산업연관표라고 한다. 이러한 실질(불변)산업연관표는 경제구조 분석 및 경제적 파급효과 분석을 연도별로 비교하는 데 활용될 수 있으며 특히 최종수요, 수입대체, 생산기술변화 등 경제 성장기여도의 분석에 매우 유용하다.

부문분류표

부문분류표는 산업연관표의 산업 및 상품분류체계를 나타내는 기준이다. 산업연관표를 작성할 때 부문분류의 가장 중요한 원칙은 '투입구조의 안정성'이라는 가정이다. 이를 위해 동일 부문에 포괄되는 품목들은 동질성이 있어야 하며 그 투입구조나 배분구조에 유사성이 있어야 한다. 실제 산업연관표의 작성에 있어 몇 가지 원칙에 따라 재화 및 서비스를 적절한 수의 기본부문으로 통합하여 부문분류를 하게 되는데, 첫째 투입구조와 배분구조가 유사한 품목들은 동일한 부문으로 분류하고, 둘째 품목별 총산출액, 투입구조 및 배분구조 작성 시 기초통계자료의 이용 가능성 및 여타 통계와의 비교 가능성을 고려하여 부문을 분류하며, 셋째 과거에 작성된 산업연관표와의 비교 및 국제기준과의 비교 가능성을 고려하여 분류하고 있다.

산업연관표에서는 산업과 상품기준에 의한 분류 원칙에 따라 기본부문으로 분류하고 이를 다시 분석목적에 따라 다양하게 이용할 수 있도록 통합소분류, 통합중분류, 통합대분류로 구분한다. 그리고, 산업연관표의 부문분류체계는 끝자리가 0과 5인 년도에 실측을 통한 기준년표를 작성하면서 대상 연도의 경제여건이나 기술구조 및 산업구조의 변화 등이 반영되어서 부문분류가 개편된다. 기준년 외의 연도에 작성하는 비교년표는 기준년표의 부문분류체계를 이용하여 연장표로 작성하므로 기준년표의 부문분류체계와 동일한 부문분류를 활용한다.

<그림 1-10>에 2015 부문분류표의 상품분류표 일부를 나타내었다.

부문분류표에는 상품분류표와 산업분류표로 구분된 워크시트가 있으며, 이 2015년 부문분류표는 2015년 기준년표 작성 시에 개편되었으며, 이후 2019년까지 동일한 부문분류를 적용하여 비교년표가 작성되어 있다. 그리고 2015년 부문분류표를 요약하여 <표 1-12>에 나타내었다.

〈그림 1-10〉 2015_부문분류표_상품분류표

기본부문(381)		소분류(165)		중분류(83)		대분류(33)	
코드	부문명	코드	부문명	코드	부문명	코드	부문명
1711	지방족 기초유분	171	기초유기화학물질	17	기초화학물질	C05	화학제품
1712	방향족 기초유분						
1713	석유화학중간제품						
1719	기타 기초유기화합물						
1721	산업용 가스	172	기초무기화학물질				
1722	기초무기화합물						
1723	염료, 안료 및 유연제						
1801	합성수지	180	합성수지 및 합성고무	18	합성수지 및 합성고무		
1802	합성고무						
1900	화학섬유	190	화학섬유	19	화학섬유		
2000	의약품	200	의약품	20	의약품		
2101	비료 및 질소화합물	210	비료 및 농약	21	비료 및 농약		
2102	살충제 및 농약						
2211	도료	221	도료 및 잉크	22	기타 화학제품		
2212	잉크						
2221	비누, 세제 및 치약	222	비누 및 화장품				
2222	화장품						
2291	접착제 및 젤라틴	229	기타 화학제품				
2292	사진용 화학제품 및 감광재료						
2299	기타 화학제품						
2310	플라스틱 1차제품	231	플라스틱 1차제품	23	플라스틱제품		
2391	건축용 플라스틱제품	239	기타 플라스틱제품				
2392	포장용 플라스틱제품						
2393	운송장비 및 조립용 플라스틱제품						
2399	기타 플라스틱제품						
2410	타이어 및 튜브	241	타이어 및 튜브	24	고무제품		
2491	산업용 고무제품	249	기타 고무제품				
2499	기타 고무제품						

상품분류표　산업분류표　⊕

〈표 1-12〉 2015 부문분류표 요약

구 분	코드표현기준	상품분류개수	산업분류개수
기본부문	4자리 숫자	381	278
소 분 류	3자리 숫자	165	174
중 분 류	2자리 숫자	83	78
대 분 류	알파벳 문자	33	32

부문별·품목별 공급액표는 산업연관표의 공급 부문을 세부 품목별로 집계한 표이다. 공급액표의 국산품 공급액의 합계는 총산출액이고, 수입품 공급액의 합계는 수입계이며, 공급액의 합계는 총공급과 동일하다.

<그림 1-11>에 부문별·품목별 공급액표 일부를 나타내었다.

〈그림 1-11〉 부문별 · 품목별 공급액표(2015년 가격) 일부

	A	B	C	D	E	F
1	부문별 품목별 공급액표(2015년 가격)					
2	2015년					
3	기초가격					
4	단위 : 백만원					
5	기본부문	기초부문	부문명칭	국산산출액	수입액	총공급액
1135	2222	****a	화장품	9,937,898	4,094,549	14,032,447
1136	2222	0000	화장품	60,753	2,585,388	2,646,141
1137	2222	0101	크림	1,607,167	633,111	2,240,278
1138	2222	0102	로션 및 오일	3,608,502	104,908	3,713,410
1139	2222	0103	화장수	408,272	16,092	424,364
1140	2222	0201	화운데이션	678,614	97,171	775,785
1141	2222	0202	루즈	202,578	86,020	288,598
1142	2222	0203	볼터치	42,524	0	42,524
1143	2222	0204	아이셰도우	109,023	53,974	162,997
1144	2222	0301	샴푸	890,028	80,949	970,977
1145	2222	0302	린스	21,539	18,645	40,184
1146	2222	0303	헤어 스프레이 및무스	59,397	11,070	70,467
1147	2222	0304	염색약	220,195	0	220,195
1148	2222	0388	기타	248,591	120,709	369,300
1149	2222	0400	파우더 제품	108,858	16,191	125,049
1150	2222	0500	향수	121,183	153,799	274,982
1151	2222	8801	메니큐어및제거제	58,381	12,558	70,939
1152	2222	8888	기타	1,492,293	103,964	1,596,257

이 부문별·품목별 공급액표 일부의 내용은 <그림 1-10>에 표현한 기본부문 "화장품(2222)"을 화장품, 크림, 로션 및 오일... 등 17개 기초부문으로 집계한 것으로 알 수 있다. 이와 같이 부문별·품목별 공급액표의 기초부문분류 개수를 보면, 2015년 기준년표의 기본부문은 381개이며, 기초부문은 3,079개이므로 공급 상품분류가 세분화되어 있음으로 알 수 있다.

산업연관표에서 가장 세분화된 부문분류는 기본부문이며, 더 이상 분할이 불가능하지만, 분석상 새로운 부문분류체계의 세분화가 필요한 경우에는 부문별·품목별 공급액표를 이용하여 특정 상품에 해당하는 분할 비율을 구한 후, 이 비율을 이용하여 새로운 부문분류체계와 산업연관표를 작성할 수 있다.

이상에서 살펴본 바와 같이 산업연관표의 부문분류체계 외의 새로운 부문분류체계가 필요하다면 다소 복잡한 부문분류 및 통합 작업을 통해 작성할 수 있다. 하지만 부문분류를 지나치게 통합할 경우 통합의 범위에 따라서 분석의 결과가 달라질 수 있고, 하위 분류에서 상위 분류로 통합을 진행할수록 부문 간의 비유사성이 증가하게 되어 산업연관표의 유용성이 떨어질 수 있으며, 통합 과정에서 정보가 상실되는 등의 문제점이 발생하게 된다.

반면, 부문분류를 지나치게 세분화할 경우 원재료 간의 대체 가능성이 증대되어 투입구조의 안정성을 유지하기 어려워질 수 있다. 따라서 새로운 부문분류체계로 통합 및 분할 작업을 할 때는 투입구조의 안정성을 유지할 수 있는 범위 내에서 이루어져야 하므로 분석 작업 시 유의하여야 한다.

고용표는 각 부문의 산출액을 생산하기 위해 1년 동안 투입된 노동량을 통일된 기준에 따라 작성한 표이다. 고용표는 상품 및 산업부문별 연간 취업자 수와 피용자 수를 나타내며, 산업별로는 취업자와 피용자의 총실제근로시간도 포함하고 있다.

취업자와 피용자의 기준은, 피용자는 임금근로자를 말하며 취업자는 피용자와 자영업자 및 무급가족종사자를 포함한다. 자영업자 및 무급가족종사자란 임금을 받지 않는 근로자로서 고용주를 포함한 자영업자와 그 가족이면서 급여를 받지 않고 근무한 자를 말한다. 또한, 산업연관표의 생산활동은 국내생산에 국한되므로 취업자 수에는 원칙적으로 일시적 해외거주자와 원양어업 종사자, 국내에 상주하는 외국인 취업자(외국공관 및 주둔군 관계인 제외)는 포함하며, 해외건설 등에 따른 해외취업자와 장기해외 체류자는 제외한다.

<그림 1-12>에 2015-2019 고용표 중 취업자 수 및 피용자 수의 일부를 나타내었다. <그림 1-13>에는 취업형태별 성별 취업자 수의 일부를 나타내었다. 그리고 <그림 1-14>에는 취업 및 고용 계수표를 나타내었으며, 계수의 단위는 '명/10억원'이다.

부속표_취업자수 및 피용자수
전업환산 기준(상품)

단위 : 명

상품	2015년 취업자수	피용자수	2016년 취업자수	피용자수	2017년 취업자수	피용자수	2018년 취업자수	피용자수	2019년 취업자수	피용자수
011 곡물 및 식량작물	335,618	10,256	272,668	8,579	252,587	8,204	349,344	8,718	396,969	7,471
012 채소 및 과실	608,619	47,038	600,700	40,869	629,661	40,322	578,542	36,512	575,808	33,967
019 기타작물	139,424	11,638	148,666	12,458	145,968	11,993	133,690	9,462	132,820	8,611
021 낙농 및 축우	19,483	3,026	21,382	3,656	22,335	3,978	29,991	3,165	46,081	3,373
029 기타 축산	53,483	9,770	47,896	8,646	49,820	8,902	52,358	10,843	43,167	11,323
030 임산물	11,266	7,871	10,695	7,060	11,611	7,940	10,822	7,546	11,512	8,381
040 수산물	49,509	13,271	51,224	15,844	50,089	14,281	56,027	18,269	56,836	19,048
050 농림어업 서비스	10,122	9,200	9,982	9,416	8,806	8,011	11,719	10,700	11,374	9,806
061 석탄	3,148	3,114	6,143	6,143	6,044	6,044	4,227	4,227	2,536	2,536
062 원유 및 천연가스	263	263	216	216	295	295	284	284	272	272
071 금속광물	197	197	373	373	608	608	451	451	382	382
072 비금속광물	8,353	7,301	10,699	10,454	14,020	13,854	12,580	12,512	12,195	11,148
081 육류 및 낙농품	46,061	43,597	51,916	47,671	50,247	45,797	53,392	49,610	53,584	51,072
082 수산가공품	31,327	27,102	30,978	27,454	34,230	30,464	29,739	26,294	31,002	26,950
083 정곡 및 제분	13,516	7,475	18,096	9,504	17,242	9,895	17,604	11,156	16,638	11,525

취업자수 및 피용자수(상품) | 취업자수 및 피용자수(산업) | 취업형태별 및 성별 취업자수(상품) | 취업형태별 및 성별 취업자수(산업) | 총실제근로시간(산업)

부속표_취업형태별 및 성별 취업자수
전업환산 기준(상품)

단위 : 명

상품	2015년 취업형태별 취업자수 상용	임시일용	자영무급	성별 취업자수 남성	여성	2019년 취업형태별 취업자수 상용	임시일용	자영무급	성별 취업자수 남성	여성
011 곡물 및 식량작물	674	9,582	325,362	202,145	133,474	903	6,568	389,498	246,311	150,658
012 채소 및 과실	3,223	43,816	561,580	357,389	251,230	4,231	29,736	541,840	350,671	225,137
019 기타작물	770	10,868	127,786	81,616	57,808	1,050	7,562	124,208	80,691	52,129
021 낙농 및 축우	1,319	1,707	16,457	15,053	4,430	1,888	1,485	42,707	34,934	11,147
029 기타 축산	4,268	5,502	43,714	41,358	12,125	6,140	5,182	31,845	32,410	10,757
030 임산물	2,604	5,267	3,395	9,044	2,222	3,287	5,094	3,131	9,141	2,371
040 수산물	3,737	9,535	36,238	36,408	13,101	5,780	13,268	37,788	40,779	16,057
050 농림어업 서비스	5,596	3,604	923	7,887	2,236	7,167	2,639	1,568	8,516	2,858
061 석탄	3,073	41	34	3,023	125	2,522	14	0	2,311	225
062 원유 및 천연가스	263	0	0	217	46	272	0	0	272	0
071 금속광물	182	15	0	190	7	382	0	0	258	124
072 비금속광물	7,015	286	1,051	7,210	1,143	10,571	577	1,047	10,219	1,976
081 육류 및 낙농품	35,310	8,287	2,464	26,935	19,126	44,493	6,579	2,511	30,966	22,618
082 수산가공품	15,910	11,192	4,225	9,497	21,830	18,370	8,580	4,051	12,597	18,405

취업자수 및 피용자수(상품) | 취업자수 및 피용자수(산업) | 취업형태별 및 성별 취업자수(상품) | 취업형태별 및 성별 취업자수(산업) | 총실제근로시간(산업)

	상품	2015년		2016년		2017년		2018년		2019년	
		취업계수	고용계수	취업계수	고용계수	취업계수	고용계수	취업계수	고용계수	취업계수	고용계수
A	농림수산품	20.0	1.8	19.3	1.8	19.0	1.7	19.5	1.7	20.3	1.6
B	광산품	2.9	2.6	3.8	3.8	4.4	4.4	3.9	3.9	3.6	3.3
C01	음식료품	2.5	1.9	2.6	2.0	2.6	2.0	2.5	2.0	2.4	1.9
C02	섬유 및 가죽제품	4.2	3.3	4.0	3.0	4.0	3.0	3.7	2.8	3.5	2.6
C03	목재 및 종이, 인쇄	4.3	3.5	4.0	3.1	4.0	3.2	3.7	2.9	3.5	2.8
C04	석탄 및 석유제품	0.1	0.1	0.1	0.1	0.1	0.1	0.1	0.1	0.1	0.1
C05	화학제품	1.7	1.5	1.7	1.6	1.7	1.5	1.6	1.5	1.6	1.4
C06	비금속광물제품	2.8	2.4	2.8	2.4	2.6	2.2	2.5	2.2	2.5	2.1
C07	1차 금속제품	1.2	1.1	1.2	1.1	0.9	0.9	0.9	0.9	0.9	0.8
C08	금속가공제품	3.7	3.2	3.7	3.2	3.4	2.8	3.5	2.9	3.3	2.8
C09	컴퓨터, 전자 및 광학기기	1.5	1.4	1.4	1.3	1.2	1.1	1.2	1.1	1.3	1.2
C10	전기장비	2.5	2.3	2.4	2.2	2.5	2.2	2.3	2.1	2.2	2.0
C11	기계 및 장비	3.1	2.8	3.0	2.7	2.7	2.4	2.8	2.5	2.9	2.5
C12	운송장비	1.9	1.8	2.0	1.9	2.1	2.0	2.0	2.0	1.9	1.8
C13	기타 제조업 제품	8.0	5.6	7.7	5.5	6.8	4.7	6.1	4.2	6.1	4.2
C14	제조임가공 및 산업용 장비 수리	8.3	7.5	8.4	7.6	7.8	7.0	7.3	6.6	7.9	7.3
D	전력, 가스 및 증기	0.8	0.8	0.8	0.8	0.7	0.7	0.7	0.6	0.6	0.6
E	수도, 폐기물처리 및 재활용서비스	6.1	5.3	6.4	5.5	5.9	4.9	5.9	5.0	6.2	5.3
F	건설	7.4	5.6	6.8	5.2	6.5	5.0	6.6	5.2	6.5	5.1
G	도소매 및 상품중개서비스	14.2	8.3	13.3	7.7	12.9	7.7	12.2	7.3	11.7	7.1
H	운송서비스	10.0	5.6	10.0	5.6	9.8	5.5	9.3	5.4	9.1	5.3
I	음식점 및 숙박서비스	14.6	8.6	13.9	8.1	13.1	7.4	11.9	6.6	11.3	6.3
J	정보통신 및 방송 서비스	4.7	4.2	4.6	4.1	4.4	3.9	4.5	4.0	4.5	4.1
K	금융 및 보험 서비스	4.3	4.2	4.2	4.0	3.9	3.7	3.8	3.6	3.6	3.4
L	부동산서비스	2.6	1.6	2.5	1.5	2.6	1.6	2.4	1.4	2.5	1.6
M	전문, 과학 및 기술 서비스	7.3	6.5	7.2	6.5	6.9	6.2	6.6	5.8	6.5	5.8
N	사업지원서비스	15.4	14.3	15.2	14.1	14.1	13.0	12.4	11.4	11.6	10.8
O	공공행정, 국방 및 사회보장	8.6	8.6	8.4	8.4	8.1	8.1	7.9	7.9	7.2	7.2
P	교육서비스	12.9	10.0	13.0	10.2	12.8	10.1	12.2	9.5	11.8	9.3
Q	보건 및 사회복지 서비스	12.9	12.1	12.3	11.7	11.5	10.9	11.2	10.6	10.7	10.2
R	예술, 스포츠 및 여가 관련 서비스	10.7	6.9	10.0	6.5	9.7	6.1	9.0	5.6	9.5	5.9
S	기타 서비스	21.9	12.9	20.7	11.9	20.2	11.4	19.7	11.5	19.6	11.5
T	기타	0.0	0.0	0.0	0.0	0.0	0.0	0.0	0.0	0.0	0.0
	전체	6.3	4.6	6.2	4.5	5.9	4.3	5.6	4.1	5.6	4.1

부속표_취업 및 고용계수
취업환산 기준(상품)
단위 : 명/10억원

고용표를 산업연관표와 연결하여 사용하면 특정 부문의 최종 수요가 증가하는 경우 발생하는 노동수요를 계측할 수 있다. 따라서 고용표는 경제정책 등의 노동 파급효과분석을 가능하게 하며 산업별 고용수급계획 등 제반 경제계획의 수립에 기초자료로 이용할 수 있다.

한편 취업(고용) 계수는 고용표의 취업자(피용자) 수를 산출액으로 나눈 계수로서 1 단위 생산에 직접 필요한 노동량을 의미하며 노동생산성과는 역의 관계에 있다.

취업자는 일정 기간(1년) 각 산업에 투입된 총노동량을 뜻하며 노동량 계측 단위로는 연인원(年人員, Man-Year), 전업환산기준(Full-Time Equivalent) 등이 있다. 국민계정체계(SNA)에서는 근무시간까지 감안한 전업환산기준의 취업자 수 및 피용자 수를 측정하도록 권장하고 있다. 전업환산기준 취업자 수 및 피용자 수란 근로자가 제공하는 근무시간을 전업 근로자의 연간평균 근로시간으로 나누어 산정된 인원으로서 근로기간뿐만 아니라 근로시간까지 감안하여 노동량의 크기를 측정하는 방법이다.

한편 고용표에는 총실제노동시간도 함께 추계하는데 여기에는 직접노동시간과 연관노동시간(전화 통화, 직무 연수 등), 대기시간 및 휴게시간을 포함하며 모든 형태의 휴가, 통근시간, 직무연수 이외의 교육, 식사시간, 출장기간에 장기 휴식시간 등은 제외한다.

기타 부속표

기타 부속표에는 도소매마진표, 화물운임표, 순생산물세표, 잔폐물 발생·수요표가 있다.

도소매마진표는 각 부문에서 다른 부문으로부터 중간재를 구입할 때 부담하는 도소매마진 내역을 기록한 표이다. 화물운임표는 각 산업부문에서 다른 부문으로부터 중간재를 구입할 때 부담하는 화물운임 내역을 기록한 표이다. 잔폐물 발생 수요표는 각 부문에서의 잔폐물 발생내역을 기록한 표이며, 여기에서 잔폐물이란 상품의 생산과정에서 발생하는 스크랩이나 최종생산물의 사용과정에서 발생하는 폐품, 고물 등으로 각 산업의 중간재로 사용되고 있으나 동 품목들을 주산물로 생산하는 산업이 따로 없는 것을 의미한다.

고정자본형성표

고정자본형성표는 일정 기간에 형성된 각 고정자산의 산업별 형성(배분)내역을 파악하여 산업연관표의 최종수요 항목의 하나로 자본재별 총액만 열벡터 형태로 계상되고 있는 고정자본형성을 산업별 형성 내역에 따라 산업별로 배분한 것이다. 따라서 산업별 생산활동과 고정자산을 직접적으로 연결하여 경제분석이 가능하도록 「자본재×산업」의 행렬형태로 나타낸 표이다.

고정자본형성표는 2005년부터 매년 작성되고 있으며, 통합 중분류 외 통합대분류 및 고정자본형성표 부문 대비표도 추가로 발표됨에 따라 산업별 산출액 변동에 따른 산업별, 고정자산별 투자 소요액, 자본 생산성 등 투자 관련 경제분석에 유용하게 사용할 수 있다. 특히 고정자본형성표의 자본재별·산업별 부문 분류가 기본적으로 생산자가격평가표 총거래표의 부문분류를 따르고 있어 두 표를 연계하여 사용할 수 있다.

자본재는 생산자가격평가표 총거래표의 기본부문 중 고정자본의 범위에 속하는 부문을 기준으로 설정하고 있으며, 이 중 고정자본 형성 벡터의 값이 '0'보다 큰 값을 가지는 부문으로 정의된다. 산업분류는 기본적으로 산업연관표의 부문분류상 통합중분류와 완전히 일치하지는 않으나, 유사한 부문분류를 따르고 있다.

지역산업연관표는 지역별로 서로 다른 생산기술구조와 지역 간의 거래형태를 반영하기 위하여 전국을 지역으로 구분하여 산업 및 상품별 거래내역을 나타낸 것이다. 이러한 지역산업연관표는 각 지역의 경제구조뿐만 아니라 지역 간 산업 및 상품 간 상호 연관관계를 수량적으로 나타내기 때문에 지역 단위의 경제 및 산업구조분석과 경제정책 수립 및 효과분석 등에 중요한 분석도구로 활용된다[22].

<표 1-13>에 K 지역, R 지역 및 S 지역으로 3개 지역과 농림수산품, 광산품, 음식료품의 3개 상품으로 구성된 지역산업연관표의 예시를 나타내었다.

지역산업연관표는 지역별로 서로 다른 생산기술구조와 거래형태를 반영하여 전국 산업연관표를 지역별로 구분하여 작성한다. 이때 지역 간 거래내역을 나타내는지에 따라 지역 내 또는 지역 간 산업연관표로 나뉘며, 중간투입 및 최종수요로 이용된 상품을 생산지역(수입 및 국내 다른 지역으로부터의 이입)에 따라 구분하는지에 따라 경쟁형(구분하지 않음), 비경쟁형(구분함) 산업연관표로 나뉜다. 한국은행은 지역산업연관표를 지역 간 거래내역을 포함하고, 수입을 별도로 구분한 비경쟁수입, 비경쟁이입형 지역 간 산업연관표로 작성하고 있다.

---

22) 한국은행 (2020), "2015년 지역산업연관표로 본 지역경제 및 지역 간 산업연관구조", 국민계정리뷰, 2020년 제3호.

\<표 1-13\> 지역산업연관표 - 예시

(단위 : 조원)

구분	지역	부문명	중간수요 K지역 농림수산품	K지역 공산품	K지역 서비스	중간수요 R지역 농림수산품	R지역 공산품	R지역 서비스	중간수요 S지역 농림수산품	S지역 공산품	S지역 서비스	중간수요계	최종수요 K지역	R지역	S지역	최종수요계	지역산출액
중간투입	K지역	농림수산품	10	5	20	0	0	0	0	5	10	50	35	0	15	50	100
		광산품	15	40	25	10	10	7	5	20	20	152	20	3	25	48	200
		음식료품	20	30	40	10	15	8	3	5	5	136	110	39	15	164	300
	R지역	농림수산품	0	0	5	25	15	15	5	10	10	85	5	45	20	70	155
		광산품	0	20	10	20	15	11	0	10	15	101	5	14	5	24	125
		음식료품	0	0	4	15	10	15	0	0	2	46	4	50	5	59	105
	S지역	농림수산품	0	0	0	0	0	0	5	5	10	20	0	5	35	40	60
		광산품	0	10	5	0	5	3	10	30	30	93	0	12	45	57	150
		음식료품	0	20	36	0	5	2	12	15	50	140	36	6	68	110	250
	지역 중간투입계		45	125	145	80	75	61	40	100	152	823	215	174	233	622	1,445
	수입	농림수산품	0	5	5	0	0	0	0	0	0	10	10	5	10	25	35
		광산품	5	30	10	10	5	4	0	10	15	89	5	6	15	26	115
		음식료품	0	0	0	5	5	0	0	0	3	13	0	10	7	17	30
	중간투입계		50	160	160	95	85	65	40	110	170	935	230	195	265	690	1,625
부가가치	K지역		44	37	120	2	0	2	0	5	5	215					
	R지역		2	1	10	55	35	35	0	2	10	150					
	S지역		4	2	10	3	5	3	20	33	65	145					
총투입계			100	200	300	155	125	105	60	150	250	1,445					

2015년 지역산업연관표는 국가 단위 산업연관표의 생산자가격표를 기초로, 전국을 17개 광역자치단체로 구분하여 작성하였다. 구분된 광역자치단체를 보면, 행정구역을 기준으로 서울, 인천, 경기, 대전, 세종, 충북, 충남, 광주, 전북, 전남, 대구, 경북, 부산, 울산, 경남, 강원, 제주로 구분하였으며, \<표 1-14\>에 2015년 지역산업연관표에 구분된 광역자치단체를 지역경제권으로 나타내었다.

<표 1-14> 2015년 지역산업연관표 경제권 구분

경제권	지역	
	광역자치市	광역자치道
수도권	서울, 인천	경기
충청권	대전, 세종	충북, 충남
호남권	광주	전북, 전남
대경권	대구	경북
동남권	부산, 울산	경남
강원	-	강원
제주	-	제주

국제산업연관표

국제산업연관표(World/International/Global Input-Output Tables)는 여러 나라의 산업연관표를 접속시켜 한 국가의 생산 및 배분뿐만 아니라 수출입을 통하여 발생하는 국가 간의 거래 까지도 체계적으로 파악할 수 있도록 작성한 통계표로서 생산구조 의 국제비교 및 국가 간 경제 상호의존관계의 분석 등에 이용된다.

<표 1-15>는 국제산업연관표의 한 예로 한국은행이 일본의 아시아 경제연구소(IDE)와 공동 작업한 2005년 아시아 국제산업 연관표(Asian International Input-Output Table)를 간략하게 보여주고 있다.

〈표 1-15〉 아시아 국제산업연관표 - 예시

(단위 : 억달러)

		중간수요					최종수요					수출 (외생)	통계상 불일치	총산출
		한국	일본	미국	중국	기타	한국	일본	미국	중국	기타			
중 간 투 입	한국	8,916	195	205	522	236	7,551	64	220	145	57	1,481	228	19,819
	일본	396	37,193	600	657	786	124	42,305	761	305	378	2,508	146	86,160
	미국	258	479	98,383	293	556	82	232	122,969	132	211	9,283	237	233,115
	중국	237	416	724	38,533	471	81	682	1,219	19,244	183	4,833	102	66,725
	기타	306	634	595	825	11,852	43	276	713	260	9,424	3,435	74	28,438
	국제운임 및 보험료	30	50	122	91	143	8	27	143	26	35			
	수입	1,290	2,365	8,805	2,859	2,397	278	675	5,154	808	829			
	중간투입	11,433	41,332	109,434	43,780	16,441	8,167	44,261	131,179	20,920	11,117			
관세와 상품세		66	276	73	214	127	48	158	180	92	80			
부가가치		8,319	44,554	123,607	22,730	11,872								
총투입		19,819	86,160	233,115	66,725	28,438								

(참고. 한국은행(2014), 「산업연관분석 해설」, 서울: 한국은행.)

지역 간 산업연관표를 이용한 산업연관분석과 같은 방법으로 국제산업연관표를 이용하여 우리나라 최종수요변화에 따른 각국에 대한 수입유발효과와 각국의 최종수요변화에 따른 우리나라의 생산유발효과를 측정하는 등 국가 간 및 산업 간 상호의존관계를 분석할 수 있다.

이와 같은 국제산업연관표는 국제무역과 경제협력 증대 등으로 심화하고 있는 국가경제 간 상호의존관계에 대한 분석과 대외 통상정책 수립 등에 유용한 기초자료로 활용될 수 있다. 이에 현재 국제기구와 각국 주요 연구기관을 중심으로 국제산업연관표 편제 작업이 활발하게 이루어지고 있다. 앞서 언급한 아시아 국제산업 연관표 외에도 한국과 일본, 중국의 지역 간 상호의존관계를 나타낸 지역 간 국제산업연관표(Transnational Interregional Input-Output Table for Korea, Japan and China 2005; TIIO2005)가 있고, EU 집행위원회의 주관으로 국제산업연관표

(World Input-Output Database)를 1995년부터 작성하여 매년 발표하고 있으며 OECD와 WTO에서도 공동으로 국제산업연관표 (Global Input-Output Table)를 작성하고 있다[23].

에너지산업연관표

에너지산업연관표는 전통적인 산업연관표 체계 내에서 경제활동에 수반한 에너지의 물리적 흐름을 설명하기 위해 작성한 통계표이다. 즉 에너지 흐름을 공통된 물리적 단위로 표시한 복합 단위(Hybrid Units, 에너지 부문과 비에너지 부문으로 구분)의 산업연관표이다. 에너지산업연관표의 기본구조는 전통적인 산업연관표와 마찬가지로 재화와 서비스의 거래를 산업(부문) 상호 간의 중간재 거래, 각 산업에서의 본원적 생산요소(노동, 자본 등) 투입, 각 산업 생산물의 최종수요(소비, 투자, 수출 등)로 구분하여 기록한다. 이때 각 생산물의 거래를 에너지 부문과 비에너지 부문으로 구분하여 에너지의 거래 단위는 공통된 물량단위(TOE, 석유환산톤)로 측정하고, 비에너지 부문은 금액단위(백만원)로 평가한 복합 단위의 산업연관표 형태를 갖는다.

<표 1-16>에 에너지산업연관표의 기본구조를 나타내었다.

이러한 에너지산업연관표는 각 부문 생산에 필요한 직접 에너지 투입량은 물론 생산물이 생산되어 최종수요자에 전달되는 과정에서 요구되는 간접 에너지필요량을 계산함으로써 산업별 에너지

---

23) 한국은행(2014), 「산업연관분석 해설」, 서울: 한국은행.

효율을 비교하거나 직간접 에너지의존도를 분석할 수 있고, 최종 수요를 생산하는 데 필요한 에너지양을 측정하거나 경제성장에 필요한 에너지 수요량을 추정하는 데 활용된다.

〈표 1-16〉 에너지산업연관표의 기본구조

산업 \ 산업			중간수요			최종수요	총수요	수입 (공제)	총산출
			에너지 부문	非 에너지부문					
				에너지 多소비	에너지 低소비				
중간투입	에너지부문		TOE	TOE	TOE	TOE	TOE	TOE	TOE
	非에너지	에너지 多소비	백만원	백만원	백만원	백만원	백만원	백만원	백만원
		에너지 低소비	백만원	백만원	백만원	백만원	백만원	백만원	백만원
부가가치			백만원	백만원	백만원				
총투입			TOE	백만원	백만원				

(참고. 한국은행(2014), 「산업연관분석 해설」, 서울: 한국은행.)

환경산업연관표

환경산업연관표(EEIO, Environmentally-Extended Input Output)는 산업연관표의 기본 내용에 각 산업의 에너지 이용 실태와 환경 데이터를 삽입하여 확장한 것으로, 산업 간 관계에 따른 에너지 이용의 정도와 이에 따라서 배출되는 환경오염물질의 관계를 나타낸다.

이를 통해서 경제주체들이 의식하고 사용하는 에너지 외에, 부지불식간에 사용하는 에너지의 양과 에너지 이용으로 배출시키는 환경오염물질의 통과·이동 경로를 상세하게 파악할 수 있고,

에너지 수요에 대한 구조분석, 폐기물과 오염물의 발생량 예측, 생산기술 개선과 대체생산 또는 재활용에 따른 효과분석 등을 가능하게 한다[24].

환경산업연관표는 경제활동에서 배출되는 모든 오염물질을 포함하는 개념으로 대기, 수질, 토양 등으로 배출되는 오염물질, 폐기물 등을 대상으로 하며, 재활용 제품, 각종 폐기물, 수질 오염물질, 토양 오염물질 등 다양한 오염물질의 자료로 작성할 수 있다. 그러나 일반적으로는 대기 오염물질 배출량을 추계하며, 대기 오염물질 중에서도 이산화탄소(CO_2)의 배출량 자료를 집계한다.

그러므로 일반적으로 환경산업연관표는 기본거래표, 에너지투입량표, 에너지소비물량표, 에너지소비열량표, 대기오염물질 배출량표로 5개의 표로 구성된다. <그림 1-15>에 환경산업연관표의 구성과정을 나타내었다.

기본거래표는 공표되는 산업연관표의 기본거래표를 환경산업연관표의 분류에 따라 재집계하여 작성한다.

에너지투입량표는 각 산업부문이 사용하는 에너지 종류에 초점을 맞춘 것으로 에너지가 산업에 투입되는 정도를 에너지의 고유 단위로 기재한다.

에너지소비물량표 에너지투입량표와 동일한 형태를 갖지만 에너지투입량표 중에서 에너지의 원료 사용분을 제외하고 연소에 사용한 에너지의 양만을 표시한다.

---

24) 김윤경(2006), "환경산업연관표 2000을 이용한 산업부문의 이산화탄소(CO_2) 발생 분석", 자원·환경경제연구, Vol 15(3), pp. 425-450.

〈그림 1-15〉 환경산업연관표 구성과정

환경산업연관표 구성과정

기본거래표
▪ 산업연관표를 연구에 맞춰 재분류 및 재집계

에너지투입량표
▪ 산업별 에너지 투입 물량 산출

에너지소비물량표
▪ 원료용 제외, 연료용 에너지 사용량 산출

에너지소비열량표
▪ 에너지 열량 환산 기준

대기오염물질배출량표
▪ 산업별 탄소배출량 산출

에너지소비열량표는 에너지소비물량표를 통일된 단위로 환산한 표이다. 환산 시 사용되는 통일된 단위로는 kcal, Jule 또는 석유환산톤(TOE) 등을 사용한다.

대기오염물질배출량표는 각 산업부문에서 발생하고 있는 대기오염물질을 기재한 것이다. 이 표는 각 산업별로 에너지가 연료로 쓰인 양만을 계산한 에너지소비물량표를 이용하여 각 에너지의 탄소 함유량을 고려하여 추정한다.

환경산업연관표가 작성되면 환경산업의 생산과 지출활동을 파악함은 물론 특정 산업의 생산활동으로 인한 자원의 투입과 환경오염물질 배출과의 상관관계 및 환경에 대한 경제적 파급효과를 분석할 수 있다.

즉 환경산업연관표를 이용하면 첫째, 특정 산업 또는 상품에 대한 수요의 변화가 환경에 미치는 영향을 파악할 수 있다. 둘째, 생산기술의 변화 즉 새로운 산업공정이 환경에 미치는 영향을 파악하여 새로운 생산공정 도입이 경제규모 확대와 환경에 어떻게 영향을 미치는가를 알아볼 수 있다. 셋째, 특정 목적의 환경정책이 기업의 경제활동과 환경에 미치는 영향을 분석하여 효과적인 환경정책을 선택할 수 있다. 넷째, 환경규제가 기업의 경제활동과 환경에 미치는 영향을 분석할 수 있으며 산업의 환경오염물질 배출량을 줄이기 위해 조세를 부과하는 방법, 보조금을 주는 방법 등 어느 것을 선택하는 것이 바람직한지 등을 분석할 수 있는 도구를 제공한다.

사회회계행렬

사회회계행렬(SAM, Social Accounting Matrices)은 경제 전체를 대상으로 생산 및 소비뿐만 아니라 지역별·가계별 소득분배, 세금 및 보조금 등 정부의 경제활동, 해외 상품거래와 자본거래까지 포괄함으로써 산업연관표와 국민계정을 통합한 일반균형[25]

---

25) 일반적으로 모든 상품의 가격이나 그 수요·공급은 서로 관련성이 있으며 그 상품의 수요·공급 등 여러 요인이 균형을 유지하고 있다. 이 경우, 상호 간에 관련되는 모든 요인을 고려하여 균형을 고찰할 경우는 일반균형(General Equilibrium)이라고 하며, 이에 비하여 다른 조건에 변화가 없다고 가정하고 어떤 특정 상품만을 골라내어 그 수요·공급 등의 균형을 고찰할 경우는 부분균형(Partial Equilibrium) 이라고 한다.

(General Equilibrium) 통계 체계이다.

산업연관표는 일정 기간 한 지역에서 재화와 서비스를 생산하고 처분하는 과정에서 발생하는 모든 거래를 일정한 원칙과 형식에 따라 행렬형태로 기록한 통계표이다. 그러므로 산업연관표는 재화 및 서비스의 생산구조와 배분구조에 주안점을 두고 있으며, 이를 이용한 분석은 수요 측면인 외생부문에서의 변동이 생산(공급) 측면인 내생부문의 변동을 파악하는 정태적인 부분균형(Partial Equilibrium)분석이다. 따라서, 외생부문의 변화에 따른 자원배분, 소득분배, 국제무역 등의 변동을 경제 전체적으로 분석하려고 할 경우에는 산업연관표만으로는 한계가 있어, 사회회계행렬을 활용한다.

즉, 사회회계행렬도 산업연관표와 마찬가지로 승수분석을 통하여 외부의 경제적 충격에 대한 파급효과 분석에 사용되는데 산업연관분석이 생산 변동에 주안점을 두는 데 비해 사회회계행렬을 이용한 분석에서는 생산뿐만 아니라 부가가치, 소득분배 등에 미치는 효과를 분석할 수 있다.

산업연관표가 총공급과 총수요가 일치하도록 작성되는 것처럼 사회회계행렬도 경제주체들의 수입과 지출이 항상 일치하도록 작성되는데, 정형화된 형태가 있는 산업연관표와는 달리 사회회계행렬은 분석목적에 따라 행렬 내에 포함하는 계정의 종류와 세분화 정도를 달리함으로써 다양한 형태로 작성할 수 있다. 일반적으로 사회회계행렬은 정방행렬로 구성하며, 가로(행) 방향에는 다양한 기준에 따라 분류된 생산활동별, 생산요소별 및 제도 부문별 생산 및 소득 발생 자료를 표시하고, 세로(열) 방향에는 이들 부문에 의한 소득 지출 자료를 기록한다.

<표 1-17>은 행과 열 항목으로 생산활동, 생산요소, 제도부문별 경상 및 자본 계정, 해외로 구분하여 작성한 기본적인 사회회계 행렬을 예시로 나타내었다.

〈표 1-17〉 사회회계행렬 - 예시

(단위 : 조원)

	코드	생산활동 1	생산요소 2	제도부문 경상계정			제도부문 자본계정 6	해외 7	합계
				가계 3	기업 4	정부 5			
생산활동	1	중간재 (국산) 800		소비 (국산) 400		소비 (국산) 100	투자 (국산) 200	수출 300	총산출 1,800
생산요소	2	부가 가치 800	재산 소득 140					수취 요소소득 10	요소 소득 950
경상계정	가계 3		가계 소득 460		경상 이전 50	경상 이전 15		경상 이전 10	가계 수입 535
	기업 4		영업 잉여 150	경상 이전 15		경상 이전 1		경상 이전 1	기업 수입 167
	정부 5		간접세 수입세 85	소득세 35	직접세 51			경상 이전 1	정부 수입 172
자본계정	6		고정자본 소모 105	가계 저축 45	기업 저축 39	정부 저축 55		해외순 자본이전 1	총저축 245
해외	7	중간재 (수입) 200	지급 요소소득 10	소비(수입) 이전지출 40	이전지출 27	이전지출 1	투자(수입) 해외순투자 45		외화지급 323
합계		총투입 1,800	요소 소득 950	가계 지출 535	기업 지출 167	정부 지출 172	총투자 245	외화 수취 323	

(참고. 한국은행(2014), 「산업연관분석 해설」, 서울: 한국은행.)

제2장
산업연관분석

1

산업연관분석 개요

산업연관분석(Input-Output Analysis)[26]은 산업연관표를 이용한 경제분석의 한 방법으로서, 산업 간의 상호의존성과 연결성 및 경제구조를 이해하고 파악하는 데 도움을 주며, 산업들 사이의 생산과 소비 관계를 정량적으로 분석한다.

산업연관표는 일정 기간 한 지역에서 재화와 서비스를 생산하고 처분하는 과정에서 발생하는 모든 거래를 일정한 원칙과 형식에 따라 행렬형태로 기록한 통계표이며, 가로(행) 방향은 배분구조로서 각 상품이 어떤 산업(상품)에 얼마나 이용되었는지와 최종수요로 얼마나 사용되었는지를 나타내고, 세로(열) 방향은 투입구조로서 각 산업(상품)이 생산활동을 하기 위하여 지출한 생산비용의 구성을 나타낸다.

산업연관분석은 이러한 산업연관표를 활용하여 산업 간 직접적인 생산품과 서비스의 거래를 파악하고, 수학적 모형과 통계적 기법을 활용하여 산업 간의 간접적인 영향을 분석하며, 경제

---

26) 산업연관분석은 Inter-Industry Analysis로 표현되며, 투입-산출분석은 Input-Output Analysis로 표현된다. 일반적으로 산업연관분석을 Input-Output Analysis로 나타내며, 줄여서 'IO분석'이라 한다.

전체에 대한 산업별 영향력 등 산업별 중요도를 평가한다. 이와 같은 분석을 통해 산업 내 구조분석, 산업 간 경쟁력 분석, 경제적 파급효과 분석 등 다양한 분야에서 응용되어, 정부정책 수립, 산업 발전전략 수립, 경제 파급효과 예측 및 정책 시뮬레이션 등 산업 간의 효율성 개선과 경제성장을 위한 중요한 분석도구로 사용된다.

따라서, 산업연관분석은 경제학의 고유 영역이었지만, 최근에는 도시·지역·환경 분야는 물론 공공정책 및 과학기술정책 등의 분야에서 주요 연구방법론으로 활용되고 있다.

산업연관분석의 가정

산업연관분석은 실제 경제체제를 산업연관표로 모형화하여 경제구조 분석 또는 경제적 파급효과 분석을 하므로 분석의 단순화와 결과의 신뢰성을 확보하기 위해 몇 가지 가정들을 기반으로 수행한다. 주요한 가정들은 다음과 같다.

1. 한 산업, 한 상품 가정: 산업연관분석은 결합생산이 존재하지 않는다는 가정으로 한 산업은 한 상품만 생산한다고 가정하며, 그 상품에 대해서도 대체생산방법이 없어 각 상품에 대하여 하나의 생산방법만 존재한다고 가정한다.

2. 경제의 정적성(靜的性) 가정: 산업연관분석은 특정 시점의 경제구조를 반영하며, 이러한 특성은 시간이 변해도 산업 간의 관계가 일정하다는 정적성을 가정한다. 실제로는 시간이 지남에 따라 산업 간의 상호작용과 거래패턴이 변할 수 있다.

3. 경제의 완전성 가정: 산업연관분석에서는 경제체제 내의 모든 산업이 상호작용하고 연결되어 있다고 가정한다. 하지만 실제로는 일부 산업에서 다른 산업과의 거래가 매우 적거나 없을 수도 있다.

4. 고정된 가격 가정: 산업연관분석에서는 분석을 위해 가격이 일정하다고 가정한다. 실제로는 규모의 경제 등으로 가격이 변동할 수가 있으나 분석의 단순화를 위하여 고정된 가격으로 가정한다.

5. 생산함수의 일정성 가정: 산업 간의 상호작용을 분석하기 위해 생산함수가 일정하다고 가정한다. 이는 생산량과 생산요소(노동, 자본 등) 간의 관계가 시간과 장소와 관계없이 일정하다고 가정하는 것이다.

6. 경제의 폐쇄성 가정: 산업연관분석에서는 분석의 편의상 경제가 완전히 폐쇄되어 있고, 외부와의 거래가 없다고 가정한다. 이렇게 함으로써 국내생산과 소비만을 고려하여 분석을 수행할 수 있다. 하지만 실제 경제는 국제적으로 연결되어 있으며, 외부와의 거래도 존재한다.

산업연관분석은 이와 같은 가정들을 적용하여 분석의 복잡성을 낮추고 경제체제의 기본구조를 이해하는 데 도움을 준다. 그러나 이러한 가정들이 실제 경제상황과 완전히 부합하지 않을 수 있으므로, 어느 정도 분석의 결과에 한계가 있다. 그러므로, 산업연관분석 결과의 해석에는 항상 조심하고 유연성을 가지는 것이 중요하다.

산업연관분석은 경제분석의 중요한 도구로서, 다양한 장점과 단점을 가지고 있다. 이를 간략하게 표현하면 아래와 같다.

■ **산업연관분석의 장점**

1. 경제체제 이해: 산업연관분석을 통해 경제체제 내에서 산업 간의 상호의존성과 거래관계를 파악할 수 있으므로, 경제 체제의 구조와 작동 원리를 이해하는 데 도움이 된다.

2. 상세한 경제 데이터 활용: 산업연관분석은 다양한 산업부문 의 상세한 데이터를 사용하므로, 실제 산업 간의 관계를 정확하게 반영할 수 있다.

3. 효율적 자원배분: 산업연관분석을 통해 산업 간의 자원배분 효율성을 평가하고, 경제의 총생산을 극대화하는 방향으로 자원을 할당할 수 있다.

4. 경제성장 예측: 산업연관분석은 산업 간의 상호작용을 반영 하므로 경제성장률을 예측하는 데 유용하다.

5. 정책 결정 지원: 산업연관분석을 통해 정부나 기업이 정책을 결정할 때, 특정 산업의 변화가 경제 전체에 미치는 영향 을 사전에 예측하여 적절한 대응을 할 수 있다.

■ 산업연관분석의 단점

1. 데이터 요구량과 복잡성: 산업연관분석은 상당한 양의 데이터가 있어야 하며, 데이터의 수집과 분석에는 많은 시간과 노력이 필요하다.

2. 가정의 의존성: 산업연관분석은 분석을 위해 몇 가지 가정들을 사용하게 된다. 이 가정들이 실제와 다를 경우 결과의 정확성에 영향을 미칠 수 있다.

3. 시간 지연: 실지조사를 통한 기준년표의 작성에는 전문인력과 각종 통계자료 등 방대한 자원뿐만 아니라 상당한 작업기간(통상 2년 이상)이 소요되므로, 산업연관분석을 수행하는데 있어 시간 지연이 발생한다.

4. 미시적 측면에 한정: 산업연관분석은 경제체제를 미시적 측면에서 살펴보는 것이기 때문에 매크로적인 측면을 반영하기 어려울 수 있다.

5. 특정 산업에 민감: 산업연관분석은 분석에서 포함되는 산업의 범위와 구성에 따라 결과가 크게 달라질 수 있으며, 특정 산업에 지나치게 의존적일 수 있다.

산업연관분석은 생산의 기술구조가 투입계수행렬로 적절히 표시될 수 있고 그것이 일정 기간 안정적이라는 가정하에서 장래의 주어진 최종수요에 대응하는 균형생산액을 구할 수 있다는 원리에서부터 출발한다. 이러한 원리를 응용하여 산업연관표는 각 산업부문의 부가가치, 고용, 수입 등 국민경제 전체에 미치는 물량적 직·간접 파급효과나 물가의 파급효과 등을 계측하는 분석도구로 널리 이용된다.

그러나 산업연관표 단점을 살펴보면 다음과 같은 사항에 유의하여야 한다.

먼저 원자재가격 상승 등에 따른 상대가격의 급격한 변동이나 수입대체산업의 발전, 기술혁신의 진행, 새로운 산업의 진입이나 신제품 개발 등으로 생산의 기술구조가 크게 달라질 경우에는 산업연관표를 이용한 산출량 예측 등 경제분석에 상당한 오차를 가져오게 된다. 그러므로 산업연관표를 경제분석에 이용하고자 할 때는 동 표의 작성시점과 사용시점 간에 가격구조나 생산기술 구조의 변화 등을 확인하는 것이 중요하다. 만약 두 시점 간에 급격한 구조변동이 있었다면 최근의 기술구조를 반영한 연장표나 일정 시점의 가격을 기준으로 작성한 실질(불변)산업연관표 등을 이용하는 것이 좋다.

다음으로 산업연관표를 이용하는 데 있어서 산업연관분석의 기본가정이라 할 수 있는 통계 단위의 동질성이나 투입·산출의 비례성이 비현실적일 수 있다는 점을 염두에 두어야 한다. 즉, 각 산업부문의 생산활동은 주생산물 이외에 부차적 생산물도 함께 생산하는 결합생산의 경우가 있으며 총산출 수준이 언제나 투입 수준에 비례한다고 볼 수 없다는 점에서 산업연관표 이용상의 한계가 있다.

산업연관분석은 정확하고 신뢰성 높은 데이터와 신중한 가정, 적절한 범위를 설정하여 사용될 때, 중요한 분석도구가 될 수 있으므로 단점들을 감안하여 분석결과를 해석하고 활용할 때 주의가 필요하다.

산업연관분석 연구방법 종류

산업연관분석은 경제구조를 분석하는 데 주로 이용되었으나 오늘날에는 정부의 경제정책 수립 및 각종 경제적 파급효과 측정에는 물론 경제 전반과 산업구조에 대한 분석, 예측과 개별 기업의 수요 예측에 이르기까지 그 활용 범위가 넓어지고 있다.

산업연관분석의 연구방법은 공급사용표[27]를 주로 활용하는 경제구조 분석과 투입산출표[28]를 주로 활용하는 경제적 파급효과 분석으로 크게 구분한다.

경제구조 분석은 광범위한 경제활동을 대상으로, 다양한 산업 간의 링크와 유기적 관계 및 주요 산업의 역할과 경제 내에서의 위치 확인 등 전체 경제의 구조를 이해하고 설명하는 것을 목적으로 포괄적으로 분석한다. 경제구조 분석을 통하여 주로 국가나

---

27) 경제구조 분석은 공급사용표와 투입산출표 모두를 활용하여 분석할 수 있으나 공급사용표의 산업별 생산구조는 산업 내 여러 가지 상품의 결합생산을 반영하기 때문에 투입산출표보다 경제현실에 부합되므로, 공급사용표를 이용하여 분석하는 것이 현실 경제활동을 파악하는데 더욱 적절하다.

28) 경제적 파급효과 분석은 「상품×상품」 기준의 투입산출표를 주로 이용한다. 투입산출표는 각 상품별 산출액과 투입구조를 나타내는 것이기 때문에 산업별 단일상품 생산을 전제로 하며 이는 동일한 상품에 대해서는 동일한 생산기술이 사용된다고 가정한다는 점에서 파급효과분석에 유용하다.

지역의 전반적인 경제구조를 이해하고, 경제의 강점과 약점을 파악하며 경제정책을 수립하거나 경제개발 전략을 계획하는 데 활용한다.

반면, 경제적 파급효과 분석은 특정 산업의 생산, 지출, 고용 등의 변화가 경제 전체에 미치는 영향을 이해하고 예측하는 것을 목적으로 특정한 하나 또는 소수 산업의 변화에 초점을 맞추어 분석한다. 그러므로 주로 특정 산업의 성장이나 축소가 경제의 다른 부분에 미치는 파급효과를 예측하고, 정책 결정이나 경제 예측에 활용한다.

즉 경제구조 분석은 경제 전체의 구조를 이해하고 설명하는 것을 목적으로 하며, 경제적 파급효과 분석의 목적은 특정 산업 및 최종 소비의 변화가 경제 전체에 미치는 영향을 이해하고 예측하는 것이므로 두 가지 방법이 분석의 목적에서 차이가 있다.

따라서 경제구조 분석은 공급과 수요구조, 산업구조, 투입구조, 수요구조, 대외거래 구조, 취업구조 등 산업부문별로 세분된 구조 분석이 가능하며, 경제적 파급효과 분석은 생산유발효과, 부가가치 유발효과, 수입유발효과 및 취업유발효과 등 각종 유발효과분석 과 물가파급효과 및 산업별 성장요인 분석 등이 가능하다.

<표 2-1>에 산업연관분석의 연구방법 종류별 차이를 나타내었다.

〈표 2-1〉 산업연관분석 연구방법 종류별 차이

구분	경제구조 분석	경제적 파급효과 분석
목적	경제 전체의 구조를 이해하고 설명	특정 산업의 변화가 경제 전체에 미치는 영향을 이해하고 예측
활용 거래표	공급사용표	투입산출표
주요 연구 사례	■ 공급과 수요구조 ■ 산업구조 ■ 투입구조 ■ 수요구조 　(1) 중간수요와 최종수요 　(2) 민간소비와 투자 ■ 대외거래 ■ 취업구조	■ 품목/수요별 유발효과 　(1) 생산유발효과 　(2) 부가가치유발효과 　(3) 수입유발효과 　(4) 취업유발효과 　(5) 고용유발효과 ■ 물가파급효과 　(1) 임금/공공요금 인상 등 　(2) 가격/환율변동 등 ■ 산업별 성장요인 ■ 신규 사업 유발효과

산업연관분석 연구절차

산업연관분석은 일정 기간 한 지역에서 재화와 서비스를 생산하고 처분하는 과정에서 발생하는 모든 거래를 일정한 원칙과 형식에 따라 행렬형태로 기록한 산업연관표를 이용하여 경제구조 분석 또는 경제적 파급효과의 분석으로 경제체제 내에서 산업 간의 관계 또는 상호작용 등을 밝히는 분석방법이다.

이러한 산업연관분석의 연구절차는 크게 준비과정, 산업정의, 산업연관표 조작, 결과 검증 및 해석으로 나눌 수 있지만, 연구과정은 많은 양의 데이터 처리와 수학적 모형 및 통계적 기법의 적용 등으로 상당히 복잡하고 까다롭다. 연구절차를 소개하면 다음과 같다.

첫째, 준비과정은 관심의 대상인 '연구대상 산업'을 선정하고, 연구와 관련하여 연구목적, 연구배경, 연구모형 및 기대효과 등 연구 계획서를 작성하며, 연구대상이 되는 산업연관표를 확보하고, 연구대상 산업과 관련한 선행연구, 기술자료 등 관련 자료를 찾는 과정을 말하며, 기본적인 연구의 준비과정을 의미한다.

둘째, 산업정의는 산업연관표의 부속표인「부문분류표」를 참고하여, 연구대상 산업에 적합한 기본부문, 소분류, 중분류 및 대분류를 재분류하여 새롭게 작성하는 것을 말한다. 이때 준비과정에서 준비한 선행연구 및 기술자료 등을 참고하여 재분류의 근거가 명확히 나타나도록 해야 하며, 기본부문의 분류체계보다 더 세부적인 분류가 필요한 경우는「부문별·품목별 공급액표」의 기초부문을 활용한다.

셋째, 산업연관표 조작은 연구대상 산업에 적합하게 재분류된「부문분류표」를 참고하여 부문분류 및 통합 과정으로 산업연관표를 재구성하고, 경제구조 분석 또는 경제적 파급효과 분석 등을 수행하여 분석결과를 도출하는 과정이다.

마지막으로 결과 검증 및 해석 과정은 산업연관분석의 결과를 실제 산업 간의 현실과 비교하여 검증하고 그 결과에 대해 해석을 하는 과정이다.

<그림 2-1>에 산업연관분석 연구절차를 단계별로 나타내었다.

〈그림 2-1〉 산업연관분석 연구절차

준 비	■ 연구대상 산업 선정 등 연구계획
	■ 연구대상 산업연관표 확보
	■ 연구대상 산업 관련 자료 Search 　→ 선행연구 / 산업기술 / 법령 / 정책자료 등
산업정의	■ 연구대상 산업정의
산업연관표 조작	■ 연구대상에 따른 산업연관표 재구성 　→ 부문분류 및 통합
	■ 산업연관분석 수행 　→ 경제구조 분석 / 경제적 파급효과 분석
	■ 분석결과 도출
결과 검증 및 해석	■ 분석결과 검증 및 해석

2

연구대상 산업정의

연구대상 산업의 정의는 연구를 진행할 때 어떤 산업을 분석 대상으로 삼을 것인지를 결정하는 것으로 산업연관표의 부속표인 부문분류표를 참고하여, 연구대상 산업에 적합한 기본부문, 소분류, 중분류 및 대분류를 재분류하여 새롭게 작성하는 것을 말한다.

산업의 정의는 연구의 목적과 분석범위에 따라 다르게 정의될 수 있으며 연구의 깊이와 폭을 나타내는 핵심적인 부분이므로 새롭게 분류된 부문분류표의 재분류 근거를 명확히 제시하여야 한다. 연구대상 산업을 정의하는 방법은 연구의 목적과 분석범위에 따라 다양하게 표현될 수 있으므로 사례 연구를 통하여 살펴보도록 하며, 산업정의 과정에서 고려해야 할 사항을 열거하면 다음과 같다.

1. 연구목적 설정: 먼저 연구의 목적을 명확히 설정해야 한다. 연구목적은 연구 주제와 관련한 "자신의 주장"에 근거하여 분석하려는 산업의 중요성, 경제에 미치는 영향 및 분석 결과의 활용방안 등을 고려하여 설정한다.

2. 부문분류기준 활용: 산업연관표의 산업 및 상품분류체계를 나타내는 기준인 부문분류표의 기본부문, 소분류,

중분류 및 대분류의 분류내용을 확인한다. 이를 통해 연구대상 산업과 관련된 부문의 분류기준을 식별한다.

3. 산업분류체계 활용: 한국표준산업분류(KSIC)와 국제산업분류기준(GICS) 등을 활용하여 산업정의의 근거를 확보한다. 이러한 분류체계는 산업을 여러 카테고리로 분류하여 구조화하고, 특정 산업을 식별하는 근거를 제시한다.

4. 전문가 의견 수렴: 연구대상 산업 분야의 전문가들과의 인터뷰, 설문 조사, 토론 등을 통해 연구대상 산업의 선정과 관련한 이슈 및 자료를 확보한다.

5. 기술적 투입구조 활용: 연구대상 산업 분야의 재화와 서비스와 관련한 원재료, 구성요소, 품질 요건 기준, 생산 공정 및 특허 등 다양한 정보와 자료를 통해 기술적 투입구조를 확보한다.

6. 시장조사 및 문헌 연구: 관련된 시장조사 보고서나 학술논문 등을 통해 특정 산업의 규모, 동향, 성장 전망 및 연구대상 산업과 연관관계에 있는 산업 등을 파악한다.

7. 법령 및 정책 자료 활용: 연구대상 산업과 관련된 법령과 정책 자료 및 산업 규제 등을 통하여 산업 동향, 방향성 및 전망 등의 자료를 확보한다.

8. 경제 통계 데이터 활용: 경제 통계청이나 중앙은행 등의 공공 기관에서 제공하는 산업별 생산, 수출입, 고용 등의 데이터를 확보하여 근거를 제시한다.

9. 기업의 공시 자료 활용: 산업연관표는 산업과 상품의 투입 및 배분구조를 나타내고 있으므로, 연구대상 산업에서의 투입 및 배분구조는 해당 기업의 재무제표(손익계산서, 제조원가명세서 등)를 통하여 추정할 수 있다.

10. 연구의 한정 및 범위 설정: 연구의 한정과 범위를 설정 하여 어떤 산업을 포함하고 어떤 산업을 제외할 것인지 결정한다.

11. 연구결과 활용 고려: 분석결과를 어떻게 활용할지를 고려 하여 연구대상 산업을 선정한다. 즉, 연구목적에 따라 특정 산업의 영향력이나 연관성을 고려하여 연구대상 산업을 정의한다.

연구대상 산업의 정의에 따라 분석결과와 결론이 크게 달라질 수 있으므로 이러한 고려 대상 항목들을 조합하여 연구목적과 범위에 맞게 정의하는 것이 중요하며, 진행하는 과정에서 신중할 필요가 있다.

이러한 고려 사항을 확인하고 검토 후 연구대상 산업을 정의 하는 방법은 다음의 사례 연구를 통하여 살펴본다.

본 연구에서는 2010년도 산업연관표를 이용하여 403개 기본 부문의 분류 중 연구대상 산업인 운송부문별 「철도운송」, 「도로 운송」, 「해운운송」, 「항공운송」 부문을 선정하여 연구목적에 맞게 산업부문을 재분류하였다. <표 2-2>에 철도운송, 도로운송, 해운운송, 항공운송으로 운송부문별로 연구대상 산업을 정의한 결과를 나타내었다[29].

〈표 2-2〉 운송부문별 연구대상 산업정의

통합대분류 (28부문)	통합중분류 (78부문)		통합소분류 (168부문)		기본부문 (403부문)		연구대상 산업
21 운수 및 보관	59	육상운송	132	철도운송	327	철도여객운송	철도운송
					328	철도화물운송	
			133	도로운송	329	도로여객운송	도로운송
					330	도로화물운송	
			134	택배	331	택배	
	60	수상 및 항공운송	135	수상운송	332	연안및내륙수상운송	해운운송
					333	외항운송	
			136	항공운송	334	항공운송	항공운송
	61	운수관련 서비스	137	운수보조 서비스	335	육상운수보조서비스	
					336	수상운수보조서비스	
					337	항공운수보조서비스	
			138	하역	338	하역	
			139	보관 및 창고	339	보관및창고	
			140	기타 운수관련 서비스	340	기타운수관련서비스	

---

29) 이민규(2013), "산업연관분석을 이용한 운송부문별 경제적 파급효과 분석", 해양정책연구, Vol 27(2), pp. 55-91.

운송부문별 산업정의는 「철도운송」은 328부문 철도화물운송으로 정의하고, 「도로운송」은 330부문 도로화물운송과 331부문 택배를 포함하였다. 또한, 「해운운송」은 332부문 연안 및 내륙수상운송과 333부문 외항운송으로 구성했으며, 「항공운송」은 334부문 항공운송으로 정의하였다.

이렇게 재분류한 운송부문별 산업정의는 한국은행 통합대분류 방식(28부문)을 기본으로 하여, 기본부문의 「운수 및 보관」 부문에서 4개의 운송부문(철도운송, 도로운송, 해운운송, 항공운송)을 분리하고, 새로운 통합대분류로 통합하여 최종적으로 32개 산업부문으로 재분류하였다. <표 2-3>에 운송부문별 산업을 통합대분류로 재분류한 내용을 나타낸다.

〈표 2-3〉 부문분류표 통합대분류 재분류 내용

부문	산업명	부문	산업명	부문	산업명
1	농림수산품	12	일반기계	23	금융 및 보험
2	광산품	13	전기 및 전자기기	24	부동산 및 사업서비스
3	음식료품	14	정밀기기	25	공공행정 및 국방
4	섬유 및 가죽제품	15	수송장비	26	교육 및 보건
5	목재 및 종이제품	16	기타제조업제품	27	사회 및 기타서비스
6	인쇄 및 복제	17	전력,가스,수도	28	기타
7	석유 및 석탄제품	18	건설	29	철도운송
8	화학제품	19	도소매	30	도로운송
9	비금속광물제품	20	음식점 및 숙박	31	해운운송
10	제1차 금속제품	21	운수 및 보관	32	항공운송
11	금속제품	22	통신 및 방송		

본 연구에서는 연구대상 산업을 수소버스 개발 산업으로 선정하여, 2015년 기준년 부문분류표 상품분류의 기본부문(381부문)을 토대로 다음과 같이 산업을 정의하였다[30].

첫째, 수소버스 산업은 기본적으로 버스라는 운송장비를 생산하는 산업임을 감안하여 '버스'산업을 고려하였다.

둘째, 수소버스 개발은 자동차용 브레이크 조직, 클러치, 축, 기어, 휠, 완충기, 운전대 및 운전박스 등과 같은 자동차 차제 및 자동차 부품 등을 포함하므로 '자동차 부분품' 산업을 고려하였다.

셋째, 수소버스는 수소 연료전지스택을 통해 생산된 전기 에너지로 구동되는 방식이므로, 연료전지가 가장 핵심 부품이 되며, 연료전지를 나타내는 '전지' 산업을 포함하였다.

넷째, 수소버스 개발은 수소 연료공급체계가 뒷받침되어야 하며 같은 속도로 보급이 되어야 하므로, 수소생산 산업인 '산업용 가스' 산업도 고려하였다.

다섯째, 현재 국내 수소버스 개발은 민간투자뿐만 아니라 학계와 국책연구 등에서 다양한 방식과 제품으로 연구개발되고 있으며, 연료전지의 경우도 에너지효율 제고를 위한 연구개발이 지속적

---

30) 박현석·이민규(2021), "산업연관분석을 활용한 수소버스 개발의 파급효과분석", 기술혁신학회지, Vol 24(4), pp. 653-672.

으로 이루어지고 있는 분야임을 고려하여, '국공립연구개발', '비영리연구개발', '산업연구개발' 및 '기업내연구개발'을 모두 고려하였다.

따라서, 수소버스 개발 산업의 정의를 <표 2-4>과 같이 구성하였다.

〈표 2-4〉 수소버스 개발 산업정의

기본부문 (381부문)		소분류 (165부문)		대분류 (33부문)	
4012	버스	401	자동차	C12	운송장비
4032	자동차 부분품	403	자동차 부분품		
3730	전지	373	전지	C10	전기장비
1721	산업용 가스	172	기초무기화학물질	C05	화학제품
7001	연구개발(국공립)	700	연구개발	M	전문, 과학 및 기술 서비스
7002	연구개발(비영리)				
7003	연구개발(산업)				
7004	기업내 연구개발				

군 급식의 경제적 파급효과 분석 사례

본 연구는 군 급식 산업을 연구대상으로 선정하여, 2015년 기준년 부문분류표 상품분류의 소분류(165부문)를 기준으로 다음과 같이 산업을 정의하였다[31].

군 급식 산업은 상품분류표의 대분류기준으로 보면 기본적으로

---

31) 염성규·최경환(2022), "군 급식의 경제적 파급효과 분석: 산업연관분석을 중심으로", 한국산학기술학회, Vol 23(6), pp. 170-177.

농림수산품(A)과 음식료품(C01) 산업이므로 부문 내의 전체 상품이 고려 대상이다. 그러나 소분류 중 사료(088)의 경우는 축산업을 통해 간접적으로는 영향을 줄 수 있지만, 군 급식 예산을 통해 직접 수요가 생기는 부문은 아니므로 군 급식 산업의 정의에서는 제외하였고, 주류(091)와 담배(100) 또한 군인들의 수요는 있지만, 군 급식의 납품을 통해 공급되는 것이 아니므로 제외하였다. 그 외 다른 소분류의 항목들은 군의 최종수요로 직접 구매하는 것과 연관이 있으므로 모두 포함하여 군 급식 산업으로 정의하였다. <표 2-5>에 군 급식 산업의 정의를 나타내었다.

<h3 align="center">〈표 2-5〉 군 급식 산업정의</h3>

소분류 (165부문)		중분류 (83부문)		대분류 (33부문)	
011	곡물 및 식량작물	01	작물	A	농림수산품
012	채소 및 과실				
019	기타작물				
021	낙농 및 축우	02	축산물		
029	기타 축산				
030	임산물	03	임산물		
040	수산물	04	수산물		
050	농림어업 서비스	05	농림어업 서비스		
081	육류 및 낙농품	08	식료품	C01	음식료품
082	수산가공품				
083	정곡 및 제분				
084	제당 및 전분				
085	떡, 과자 및 면류				
086	조미료 및 유지				
087	기타 식료품				
092	비알콜음료 및 얼음	09	음료품		

본 연구는 선박해양플랜트 산업을 연구대상 산업으로 선정하여 2010년 기준년 부문분류표 상품분류의 소분류(161부문)를 기준으로 다음과 같이 산업을 정의하였다[32].

선박해양플랜트 산업의 부문은 산업연관표의 분류와 1:1로 연결되지 않기 때문에 선박해양플랜트 관련 연구계(선박해양플랜트연구소) 및 산업계, 학계 전문가의 자문을 바탕으로 관련 부문을 도출하였으며, 분류 과정에서 선박해양플랜트 연구가 해양수송과 석유·가스 해양플랜트개발과 함께 해양에너지, 해양공간, 무인해양이동체 등 해양 신산업 분야로 확장되었음을 고려하여, 관련 부문을 포함시켰다.

선박해양플랜트 산업은 엔지니어링, 기계설비, 건설 등의 복합 산업으로서 산업의 기술적인 사항과 구성요소 등을 반영하여, 통합소분류기준으로 구조용 금속제품 및 탱크(063), 내연기관 및 터빈(067), 일반목적용 기계부품(069), 기타 특수목적용 기계(077), 통신 및 방송장비(087), 의료 및 측정기기(090), 선박(095), 산업시설 건설(113), 유·무선 통신서비스(128), 정보서비스(131), 연구개발(144), 건축토목 관련 서비스(147), 기타 과학기술 서비스(148) 항목으로 구성하였다.

---

32) 김승연·이장재(2018), "산업연관분석을 통한 선박해양플랜트 산업의 경제적 파급효과 분석", 한국기술혁신학회 학술대회, 2018(11), pp. 613-626.

<표 2-6>에 선박해양플랜트 산업의 정의를 나타내었다.

〈표 2-6〉 선박해양플랜트 산업정의

소분류 (161부문)		중분류 (82부문)		대분류 (30부문)	
063	구조용 금속제품 및 탱크	031	금속제품	010	금속제품
067	내연기관 및 터빈	032	일반목적용기계	011	기계 및 장비
069	일반목적용기계 부품				
077	기타 특수목적용기계	033	특수목적용기계		
087	통신 및 방송장비	039	통신, 방송 및 영상,	012	전기 및 전자기기
090	의료 및 측정기기	041	정밀기기	013	정밀기기
095	선박	043	선박	014	운송장비
113	산업시설 건설	052	토목건설	018	건설
128	유, 무선 통신서비스	059	통신서비스	022	정보통신 및 방송서비스
131	정보서비스	061	정보서비스		
144	연구개발	071	연구개발	025	전문, 과학 및 기술서비스
147	건축·토목관련서비스	073	과학기술관련 전문서비스		
148	기타 과학기술서비스				

4차 산업혁명 관련 산업의 경제적 파급효과 분석 사례

본 연구는 4차 산업혁명 관련 기술분야와 한국표준산업분류
(KSIC) 및 산업연관표 부문분류표 상품분류를 연계하여 2015년
기준년 부문분류표 상품분류의 소분류(165부문)를 기준으로 4차
산업혁명 관련 산업을 정의하였다[33].

본 연구는 박승빈(2017)의 연구[34]에서 4차 산업혁명 관련 산업을 연구보고서 등 기존 문헌을 참조하여 11개 주요 기술[35]로 도출하고, 이 주요 기술을 한국표준산업분류(KSIC) 기준에 따라 4차 산업혁명 산업으로 분류한 것을 2015년 기준년 부문분류표 상품분류의 소분류(165부문)를 기준으로 재구성하였다. <표 2-7>에 4차 산업혁명 관련 산업의 정의를 나타내었다.

<표 2-7> 4차 산업혁명 관련 산업정의

한국표준산업분류(KSIC) [박승빈(2017) 연구 내용]		산업연관표 부문분류표 [본 연구 내용]	
코드	항 목 명 (세세분류)	코드	항 목 명 (소분류)
20202	합성수지 및 기타 플라스틱 물질 제조업	180	합성수지 및 합성고무
		239	기타 플라스틱제품
19229	기타 석유정제물 재처리업	163	윤활유 및 기타석유정제품
23991	아스팔트 콘크리트 및 혼합제품 제조업	269	기타 비금속광물제품
23995	탄소섬유 제조업		
23999	그 외 기타 분류 안된 비금속 광물제품 제조업		
26111	메모리용 전자집적회로 제조업	310	반도체
26112	비메모리용 및 기타 전자집적회로 제조업		
26212	유기발광 표시장치 제조업	320	전자표시장치
26219	기타 표시장치 제조업		

---

33) 김동수·조정환(2020), "4차 산업혁명 관련 산업의 경제적 파급효과에 대한 산업연관분석", 경제발전연구, 26(1), pp. 1-26.

34) 박승빈(2017), "4차 산업혁명 주요 테마 분석: 관련 산업을 중심으로", 통계계발원 2017년 하반기 연구보고서, 2017(3), pp. 226-286.

35) 4차 산업혁명과 관련된 11개 기술: ①자율 주행차, ②로봇, ③인공지능, ④빅데이터, ⑤사물인터넷, ⑥모바일, ⑦가상현실, ⑧블록체인, ⑨핀테크, ⑩드론, ⑪3D프린팅

한국표준산업분류(KSIC) [박승빈(2017) 연구 내용]		산업연관표 부문분류표 [본 연구 내용]	
코드	항 목 명 (세세분류)	코드	항 목 명 (소분류)
26293	전자카드 제조업	339	기타 전자부품
26295	전자감지장치 제조업		
26299	그 외 기타 전자부품 제조업		
26310	컴퓨터 제조업	340	컴퓨터 및 주변기기
26421	방송장비 제조업	351	통신 및 방송장비
26422	이동전화기 제조업		
26429	기타 무선 통신장비 제조업		
26519	비디오 및 기타 영상 기기 제조업	352	영상 및 음향기기
27211	레이더, 항행용 무선 기기 및 측량기구 제조업	361	의료 및 측정 기기
27301	광학렌즈 및 광학요소 제조업	369	기타 정밀 기기
28114	에너지 저장장치 제조업	372	전기변환·공급제어장치
28119	기타 전기 변환장치 제조업		
28123	배전반 및 전기 자동제어반 제조업		
28202	축전지 제조업	373	전지
29222	디지털 적층 성형기계 제조업	399	기타 특수목적용 기계
29280	산업용 로봇 제조업		
30332	자동차용 신품 전기 장치 제조업	403	자동차 부품
30391	자동차용 신품 조향장치 및 현가장치 제조업		
30392	자동차용 신품 제동 장치 제조업		
31312	무인 항공기 및 무인 비행장치 제조업	422	항공기
31322	항공기용 부품 제조업		
58219	기타 게임 소프트웨어 개발 및 공급업	621	소프트웨어 개발 공급
58221	시스템 소프트웨어 개발 및 공급업		
58222	응용 소프트웨어 개발 및 공급업		
61210	유선통신업	591	유·무선 및 위성 통신 서비스
61220	무선 및 위성통신업		

한국표준산업분류(KSIC) [박승빈(2017) 연구 내용]		산업연관표 부문분류표 [본 연구 내용]	
코드	항 목 명 (세세분류)	코드	항 목 명 (소분류)
62010	컴퓨터 프로그래밍 서비스업	629	기타 IT 서비스
62021	컴퓨터시스템 통합 자문 및 구축 서비스업		
63111	자료 처리업	610	정보서비스
63120	포털 및 기타 인터넷 정보 매개 서비스업		
63991	데이터베이스 및 온라인 정보제공업		
66199	그 외 기타 금융 지원 서비스업	670	금융 및 보험 보조 서비스
70111	물리, 화학 및 생물학 연구개발업	700	연구개발업
70121	전기 전자공학 연구 개발업		
70129	기타 공학 연구개발업		
70130	자연과학 및 공학 융합 연구개발업		

개인정보보호 산업의 경제 파급효과분석 사례

본 연구는 개인정보보호 산업을 연구대상 산업으로 선정하고, 개인정보보호 산업과 정보보호 산업 및 데이터 산업 간 공통점과 차이점을 규명하고, 개인정보보호 강화기술을 도출하여 기술적인 사항을 분석한 후 2015년 기준년 부문분류표 상품분류의 소분류(165부문)를 기준으로 개인정보보호 산업을 정의하였다[36].

개인정보보호 산업은 개인정보가 처리 전체 과정에서 분실·도난·유출·위조·변조 또는 훼손되지 않도록 안전하게 관리할

---

36) 장철호(2021), "개인정보보호산업의 경제적 파급효과 분석", 경제연구, 39(4), pp. 111-131.

수 있는 개인정보보호 제품을 개발, 생산, 유통하거나 개인정보
보호에 대한 컨설팅 등과 관련된 산업으로 정의하였으며, 이 정의
에 따라 하드웨어 및 소프트웨어 제품과 서비스에 해당하는 부문을
다음 <표 2-8>와 같이 분류하였다.

<표 2-8> 개인정보 보호 산업정의

구분	대분류 (33부문)		중분류 (83부문)		소분류 (165부문)	
하드웨어	C09	컴퓨터, 전자, 광학기기	31	반도체	310	반도체
			33	기타 전자부품	339	기타 전자부품
			34	컴퓨터 및 주변기기	340	컴퓨터 및 주변기기
			35	통신 및 방송기기	351	통신 및 방송기기
					352	영상 및 음향기기
			36	정밀기기	361	의료 및 측정기기
소프트 웨어	J	정보통신, 방송서비 스	61	정보서비스	610	정보서비스
			62	소프트웨어 개발 공급 및 기타 IT서비스	621	소프트웨어 개발 공급
					629	기타 IT서비스
서비스	J	정보통신, 방송 서비스	59	통신서비스	591	유·무선 및 위성 통신 서비스
					599	기타 전기통신서비스

산업연관표의 신재생에너지 산업 설정 방안 연구 사례

본 연구에서는 2008년 기준 산업연관표를 바탕으로, 신재생
에너지 관련 법령, 정책 자료, 에너지 통계, 기업의 공시 자료

(손익계산서, 제조원가명세서 등) 및 전문가 인터뷰 등을 통하여 신재생에너지원별 분류 부문명을 정하고, 신재생에너지 산출단가와 생산량을 곱하여 총산출액을 추정한 후 분류 부문별 투입구조를 파악하여 신재생에너지원별 산업을 정의하였다[37)38)].

신재생에너지 통계상의 22개 에너지원 가운데 산업연관표 작성에 적합하지 않은 부문을 제외하고 통합하여 총 18개의 신재생에너지원을 분석대상으로 하였다. 분류된 산업연관표는 기초가격 및 생산자가격 거래액을 대상으로 작성하였으며, 403개 기본부문을 바탕으로 신재생에너지 산업을 분류했다.

연구대상 산업인 신재생에너지원별 산업의 정의에 따라 부문분류와 분류된 각 부문별 총산출액 자료를 산정한 후 기업 재무자료 또는 투입액 비율(투입계수)를 활용하여, 연구대상 산업으로 분류된 산업연관표를 작성하였다. 기준 산업연관표를 부문분류 및 통합하는 방법은 "제2장 3절 부문분류 및 통합 방법"에서 살펴본다.

에너지원별 최종 에너지 형태와 산업연관표상의 통합 부문, 분류 후 부문명 및 총산출액은 <표 2-9>과 같다.

---

37) 심상렬·오현영(2012), "산업연관표의 신재생에너지 산업 설정 방안 연구", 기본연구보고서, 12-03, 의왕: 에너지경제연구원.

38) 본 연구는 2008년 산업연관표를 대상으로 신재생에너지원별 산업을 정의하였으나, 2015년 기준년 산업연관표의 부속표 중 「부문별 품목별 공급액표」의 기초부문에는 신재생에너지, 소수력 발전, 태양광 발전, 풍력발전 및 기타로 분류되어 있음

〈표 2-9〉 신재생에너지원별 산업정의

신재생 에너지원	최종 에너지 형태	2008년 산업연관표 통합 부문	분류 후 부문명	생산량 (TOE)	총산출액(백만원)	
					기초가격	생산자가격
태양광	전기	기타발전	태양광	24,451	27,025.36	27,029.63
풍력			풍력	37,499	41,446.91	41,453.46
폐가스			화석기반 재생전력	492,522	544,375.51	544,461.53
연료전지				1,747	1,930.55	1,930.86
수력 (자가용)			작성제외	-	-	-
바이오가스 (전기)				289	319.67	319.72
매립지가스 (전기)			폐목재 우드칩	35,518	39,257.05	39,263.25
폐목재				4,674	5,166.51	5,167.32
우드칩				517	571.18	571.27
폐기물소각	전기			30,851	34,098.73	34,104.11
	열	증기 및 온수공급업	소각열	277,800	114,666.48	117,960.08
바이오가스 (열)	열		바이오 및 폐기물열	44,663	18,435.51	18,965.03
매립지가스 (열)				31,196	12,876.78	13,246.64
태양열			자연재생열	28,036	11,572.32	11,904.71
지열				15,726	6,491.16	6,677.61
시멘트킬른 보조연료	고체 연료	시멘트 /킬른	작성제외	-	-	-
성형탄		기타목제품	신재생 고체연료	29,186	57,542.21	59,137.90
임산연료		기타임산물		41,236	12,546.40	12,547.42
바이오디젤	액체 연료	석유화학 기초제품	신재생 액체연료	177,642	223,234.13	223,258.36
정제연료유		기타석유 정제품		306,861	217,845.45	218,027.50

본 연구에서는 수소승용차를 연구대상 산업으로 선정하여 2015년 산업연관표를 활용하였으며, 내연기관 승용차의 투입구조를 파악한 후 수소승용차에 포함되지 않는 부품을 제거하고 수소승용차에 필요한 부품을 포함시켜 수소승용차 산업의 구성요소를 정의하고, 「수소경제 활성화 로드맵」 등 정책 자료와 기술적인 제조원가를 참조하며 수소승용차 제조비용인 투입구조를 산출하여 수소승용차 산업을 정의하였다[39].

내연기관 승용차와 수소승용차 구성요소의 차이는 <표 2-10>과 같다.

〈표 2-10〉 승용차 종류별 구성요소

구 분		내연기관 승용차	수소승용차
Body		동일	
Chassis	Power Generation	엔진 연료장치 윤활장치 냉각장치 시동·점화장치 충전장치 공조장치	연료전지 스택 수소탱크 냉각장치 충전장치 공조장치
	Power Train	클러치/변속기 추진축/차축 종감속장치 차동장치	모터 감속기
	Electronic Architecture	동일	
	Operation Device	동일	

39) 정연구(2021), "수소승용차 산업의 경제적 파급효과 및 기후환경 영향 연구", 세종대학교대학원 기후변화협동과정 정책학 박사학위논문.

여기서 기술적인 제조원가 등을 참고하여 수소승용차와 스택의 가격 비중을 산출하여 산업연관표의 투입구조를 산출하였으며, 이때 외생으로 주어지는 최종수요와 부가가치는 내연기관 승용차와 수소승용차가 동일한 구조를 가지는 것으로 간주하였으며, 수소승용차의 구성요소별 제조원가 분석에 따른 수소승용차 산업의 정의는 <표 2-11>에 나타내었다.

〈표 2-11〉 수소승용차 산업정의

구분			투입구조		수소승용차 산업정의			
			금액 (만원)	비중 (%)	Code	업종	금액 (만원)	비중 (%)
연료전지스택	막전극접합체	염료	35	1.27	1723	염료. 안료 및 유연제	43.2	1.57
		전해질	35	1.27	1801	합성수지	35	1.27
		백금	97.2	3.53	1802	합성고무	38.9	1.41
	기체확산층	염료	8.2	0.3	1900	화학섬유	267.9	9.73
		탄소섬유	73.5	2.67	2791	표면처리강제	70	2.54
	분리판		70	2.54	2829	기타비철금속 1차제품	97.2	3.53
	가스켓		38.9	1.41				
	수소탱크		194.4	7.06				
중간합계			552.2	20.06			552.2	20.06
연료전지제어기 등			31.1	1.13		연료전지제어기 등	31.1	1.13
운전장치			813.6	29.55		운전장치	813.6	29.55
전장장치			542.4	19.7		전장장치	542.4	19.7
차체			813.6	29.55		차체	813.6	29.55
합계			2,752.90	100			2,752.90	100

이상에서 연구대상 산업의 정의를 각종 연구 사례를 통하여 살펴보았다. 이러한 예시들은 연구의 목적과 범위에 따라 연구대상 산업을 어떻게 정의하고 선택하는지를 보여주고 있다.

　연구 주제와 목적에 맞게 연구대상 산업을 정의하는 것이 연구의 타당성과 결과의 신뢰성을 높이는 데 중요한 역할을 하므로, 면밀히 검증하고 근거를 제시하는 것이 필요하다.

3

부문분류 및 통합 방법

산업연관표의 부문분류 및 통합 과정은 연구대상 산업의 정의에 따라 기존의 산업연관표를 토대로 새로운 산업연관표를 생성하는 과정을 말한다. 연구대상 산업의 정의가 기준으로 하는 산업연관표의 부문분류표에 정의되어 있으면 해당 분류기준을 활용하여 분석할 수 있지만, 부문분류표에 정의되어 있지 않으면 연구대상 산업의 정의에 따라 부문을 새롭게 분류하고 통합하는 산업연관표 조작과정을 거쳐야 한다.

산업연관표의 작성 및 이용에 있어서 부문분류와 통합은 산업연관표의 중요한 가정의 하나인 투입계수의 안정성과 관련되는 중요한 문제이며, 산업 또는 상품을 어느 정도로 세분하여 분석하느냐 하는 문제는 어느 정도로 통합하느냐 하는 문제와 같으므로 부문분류와 통합은 똑같은 문제라고 볼 수 있다.

실제 산업연관표에서는 분류를 너무 세분화할 경우 작성과정에서 비용이 많이 들고 다루기가 어려우며, 원재료 간의 대체가능성이 증대되어 투입구조의 안정성을 유지하기 어려워질 수 있으므로 적절한 수준으로 통합하여 사용한다. 통합의 경우는 이해와 계산의 편리를 도모한다는 장점이 있지만, 통합 과정에서 정보가 상실된다는 점과 더불어 통합의 범위에 따라서 분석의 결과가 달라질 수 있다는 점, 하위분류에서 상위분류로 통합을 진행할수록 부문 간의 비유사성이 증가한다는 점 및 동질성이 상대적으로 낮은 상품을 동일한 부문으로 분류할 경우 해당 산업연관표의 유용성이 떨어지게 된다는 점 등의 문제점이 있으니 분류와 통합 과정에서는 세심한 주의가 필요하다.

산업연관표 부문분류 및 통합 EXCEL 조작

산업연관표의 부문분류 및 통합은 산업연관표의 작성과정에서 진행되지만 이미 작성된 산업연관표도 필요에 따라 재분류 및 통합을 할 수 있다. 이런 경우 산업연관표가 EXCEL로 제공되므로 재분류 및 통합하는 과정을 EXCEL로 설명한다.

우선 설명의 편의를 위하여 3개의 상품으로 구성된 통합대분류 산업연관표를 가정한다. <표 2-12>에 석탄 및 석유제품(C04), 전력, 가스 및 증기(D)와 도소매 및 상품 중개 서비스(G)로 3개의 상품으로 구성된 통합대분류 산업연관표 예시를 나타내었다.

예시로 나타낸 산업연관표에서 연구대상 상품이 "도시가스"라고 가정하면, 부문분류표에서 도시가스산업의 정의에 따라 투입구조와 배분구조가 유사한 부문을 찾아 "투입구조의 안정성"이라는 부문분류 원칙에 기준하여 재분류 및 통합 조작을 하여야 한다. <표 2-13>에 대분류 3개의 산업으로 구성된 부문분류표를 나타내었다.

〈표 2-12〉 3개 상품 통합대분류 산업연관표 예시

(단위: 조원)

상품＼상품		C04 석탄 및 석유제품	D 전력, 가스 및 증기	G 도소매 및 상품 중개서비스	9090 중간수요계
C04	석탄 및 석유제품	5.77	3.63	5.90	15.29
D	전력, 가스 및 증기	2.56	14.04	3.77	20.37
G	도소매 및 상품 중개 서비스	1.67	0.82	11.55	14.04
9590	중간투입계	10.00	18.49	21.22	49.71
9690	부가가치계	2.25	5.95	11.30	19.50
9790	총투입계	12.25	24.44	32.52	69.21

〈표 2-13〉 3개 상품으로 구성된 부문분류표 예시

소분류(165)		중분류(83)		대분류(33)	
코드	부문명	코드	부문명	코드	부문명
161	석탄제품	16	석탄 및 석유제품	C04	석탄 및 석유제품
162	원유정제처리제품				
163	윤활유 및 기타석유정제품				
450	전력 및 신재생에너지	45	전력 및 신재생에너지	D	전력, 가스 및 증기
461	도시가스	46	가스, 증기 및 온수		
462	증기 및 온수 공급				
520	도소매 및 상품 중개 서비스	52	도소매 및 상품 중개 서비스	G	도소매 및 상품 중개 서비스

예시의 부문분류표에서 소분류에 도시가스(461)산업이 분류되어 있으므로 소분류기준으로 재분류하고 다시 통합하는 과정을 가진다. 3개 산업으로 구성된 통합대분류 산업연관표의 코드를

표현한 통합소분류표를 보면 <표 2-14>와 같다.

<표 2-14> 통합소분류 산업연관표 예시

(단위: 백억원)

통합대분류 코드	C04	C04	C04	D	New	D	G	CD
	161	162	163	450	461	462	520	9090
상품＼상품	석탄제품	원유정제처리제품	윤활유및기타석유정제품	전력 및 신재생에너지	도시가스	증기및온수공급	도소매 및 상품 중개 서비스	중간수요계
C04 161 석탄제품	0.3	0.0	0.0	0.0	0.0	0.0	0.0	0.3
C04 162 원유정제처리제품	0.1	310.8	152.0	325.1	3.0	32.3	584.1	1,407.4
C04 163 윤활유 및 기타석유정제품	0.2	36.0	77.4	1.7	0.4	0.0	5.9	121.7
D 450 전력 및 신재생에너지	2.2	102.5	5.8	68.0	2.4	38.5	353.9	573.3
New 461 도시가스	0.3	3.8	0.6	1,047.4	0.9	77.5	10.6	1,141.1
D 462 증기 및 온수공급	0.0	139.4	1.5	0.0	0.0	168.9	13.0	322.8
G 520 도소매 및 상품 중개 서비스	0.4	145.7	21.1	75.9	3.8	2.7	1,154.5	1,404.1
CI 9590 중간투입계	3.5	738.3	258.3	1,518.2	10.4	319.9	2,122.0	4,970.6
V 9690 부가가치계	0.1	191.5	33.7	461.9	1.7	131.5	1,130.1	1,950.4
X 9790 총투입계	3.6	929.8	292.0	1,980.0	12.1	451.5	3,252.1	6,921.1

여기서, 한국은행에서 제공된 통합소분류표에는 통합대분류 코드가 없으므로 <표 2-12>를 참조하여 통합대분류 코드를 입력한다. 이렇게 입력된 통합대분류 코드별로 통합소분류표의 값을 합산하면 통합대분류표와 동일한 값을 나타낸다.

즉, 통합소분류의 값을 대분류 코드별로 합산한 것이 통합대분류표이므로, 연구의 대상인 "도시가스" 산업만 별도의 코드를 부여하여 합산하는 것이 재분류 및 통합 작업이다.

상기의 예시에서 연구대상인 "도시가스" 산업은 별도로 "New"라는 코드를 부여하고, EXCEL에서 제공하는 "SUMPRODUCT[40]" 함수를 활용하여 통합대분류의 "전력, 가스 및 증기(D)"에서 분리하여 별도의 "New"산업으로 분류하고, 기존의 "전력, 가스 및 증기(D)"는 "전력, 가스 및 증기(도시가스제외)(D)"로 통합하여 새로운 통합대분류표를 만든다. <그림 2-2>에 통합소분류에서 "도시가스"를 New 코드를 부여하여 새로운 통합대분류표를 만드는 과정을 나타내었다.

<그림 2-2> 연구대상 산업부문분류 및 통합 과정 예시

E20 | =SUMPRODUCT(($C20=$B$6:$B$15)* (E$18=$E$3:$L$3)*($E$6:$L$15))

■ 통합소분류표 (단위:백억원)

		상품	161 석탄제품	162 원유정제 처리제품	163 윤활유 및 기타석유 정제품	450 전력 및 신 재생에너 지	New 도시가스	462 증기 및 온 수 공급	520 도소매 및 상품중개 서비스	9090 중간수요 계
			C04	C04	C04	D	New	D	520	CD
C04	161	석탄제품	0.3	0.0	0.0	0.0	0.0	0.0	0.0	0.3
C04	162	원유정제처리제품	0.1	310.8	152.0	325.1	3.0	32.3	584.1	1,407.4
C04	163	윤활유 및 기타석유정제품	0.2	36.0	77.4	1.7	0.4	0.0	5.9	121.7
D	450	전력 및 신재생에너지	2.2	102.5	5.8	68.0	2.4	38.5	353.9	573.3
New	461	도시가스	0.3	3.8	0.6	1,047.4	0.9	77.5	10.6	1,141.1
D	462	증기 및 온수 공급	0.0	139.4	1.5	0.0	0.0	168.9	13.0	322.8
G	520	도소매 및 상품중개서비스	0.4	145.7	21.1	75.9	3.8	2.7	1,154.5	1,404.1
CI	9590	중간투입계	3.5	738.3	258.3	1,518.2	10.4	319.9	2,122.0	4,970.6
V	9690	부가가치계	0.1	191.5	33.7	461.9	1.7	131.5	1,130.1	1,950.4
X	9790	총투입계	3.6	929.8	292.0	1,980.0	12.1	451.5	3,252.1	6,921.1

■ 연구대상 산업 분리 통합대분류표 (단위:백억원)

		상품	C04 석탄 및 석유제품	D 전력, 가스 및 증기 (도시가스 제외)	G 도소매 및 상품중개 서비스	New 도시가스	CD 중간 수요계
C04		석탄 및 석유제품	576.85	359.18	590.00	3.35	1529.37
D		전력,가스 및 증기 (도시가스 제외)	251.36	275.41	366.92	2.36	896.05
G		도소매 및 상품중개서비스	167.18	78.60	1154.53	3.75	1404.06
New		도시가스	4.75	1124.91	10.55	0.93	1141.14
CI		중간투입계	1000.13	1838.11	2122.01	10.38	4970.62
V		부가가치계	225.25	593.40	1130.06	1.72	1950.43
X		총투입계	1225.37	2431.51	3252.07	12.11	6921.06

---

40) SUMPRODUCT는 해당 범위 또는 배열의 합계를 반환하는 함수이다. 기본적인 구문은 =SUMPRODUCT(array1, [array2], [array3], …)를 사용한다.

새롭게 만들어진 통합대분류표는 "도시가스(New)"가 생성되어 있으며, "전력, 가스 및 증기(도시가스제외)(D)"에는 도시가스 부문의 내용이 제외된 상태로 합산이 된다.

상기 예시는 SUMPRODUCT 함수의 인수에 따라 합산의 내용이 달라지므로 인수의 지정에 주의하여야 한다. <그림 2-2> 예시의 E20 필드(분홍색)에서 사용된 인수는 다음과 같다.

=SUMPRODUCT(($C21=$B$6:$B$15)*

(E$19=$E$3:$L$3)*($E$6:$L$15))

상기 예제에서와 같은 과정으로 "전력, 가스 및 증기(D)"에는 도시가스 부문을 제외하고, "도시가스(New)"를 별도의 부문으로 분리하여 통합대분류표를 구성하면 <표 2-15>와 같이 나타난다.

<표 2-15> 연구대상 산업분류 후 통합대분류 산업연관표 예시

(단위: 조원)

상품 \ 상품		C04 석탄 및 석유제품	D 전력, 가스 및 증기 (도시가스제외)	G 도소매 및 상품 중개서비스	New 도시가스	CD 중간수요계
C04	석탄 및 석유제품	5.77	3.59	5.90	0.03	15.29
D	전력, 가스 및 증기 (도시가스제외)	2.51	2.75	3.67	0.02	8.96
G	도소매 및 상품 중개 서비스	1.67	0.79	11.55	0.04	14.04
New	도시가스	0.05	11.25	0.11	0.01	11.41
CI	중간투입계	10.00	18.38	21.22	0.10	49.71
V	부가가치계	2.25	5.93	11.30	0.02	19.50
X	총투입계	12.25	24.32	32.52	0.12	69.21

<표 2-15>에서 도시가스 부문을 New 코드로 새롭게 분류한 통합대분류표는 <표 2-12>에서 제시한 기준 통합대분류표와 비교하여 보면, 중간수요계가 동일하며, "전력, 가스 및 증기(도시가스 제외)(D)"와 "도시가스(New)"를 합산하면, "전력, 가스 및 증기(D)"가 됨을 알 수 있다.

4

경제구조 분석방법

산업연관표는 경제활동의 다양한 측면을 나타내는 행렬형태의 표이다. 이 표는 각 산업이 다른 산업과 얼마나 많이 연결되어 있는지, 어떤 산업에서 생산이 시작되어 다른 산업으로 이어지는지 등을 보여준다. 그러므로 이 정보를 기반으로 다양한 경제 지표를 계산하고 경제구조 등을 파악할 수 있다.

경제구조란 한 나라나 지역 내에서 경제활동의 구성과 조직으로 표현하며 주로 산업구조, 고용구조, 소비구조, 수출 및 수입구조, 자본구조 등 경제체제의 핵심 구성요소와 그들 간의 관계를 나타낸다.

산업연관표를 활용한 경제구조 분석은 공급사용표를 활용하여 경제 내 다양한 산업부문 간의 상호작용과 종속성을 이해하고 분석하는 방법론이다. 이를 통해 특정 국가나 지역의 경제구조를 파악하고, 산업 간의 연결성과 영향력을 이해하며 정책 결정이나 경제 전략 수립에 도움을 준다.

공급사용표는 상품과 산업의 이중분류를 적용하여 경제현실을 그대로 반영할 뿐만 아니라 산업별 생산구조는 산업 내 여러 가지 상품의 결합생산을 반영하기 때문에 투입산출표보다 경제현실에 부합한다고 할 수 있다. 또한, 일정 기간 각 산업부문 간에 거래된 재화와 서비스의 흐름, 각 산업부문에서의 노동, 자본 등 생산요소의 투입과 소비, 투자, 수출 등 생산물의 최종수요를 나타내므로 공급과 수요구조, 산업구조, 부문별 투입과 배분구조, 최종수요 구성 및 수입구조 등 산업부문별로 세분된 구조분석이 가능하다.

산업연관표를 활용한 경제구조 분석의 주요 분야는 공급과 수요 구조분석, 산업구조분석, 투입구조분석, 수요구조분석, 대외거래 분석, 취업구조분석 등이 있다. 이러한 분석은 정부, 기업, 연구 기관 등에서 경제정책 수립, 산업전략 개발, 시장 예측 등에 활용 되며, 경제의 다양한 측면을 개념적으로 이해하는 데에 중요한 도구로 활용된다.

공급사용표를 사용하여 경제구조 분석 사례를 예시로 설명토록 하겠다.

공급과 수요구조분석 사례

산업연관표는 한 나라의 모든 재화와 서비스에 대한 총공급과 총수요뿐만 아니라 공급의 원천과 판매경로를 상세히 기록하고 있으므로 산업연관표를 이용하여 공급 면에서의 국내생산과 수입의 구성비, 수요 면에서의 국내수요(중간수요와 국내최종수요) 와 해외수요(수출)의 구성비 등을 산업별 또는 품목별로 파악할 수 있다.

<표 2-16>에 2000년부터 2019년까지 공급표와 사용표의 항등식인 "총공급 = 총수요"를 활용하여 국내총산출, 수입과 국내 총수요 및 수출을 나타내었다.

〈표 2-16〉 총공급과 총수요의 변화 추이 예시

(단위: 조원, %)

| 구분 | 공급표 | | 총공급 (A+B) = 총수요 (C+D) | 사용표 | | | 수출 (D) | 대외 거래 (B+D) |
| | 공급 | | | 국내수요 (C) | | | | |
	총산출 (A)	수입 (B)		중간수요	최종수요	계		
2000	1,321	215	1,536	713	601	1,314	222	437
(비율)	(86)	(14)	(100)	(46)	(39)	(86)	(14)	(28)
2005	2,001	321	2,321	1,117	862	1,980	342	662
(비율)	(86)	(14)	(100)	(48)	(37)	(85)	(15)	(29)
2010	3,048	592	3,640	1,861	1,147	3,008	632	1,224
(비율)	(84)	(16)	(100)	(51)	(32)	(83)	(17)	(34)
2015	3,717	603	4,320	2,150	1,453	3,603	717	1,320
(비율)	(86)	(14)	(100)	(50)	(34)	(83)	(17)	(31)
2019	4,228	708	4,936	2,410	1,764	4,174	762	1,470
(비율)	(86)	(14)	(100)	(49)	(36)	(85)	(15)	(30)

상기 <표 2-16>의 예시를 참고하여 연도별 총공급(총수요)의 변화를 보면 <그림 2-3>과 같이 표현된다. 연도별 총공급(총수요) 변화의 추이를 보면, 2000년부터 우리나라에 공급된 재화와 서비스의 총액은 기초(명목) 가격기준으로 지속적으로 성장하였지만, 성장률에서는 다소 감소하고 있음을 알 수 있다.

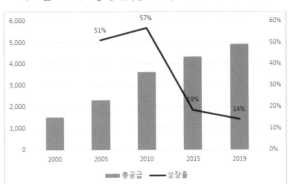

〈그림 2-3〉 총공급(총수요) 변화 추이 예시

예시에서 나타나듯이 공급사용표를 이용하여 공급 면에서의
국내생산과 수입의 구성비, 수요 면에서의 국내수요(중간수요와
국내최종수요)와 해외수요(수출)의 구성비 등을 산업별 또는 품목
별로 파악하여 연구대상에 따라 분석하고 결과를 나타낼 수 있다.

산업구조분석 사례

산업구조란 한 나라나 지역에서의 각종 산업 간 비율 또는
이들 간의 상호 관계를 의미한다. 이는 한 나라 또는 지역에서
어떤 산업이 주로 발달하였고 각 산업들의 비중이 어떠한지를
보여줌으로써, 그 사회가 가지는 산업의 기본적인 특성을 알려주는
지표가 된다. 따라서 한 나라의 산업구조는 보통 총산출액이나
부가가치를 기준으로 하여 각 산업부문별 구성비를 계산해 봄으
로써 알 수 있다.

〈표 2-17〉 산업구조분석 예시

(단위: %)

구 분	2000	2005	2010	2015	2019	OECD (2010)
농 림 어 업	3.0	2.1	1.7	1.7	1.5	2.5
광 업	0.1	0.1	0.1	0.1	0.1	1.7
제 조 업	44.4	45.2	49.0	44.6	41.7	26.2
전력·가스·수도 및 폐기물처리업	2.6	2.6	2.9	3.0	2.8	2.9
건 설 업	7.2	7.6	5.9	5.6	6.1	7.4
서 비 스 업	42.8	42.3	40.3	44.9	47.7	59.4
계	100	100	100	100	100	100

〈그림 2-4〉 산업구조변화 추이 예시

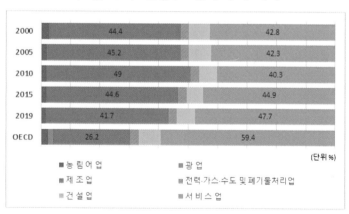

2000년, 2005년, 2010년, 2015년, 2019년 공급표를 이용하여 총산출액을 기준으로 통합대분류기준 33개 산업분류를 '농림어업', '광업', '제조업', '전력·가스·수도 및 폐기물처리업', '건설업', '서비스업'으로 6개 부문으로 통합하고, 2010년 OECD 평균을 비교하여 <표 2-17>과 <그림 2-4>에 산업구조분석과 연도별 산업구조변화 추이를 예시로 나타내었다.

예시에서 살펴보았듯이 공급표를 이용하여 한 나라나 지역에서의 각종 산업 간 비율 또는 이들 간의 상호 관계 등을 연구대상에 따라 분석하고 결과를 나타낼 수 있다.

투입구조분석 사례

투입구조란 한 산업에서 상품을 생산하기 위해 다른 산업으로부터 투입받는 원자재, 부품, 노동, 서비스 등의 입력 비율 또는 이들 간의 상호 관계를 의미한다. 투입구조는 산업 간의 원자재 및 부품의 공급과 수요 관계를 이해하는 데 도움이 된다.

사용표 또는 투입산출표를 열(세로) 방향으로 보면 각 산업 또는 상품부문별로 재화나 서비스의 생산을 위하여 투입된 원재료인 중간투입과 피용자보수, 영업잉여, 고정자본소모 및 기타 생산세(보조금공제)로 이루어지는 부가가치의 내역을 알 수 있다. 한편 중간투입액을 총투입액으로 나눈 비율을 중간투입률이라 하고 부가가치를 총투입액으로 나눈 비율을 부가가치율이라 한다.

2000년, 2005년, 2010년, 2015년, 2019년 사용표를 이용하여 <표 2-18>에 중간투입률과 국산화율 추이를 나타내고, <표 2-19>에 연도별 산업별 부가가치율 추이를 나타내었다.

<표 2-18> 중간투입률 추이 예시

(단위: %)

구 분	2000	2005	2010	2015	2019
중 간 투 입 률	55.5	57.3	62.4	57.8	57.0
(국 산)	42.6	44.2	46.3	45.3	50.7
(수 입)	12.9	13.1	16.1	12.5	6.3
국 산 화 율	76.7	77.1	74.2	78.4	88.9

<표 2-19> 부가가치율 추이 예시

(단위: %)

구 분	2000	2005	2010	2015	2019
농 림 어 업	64.4	57.9	53.3	54.1	51.0
광 업	65.7	58.2	56.2	51.9	46.5
제 조 업	25.6	24.6	23.6	26.4	27.3
전력·가스·수도 및 폐기물처리업	47.9	43.9	28.6	38.7	31.3
건 설 업	43	44	32.4	38.3	40.3
서 비 스 업	62.6	61	55.3	55.5	55.0
전 산 업 평균	44.5	42.7	37.6	40.9	41.7

예시에서 살펴보았듯이 사용표를 활용하여 각 산업 또는 상품 부문별로 재화나 서비스의 생산을 위하여 투입된 원재료인 중간투입과 피용자보수, 영업잉여, 고정자본소모 및 기타 생산세(보조금공제)로 이루어지는 부가가치 등에 대하여 연구대상에 따라 다양하게 분석하고 결과를 나타낼 수 있다.

수요구조분석 사례

모든 재화와 서비스는 그 용도에 따라 다른 산업의 원료로 투입되는 중간재와 최종구매자에게 판매되는 최종재로 나누어진다. 사용표와 투입산출표를 행(가로) 방향으로 보면 각 재화 및 서비스 품목부문별로 얼마만큼은 중간재로 판매되고, 얼마만큼은 최종재로 판매되었는지를 알 수 있다. 총수요액 중에서 중간수요액이 차지하는 비율을 중간수요율이라고 하고 최종수요액이 차지하는 비율을 최종수요율이라고 한다.

<표 2-20>에 연도별 중간수요 및 최종수요 구성 추이를 예시로 나타내었다.

또한, 민간소비지출을 분야별로 2019년 사용표 기초가격 통합대분류표를 기준으로 살펴보면, <표 2-21>과 같이 가계 및 비영리단체에서 민간소비지출로 통합대분류 33개 분문별로 지출 내역을 구분하여 분석할 수 있으며, 이 부문을 내구재, 비내구재, 서비스 및 기타로 4개 부문으로 재분류 통합하여 나타낼 수도 있다.

<표 2-20> 중간수요 및 최종수요 구성 추이 예시

(단위: %)

구 분	2000	2005	2010	2015	2019
중 간 수 요	46.4	48.1	51.1	49.8	48.8
최 종 수 요	53.6	51.9	48.9	50.2	51.2
소 비	26.3	25.2	21.2	23.1	24.3
민간소비지출	21.9	19.4	16.2	17.3	17.6
정부소비지출	4.4	5.8	5.0	5.8	6.7
투 자	12.8	11.9	10.3	10.5	11.5
고정자본형성	12.6	11.7	9.8	10.3	10.9
재고증감·귀중품	0.2	0.2	0.5	0.2	0.5
수 출	14.5	14.8	17.4	16.6	15.4
총 수 요	100.0	100.0	100.0	100.0	100.0
국 내 수 요	85.5	85.2	82.6	83.4	84.6

<표 2-21> 민간소비지출 내역 분석 예시

(단위: 조원, %)

통합대분류				재분류 통합		
구 분		금액	비율	구분	금액	비율
A	농림수산품	17.6	2.0	비내구재	72.9	8.4
B	광산품	0.0	0.0			
C01	음식료품	55.3	6.3			
C02	섬유 및 가죽제품	32.0	3.7	내구재	146.3	16.8
C03	목재 및 종이, 인쇄	1.3	0.1			
C04	석탄 및 석유제품	8.9	1.0			
C05	화학제품	10.8	1.2			

통합대분류				재분류 통합		
구 분		금액	비율	구분	금액	비율
C06	비금속광물제품	0.0	0.0			
C07	1차 금속제품	-0.7	-0.1			
C08	금속가공제품	1.2	0.1			
C09	컴퓨터, 전자 및 광학기기	25.0	2.9			
C10	전기장비	7.7	0.9			
C11	기계 및 장비	2.7	0.3			
C12	운송장비	27.8	3.2			
C13	기타 제조업 제품	8.5	1.0			
C14	제조임가공 및 산업용 장비 수리	0.0	0.0			
D	전력, 가스 및 증기	16.3	1.9			
E	수도, 폐기물처리 및 재활용서비스	4.9	0.6			
F	건설	0.0	0.0			
G	도소매 및 상품중개서비스	82.3	9.4	서비스	653.0	74.9
H	운송서비스	31.9	3.7			
I	음식점 및 숙박서비스	96.6	11.1			
J	정보통신 및 방송 서비스	32.7	3.7			
K	금융 및 보험 서비스	72.1	8.3			
L	부동산서비스	130.7	15.0			
M	전문, 과학 및 기술 서비스	3.8	0.4			
N	사업지원서비스	5.3	0.6			
O	공공행정, 국방 및 사회보장	2.3	0.3			
P	교육서비스	59.1	6.8			
Q	보건 및 사회복지 서비스	58.4	6.7			
R	예술, 스포츠 및 여가 관련 서비스	36.2	4.2			

통합대분류				재분류 통합		
구 분		금액	비율	구분	금액	비율
S	기타 서비스	41.4	4.8	기타	41.1	4.7
T	기타	-0.4	0.0			
	중간투입계	871.8	100.0	중간투입계	871.8	100.0

상기 민간소비지출 내역 분석의 예시와 같이 중간소비재, 투자 및 수출에서 연구대상에 따라 부문별로 구분하여 분석할 수 있다.

중간투입률과 중간수요율에 의한 산업유형 분석 사례

각 산업은 다른 산업의 생산물을 중간재로 구입(중간투입)하여 생산활동을 하고 또 그 결과로 생산된 생산물을 다른 산업에 중간재로 판매(중간수요)하는 활동을 통하여 상호의존관계를 갖게 되므로, 각 산업 간의 상호의존관계의 정도를 중간투입률과 중간 수요율의 크기로부터 파악할 수 있다.

중간투입률은 사용표 또는 투입산출표를 열(세로) 방향으로 각 산업 또는 상품부문별로 재화나 서비스의 생산을 위하여 투입 된 중간투입액을 총투입액으로 나눈 비율을 말하며, 중간수요율은 사용표와 투입산출표를 행(가로) 방향으로 각 재화 및 서비스 품목부문별로 판매되는 중간수요액을 총수요액으로 나눈 비율을 말한다.

따라서, 중간투입률은 다른 산업으로부터 중간재를 구매하는 정도를 나타내므로 후방연쇄효과(Backward Linkage Effects)로 표현되고, 중간수요율은 다른 산업의 생산에 중간재로 사용되는 정도를 나타내므로 전방연쇄효과(Forward Linkage Effects)로 표현된다.

연쇄효과(Linkage Effects)란 어떤 한 산업의 발전이 여타 산업에 미치는 경제적인 효과를 연쇄효과라 하며, 전방연쇄효과와 후방연쇄효과로 구분될 수 있다. 전방연쇄효과는 감응도계수라고도 하며, 어떤 산업이 자기의 생산물을 다른 산업의 투입재로 공급함으로써 그 산업의 생산활동을 촉진시키는 파급효과를 말한다. 후방연쇄효과는 영향력계수라고도 하며, 다른 산업의 생산물을 투입재로 사용함으로써 어떤 산업이 자기의 생산물을 만들기 위해 다른 산업의 생산활동을 촉진시키는 파급효과를 말한다.

2019년 사용표 기초가격 통합대분류표를 기준으로 산업의 중간투입률이나 중간수요율이 전 산업의 평균 중간투입률이나 평균 중간수요율 보다 큰지 작은지에 따라 산업부문을 <그림 2-5>와 같이 전후방연쇄효과가 모두 높은 산업부문, 전방연쇄효과가 높고 후방연쇄효과가 낮은 산업부문, 전방연쇄효과가 낮고 후방연쇄효과가 높은 산업부문 및 전후방연쇄효과 모두 낮은 산업부문의 네 가지 유형으로 분류할 수 있다.

이 산업의 특징을 나타내는 네 가지 유형은 연구대상 산업의 특성에 따라 여러 형태 및 의미를 부여하여 분류할 수 있다.

〈그림 2-5〉 전후방연쇄효과에 따른 산업유형 분류 예시

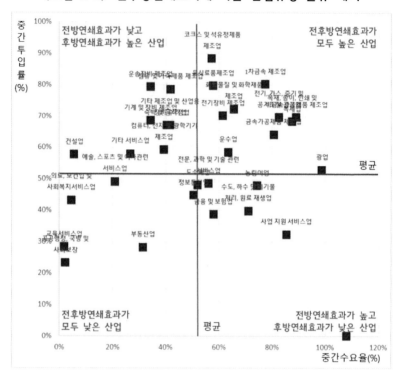

한 나라의 대외거래는 수출, 수입, 외환 거래, 외국 투자 등이
있으며, 재화와 서비스를 생산하고 처분하는 과정에서 발생하는
모든 거래를 기록하는 산업연관표에서는 수출과 수입으로 나타
난다.

수출구조를 분석하는 방법에는 사용표 또는 투입산출표를 가로(배분) 방향으로 총산출에서 수출이 차지하는 비중을 나타내는 수출률과 수출의 품목별 구성비를 보는 방법이 있고, 수입은 공급표 또는 투입산출표를 가로(배분) 방향으로 총공급액에서 수입액이 차지하는 비중을 나타내는 수입비율을 보는 방법과 수입의 품목별 구성비를 보는 방법이 있으며, 사용표 또는 투입산출표를 세로(투입) 방향으로 국내생산활동을 위해 수입중간재가 얼마나 투입되고 있는가를 나타내는 산업별 수입투입률을 분석하는 방법이 있다.

<표 2-22>에 2019년 공급사용표를 활용하여 통합대분류기준 33개 산업분류를 '농림어업', '광업', '제조업', '전력·가스·수도 및 폐기물처리업', '건설업', '서비스업'의 6개 부문으로 재분류 통합한 대외거래분석 예시를 나타내었다.

〈표 2-22〉 품목별 대외거래 및 비중 예시

(단위: 조원, %)

구 분	수입	수출	대외거래	대외거래 비중
농 림 수 산 품	11.6	1.1	12.7	17.1
광 산 품	140.6	0.1	140.7	97.1
공 산 품	438.1	627.4	1,065.5	48.4
전력·가스·수도·폐기물	0.2	1.1	1.3	1.1
건 설	0.0	0.2	0.2	0.1
서 비 스	117.3	131.7	249	11.6
계	707.8	761.6	1,469.4	29.8

취업구조 및 고용구조의 분석은 고용표를 활용한다. 고용표는 각 부문의 산출액을 생산하기 위해 1년 동안 투입된 노동량을 통일된 기준에 따라 작성한 표이며, 상품 및 산업부문별 연간 취업자 수와 피용자 수를 나타낸다.

2000년, 2005년, 2010년, 2015년, 2019년 고용표를 이용하여 통합대분류기준 33개 산업분류를 '농림어업', '광업', '제조업', '전력·가스·수도 및 폐기물처리업', '건설업', '서비스업'의 6개 분류로 통합하여 <표 2-23> 및 <그림 2-6>에 연도별 부문별 취업자 수 변화 추이를 나타내었다.

<표 2-23> 연도별 부문별 취업자 수 변화 추이 예시

(단위: 만명)

구 분	2000	2005	2010	2015	2019
농 림 어 업	222.9	183.0	145.3	122.8	127.5
광 업	1.9	1.7	1.9	1.2	1.5
제 조 업	369.2	323.6	366.9	413.3	390.4
전력·가스·수도 및 폐기물처리업	7.2	6.9	21.4	17.3	18.9
건 설 업	124.9	157.6	159.6	168.5	180.5
서 비 스 업	991.3	1,087.3	1,522.9	1,689.2	1,736.8
계	1,717.4	1,760.2	2,218.0	2,412.2	2,455.7

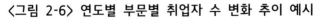

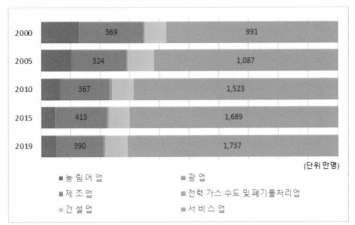

〈그림 2-6〉 연도별 부문별 취업자 수 변화 추이 예시

예시와 같이 고용표를 산업연관표와 연결하여 사용하면 산업 부문별 노동수요변화뿐만 아니라 특정 부문의 최종수요가 증가하는 경우 발생하는 노동수요를 계측할 수도 있다.

이상의 예시에서 살펴보았듯이 산업연관표를 활용한 경제구조 분석은 공급사용표를 활용하여 경제 내 다양한 산업부문 간의 상호작용과 종속성을 이해하고 분석하는 방법이다.

이와 같이 경제구조 분석은 연구대상 및 분야에 따라 공급과 수요구조분석, 산업구조분석, 투입구조분석, 수요구조분석, 대외거래분석, 취업구조분석 등 다양하게 활용할 수 있다.

5

경제적 파급효과 분석방법

경제적 파급효과(Economic Impacts) 분석은 특정한 품목의 생산, 지출, 고용 등의 변화가 경제 전체 또는 특정 부분에 어떤 영향을 미치는지를 분석하는 방법론이다. 이 분석방법은 산업연관표 중 투입산출표로부터 산출한 투입계수를 이용하여 도출되는 생산유발계수, 부가가치유발계수 등 각종 분석계수를 이용한다.

정부 구매나 투자로 특정 산업의 최종 재화에 대한 수요가 증가하였을 때, 그만큼 추가로 생산물을 만들어내는 과정에서 중간재로 다른 산업들의 생산물이 투입되기 때문에 결과적으로 전체 경제에 생산을 유발하는 정도는 최초의 정부 구매 규모보다 더 크게 나타나는 파급효과가 발생한다. 이러한 파급효과를 측정하기 위해 산업 간에 중간재투입구조를 파악하고 연산하는 분석방법이 경제적 파급효과 분석이다.

투입산출표에서 세로(열) 방향은 각 상품을 생산하기 위하여 지출한 생산비용인 투입구조를 나타낸다. 투입구조는 중간재투입을 나타내는 중간투입과 임금, 이윤, 세금 등 본원적 생산요소의 구입비용을 나타내는 부가가치로 구성된다.

각 상품 부문이 해당 부문의 재화나 서비스 생산에 사용하기 위하여 다른 부문으로부터 구입한 원재료 및 연료 등의 중간투입액을 총투입액으로 나눈 것을 투입계수(Input Coefficients) 또는 기술계수(Technical Coefficients)라 하고, 부가가치액을 총투입액으로 나눈 것을 부가가치율(Value Added Rate), 부가가치계수(Value Added Factor) 또는 소득률(An Income Rate)이라고 한다.

투입계수는 산업 간의 연관관계 또는 상호의존관계를 나타내며 해당 산업의 기술구조 또는 생산함수로 이해할 수 있으므로, 투입산출표에서 투입계수로 나타나는 생산함수 형태를 레온티에프 생산함수(Leontief Production Function)라고도 한다.

투입계수의 의미를 국민경제 전체로 보면, 각 산업부문의 생산활동은 궁극적으로 최종수요를 충족시키기 위하여 이루어지며, 국민경제 전체의 총산출 규모는 최종수요의 수준에 따라 결정되므로, 투입계수는 소비, 투자, 수출 등 외생적으로 결정되는 최종수요와 총산출 수준을 연결하는 매개 역할을 한다.

즉 어떤 재화나 서비스에 대한 최종수요가 증가하는 경우 이를 충족 시키기 위해서 직접적으로 필요한 동 재화 및 서비스 외에 해당 재화 및 서비스 생산에 투입되는 중간투입재의 생산이 해당 재화 및 서비스의 투입계수에 따라 연속적으로 필요하게 된다.

이러한 투입계수를 매개로 최종수요에 의해 발생한 직·간접적인 생산의 크기를 생산유발효과라고 한다. 이 생산유발효과는 산업부문별 투입계수에 따라 무한히 반복되므로 투입계수를 활용하여 일일이 계산하는 것은 사실상 불가능하다. 이러한 문제를 해결하기 위해 역행렬이라는 수학적인 방법을 이용하여 생산유발계수(Production Inducement Coefficients)를 도출하여 분석에 사용하게 된다.

생산유발계수는 최종수요가 한 단위 발생하였을 때 이를 충족시키기 위하여 각 산업부문에서 직·간접적으로 유발되는 생산액 수준을 나타내는 것으로 도출과정에서 역행렬이라고 하는 수학적 방법이 이용되므로 역행렬계수(Inverse Matrix Coefficients) 또는 레온티에프 역행렬(Leontief Inverse Matrix)이라고도 한다.

따라서 경제적 파급효과 분석은 행과 열을 동일한 기준으로 파악할 수 있는 「상품×상품」 행렬형태의 대칭적 투입산출표를 활용하여 각 산업부문의 원재료 투입구성비를 나타내는 투입계수의 산출로부터 시작한다.

이 절에서는 투입계수의 산출과정과 투입계수로부터 최종수요에 의한 각 부문의 직·간접 생산유발효과를 나타내는 생산유발계수의 산출과정 및 생산유발계수로부터 부가가치유발계수, 수입유발계수, 노동유발계수 등의 산출과정을 설명한다.

경제적 파급효과 특성

경제적 파급효과는 경제학에서 사용되는 중요한 개념 중 하나로, 한 산업이나 부문에서의 초기 생산활동의 증가가 전체 경제에 어떻게 파급되어 다른 산업과 부문에 영향을 미치는지를 나타내는 개념이다. 이 개념은 산업 간 상호의존성을 분석하고 경제활동의 변화가 어떻게 확산되는지를 이해하는 데 사용된다.

이러한 경제적 파급효과는 다음과 같은 특성이 있다.

1. 직접효과(Direct Effect): 파급효과의 첫 번째 요소는 직접효과이다. 이것은 초기 지출이나 투자가 발생한 산업에서의 직접적인 생산 및 소득 증가를 나타낸다.

   직접효과 $DE = Y$ (2-1)

   Y: 산업에서의 초기 지출(투자) 증가량

2. 간접효과(Indirect Effect): 간접효과는 초기 지출이나 투자가 다른 산업으로부터 파생되어 발생하는 추가적인 경제활동과 생산을 나타낸다. 즉, 초기 지출이 다른 부분에 영향을 미치고, 그 영향이 다시 추가적인 간접효과를 발생시키며, 또 추가적인 간접효과를 반복적으로 발생시키는 과정으로 나타난다. 따라서 간접효과는 종종 무한급수(Infinite Series)로 나타내며, 계속해서 확대되는 특성이 있다.

   간접효과 $IE = a(Y) + a(aY) + a(a^2Y) + \cdots$ (2-2)

   $$= aY + a^2Y + a^3Y + \cdots$$

   $$= Y(a + a^2 + a^3 + \cdots)$$

   a: 산업에서 투입계수

3. 총파급효과(Total Effect): 총파급효과는 초기 지출이나 투자가 발생한 산업에서의 직접효과와 해당 산업뿐만 아니라 다른 산업에서 연쇄적으로 소비, 투자, 생산 등 다양한 경제활동의 형태로 확산되는 간접효과를 포함한다.

총파급효과 $TE = DE + IE$ (2-3)

$$= Y + Y(a + a^2 + a^3 + \cdots)$$

$$= (1 + a + a^2 + a^3 + \cdots)Y$$

$$= \frac{1}{1-a}Y = (1-a)^{-1}Y \quad (|a| < 1)$$

이러한 경제적 파급효과의 확산과정은 여러 라운드에 걸쳐 무한 반복되므로 투입계수를 활용하여 일일이 계산하는 것은 사실상 불가능하다. 그러므로 무한등비급수 합의 공식을 활용하여 역행렬이라는 수학적인 방법으로 생산유발계수를 도출하여 활용하게 된다.

투입계수

투입계수는 각 품목부문이 재화나 서비스의 생산에 사용하기 위하여 구입한 각종 원재료, 연료 등 중간투입액을 해당 상품의 총투입액(=총산출액)으로 나눈 것을 말한다. 즉, 투입계수는 각 부문 생산물 1단위 생산에 필요한 각종 중간재 및 부가가치의 단위를 나타내기 때문에 각 품목부문의 생산기술구조, 즉 투입과 산출의 생산함수를 의미한다.

투입계수는 산업연관표 중 투입산출표를 활용하여 산출한다. 투입산출표는 <표 1-8>의 예시를 참고하여 아래 <표 2-24>에 투입산출표의 일반적인 형식을 나타내었다.

〈표 2-24〉 투입산출표 일반적인 형식(기초가격기준)

상품＼상품		중 간 수 요						최종수요	총수요	총산출액	수입	잔폐물발생	총공급
		1	2	⋯	j	⋯	n						
중간투입	1	x_{11}	x_{12}	⋯	x_{1j}	⋯	x_{1n}	y_1		x_1	m_1	z_1	
	2	x_{21}	x_{22}	⋯	x_{2j}	⋯	x_{2n}	y_2		x_2	m_2	z_2	
	⋮	⋮	⋮		⋮		⋮	⋮		⋮	⋮	⋮	
	i	x_{i1}	x_{i2}	⋯	x_{ij}	⋯	x_{in}	y_i		x_i	m_i	z_i	
	⋮	⋮	⋮		⋮		⋮	⋮		⋮	⋮	⋮	
	n	x_{n1}	x_{n2}	⋯	x_{nj}	⋯	x_{nn}	y_n		x_n	m_n	z_n	
소 계													
순생산물세													
잔폐물 발생													
중간투입계													
부가가치		v_1	v_2	⋯	v_j	⋯	v_n						
총투입액		x_1	x_2	⋯	x_j	⋯	x_n						

투입산출표의 일반적인 형식에서 제1열(세로)은 1부문의 중간투입내역 x_{11}, x_{21}, ⋯, x_{n1}을 나타내며, 이것을 총투입액 x_1으로 나눈 값을 투입계수라고 하며 a_{11}, a_{21}, ⋯, a_{n1}로 표현한다. 또한, 1부문의 부가가치 v_1을 총투입액 x_1로 나눈 것을 부가

가치율이라고 한다. 이를 일반식으로 표현하면 아래와 같이 나타 낼 수 있다

$$투입계수: \quad a_{ij} = \frac{x_{ij}}{x_j} \qquad (2-4)$$

$$부가가치율: \quad a_j^v = \frac{v_j}{x_j} \qquad (2-5)$$

투입산출표에서 산출한 투입계수와 부가가치율은 행렬로 표현되며, 투입계수를 나타낸 행렬을 투입계수행렬(Input Coefficient Matrix)이라 하고 행렬기호 (A)로 나타낸다. 부가가치율행렬은 행렬기호 (a^v)로 나타내며 행렬식으로는 아래와 같이 표현한다.

$$투입계수행렬(A) = \begin{bmatrix} a_{11} & a_{12} & \cdots & a_{1j} & \cdots & a_{1n} \\ \vdots & \vdots & & \vdots & & \vdots \\ a_{i1} & a_{i2} & \cdots & a_{ij} & \cdots & a_{in} \\ \vdots & \vdots & & \vdots & & \vdots \\ a_{n1} & a_{n2} & \cdots & a_{nj} & \cdots & a_{nn} \end{bmatrix} \qquad (2-6)$$

$$부가가치율(a^v) = \begin{bmatrix} a_1^v & a_2^v & \cdots & a_j^v & \cdots & a_n^v \end{bmatrix} \qquad (2-7)$$

여기서 투입계수행렬 및 부가가치율행렬을 표로 나타낸 것을 투입계수표라고 하며, 기초가격기준 투입산출표를 이용할 경우 투입계수 및 부가가치율뿐만 아니라 순생산물세율(순생산물세/총투입액)와 잔폐물 발생률(잔폐물 발생액/총투입액)도 표현된다.

<표 2-25>에 투입계수표의 형식을 나타내었다.

〈표 2-25〉 투입계수표 형식

	1	2	⋯	j	⋯	n
1	a_{11}	a_{12}	⋯	a_{1j}	⋯	a_{1n}
2	a_{21}	a_{22}	⋯	a_{2j}	⋯	a_{2n}
⋮	⋮	⋮		⋮		⋮
i	a_{i1}	a_{i2}	⋯	a_{ij}	⋯	$a_{\in}$
⋮	⋮	⋮		⋮		⋮
n	a_{n1}	a_{n2}	⋯	a_{nj}	⋯	a_{nn}
소　계						
순생산물세						
잔폐물 발생						
중간투입계						
부 가 가 치	a_1^v	a_2^v	⋯	a_j^v	⋯	a_n^v
총 투 입 액	1	1	⋯	1	⋯	1

기초가격기준 투입계수표 열(세로) 방향의 투입계수와 부가가치율 및 순생산물세율, 잔폐물 발생률의 합은 1이 된다. 이는 산업연관표 가격평가 기준에 따라 달라지며, 생산자가격기준 투입계수표에서는 투입계수와 부가가치율의 합이 1이다.

또한, 투입계수표는 그 종류에 따라 총거래표에서 도출되는 투입계수표, 국산거래표에서 도출되는 국산투입계수표 및 수입거래표에서 도출되는 수입투입계수표 등으로 구분할 수 있다.

이렇게 산출된 투입계수는 한 산업의 생산량 증가에 필요한 다른 산업의 제품 또는 서비스의 양을 표현하는 지표를 의미하며, 한 산업이 생산을 증가시키기 위해 다른 산업에서 필요한 제품 및 서비스의 양을 나타낸다. 이 투입계수의 값은 다른 산업들과 얼마나 연결되어 있고 상호의존적인지를 파악하게 하며, 이 값이 클수록 해당 산업이 다른 산업에 크게 의존하며, 한 산업의 생산 증가가 다른 산업에도 크게 영향을 미친다는 것을 나타낸다.

이와 같이 투입계수는 소비, 투자, 수출 등 외생적으로 결정되는 최종수요와 총산출 수준을 연결하는 매개 역할을 한다. 어떤 재화나 서비스에 대한 최종수요가 발생하는 경우 이의 파급효과는 해당 재화나 서비스의 생산에 그치지 않고 관련되는 모든 산업의 제품생산에까지 영향을 미치므로 이러한 최종수요에 의한 생산유발효과의 계측, 분석은 투입계수의 산출에 기초한다.

생산유발효과

생산유발효과는 최종수요에 의해 발생하는 직·간접적인 생산의 크기를 말하며, 생산유발계수를 활용하여 산출한다. 또한, 생산유발계수는 한 산업의 생산 증가가 전체 경제 내에서 얼마나 많은 다른 산업의 생산 증가를 유발하는지를 나타내는 지수이며 투입계수를 활용하여 산출한다.

한편, 투입계수는 재화나 서비스에 대한 최종수요가 발생하였을 때 이에 따라 각 품목부문으로 파급되는 생산유발효과의 크기를 계측하는 데 이용되는 매개변수이지만, 품목부문 수가 많은 경우에는 투입계수를 매개로 하여 무한히 계속되는 생산파급효과를 일일이 계산한다는 것은 현실적으로 불가능하므로 역행렬이라는 수학적인 방법으로 생산유발계수를 도출하여 이용한다.

그러므로 생산유발계수는 투입계수와는 다른 개념으로, 투입
계수는 한 산업의 생산량 증가에 필요한 다른 산업의 제품 및
서비스의 양을 나타내는 반면, 생산유발계수는 한 산업의 생산
증가가 다른 산업들의 최종 생산에 어떤 영향을 미치는지를 나타
낸다.

앞에서 <표 2-24>에 표현한 투입산출표의 일반적인 형식을
투입계수를 포함하여 나타내면 <표 2-26>과 같이 표현된다.

〈표 2-26〉 투입산출표 일반적인 형식(투입계수포함)

상품＼상품		중 간 수 요					최종수요	총수요	총산출액	수입	잔폐물 발생	총공급
		1	⋯	j	⋯	n						
중간투입	1	$a_{11}x_1$	⋯	$a_{1j}x_j$	⋯	$a_{1n}x_n$	y_1		x_1	m_1	z_1	
	⋮	⋮		⋮		⋮	⋮		⋮	⋮	⋮	
	i	$a_{i1}x_1$	⋯	$a_{ij}x_j$	⋯	$a_{in}x_n$	y_i		x_i	m_i	z_i	
	⋮	⋮		⋮		⋮	⋮		⋮	⋮	⋮	
	n	$a_{n1}x_1$	⋯	$a_{nj}x_j$	⋯	$a_{nn}x_n$	y_n		x_n	m_n	z_n	
소 계												
순생산물세												
잔폐물 발생												
중간투입계												
부가가치		$a_1^v x_1$	⋯	$a_j^v x_j$	⋯	$a_n^v x_n$						
총투입액		x_1	⋯	x_j	⋯	x_n						

여기서, 각 품목부문 생산물의 수급관계 항등식은 중간수요와
최종수요의 합계에서 수입과 잔폐물 발생액을 차감하면 총산출액
과 일치하므로 다음과 같이 표현된다.

중간수요 + 최종수요 - 수입 - 잔폐물 발생 = 총산출

$$a_{11}x_1 + a_{12}x_2 + \cdots + a_{1j}x_j + \cdots + a_{1n}x_n + y_1 - m_1 - z_1 = x_1$$
$$\vdots \qquad \vdots \qquad \qquad \vdots \qquad \qquad \vdots \qquad \quad \vdots \quad \ \vdots \quad \ \vdots \quad \ \vdots$$
$$a_{i1}x_1 + a_{i2}x_2 + \cdots + a_{ij}x_j + \cdots + a_{in}x_n + y_i - m_i - z_i = x_i$$
$$\vdots \qquad \vdots \qquad \qquad \vdots \qquad \qquad \vdots \qquad \quad \vdots \quad \ \vdots \quad \ \vdots \quad \ \vdots$$
$$a_{n1}x_1 + a_{n2}x_2 + \cdots + a_{nj}x_j + \cdots + a_{nn}x_n + y_n - m_n - z_n = x_n$$

여기서, a_{ij}: j부문 생산을 위한 i부문 생산물 투입계수

$\quad\quad\quad x_i$: i부문의 산출액(자가공정 산출액 포함)

$\quad\quad\quad y_i$: i부문의 수입

$\quad\quad\quad z_i$: i부문의 잔폐물 발생액

이 방정식을 행렬로 표현하면, 다음과 같다.

$$\begin{bmatrix} a_{11} & a_{12} & \cdots & a_{1j} & \cdots & a_{1n} \\ \vdots & \vdots & & \vdots & & \vdots \\ a_{i1} & a_{i2} & \cdots & a_{ij} & \cdots & a_{in} \\ \vdots & \vdots & & \vdots & & \vdots \\ a_{n1} & a_{n2} & \cdots & a_{nj} & \cdots & a_{nn} \end{bmatrix} \begin{bmatrix} x_1 \\ \vdots \\ x_j \\ \vdots \\ x_n \end{bmatrix} + \begin{bmatrix} y_1 \\ \vdots \\ y_i \\ \vdots \\ y_n \end{bmatrix} - \begin{bmatrix} m_1 \\ \vdots \\ m_i \\ \vdots \\ m_n \end{bmatrix} - \begin{bmatrix} z_1 \\ \vdots \\ z_i \\ \vdots \\ z_n \end{bmatrix} = \begin{bmatrix} x_1 \\ \vdots \\ x_i \\ \vdots \\ x_n \end{bmatrix}$$

이것을 다시 행렬기호로 표현하면 다음과 같이 나타낼 수 있다.

$$Ax + y - m - z = x \quad\quad (2-8)$$

여기서, A: 투입계수행렬

$\quad\quad\quad x$: 총산출액 벡터(vector)

$\quad\quad\quad y$: 최종수요 벡터

$\quad\quad\quad m$: 수입액 벡터

z: 잔폐물 발생액 벡터

이 식을 전개하여 x에 대해 풀면 아래와 같이 생산유발효과 산출식이 표현된다.

$$x - Ax = y - m - z$$
$$(I - A)x = y - m - z$$
$$x = (I - A)^{-1}(y - m - z) \quad (2-9)$$

여기서, I: 단위행렬[41]

$(I - A)^{-1}$: 생산유발계수행렬

식 (2-9)의 좌·우변을 보면 '최종수요-수입-잔폐물$(y - m - z)$'과 국내총산출(x)이 투입계수에서 도출되는 생산유발계수$(I - A)^{-1}$를 매개로 연결되는 것을 알 수 있다. 즉 이 생산유발계수를 알면 최종수요(y)와 수입(m) 및 잔폐물(z)의 변동에 따라 각 품목부문에서 직·간접적으로 유발되는 총산출액(x)을 구할 수 있게 된다.

여기서 생산유발계수$(I - A)^{-1}$는 다음과 같은 의미가 있다.

$$(I - A)^{-1} = I + A + A^2 + A^3 + A^4 + \cdots \quad (2-10)$$

---

[41] "단위행렬(Unit Matrix)"이란 주대각선의 원소가 모두 1이며 나머지 원소는 모두 0인 정사각 행렬을 말한다.

$$I = \begin{bmatrix} 1 & 0 & 0 & \cdots & 0 \\ 0 & 1 & 0 & \cdots & 0 \\ 0 & 0 & 1 & \cdots & 0 \\ \vdots & \vdots & \vdots & \ddots & \vdots \\ 0 & 0 & 0 & \cdots & 1 \end{bmatrix}$$

식 (2-10)에서 I는 단위행렬로서 각 품목부문 생산물에 대한 최종수요가 한 단위씩 발생하였을 때 이를 충족시키기 위한 각 품목부문의 직접 생산유발효과(DE)를 나타내고, 우변에서 I항 이후의 항들은 투입계수행렬(A)의 무한등비급수 합을 나타내며, 이것은 최종수요 한 단위(I)의 투입으로 인하여 유발되는 간접 생산유발효과(IE)를 나타낸다.

간접 생산유발효과를 나타내는 투입계수행렬(A)의 무한등비급수 합 중 첫째 항인 A는 1차 생산유발효과로서 각 품목부문 생산물의 한 단위 생산에 필요한 중간재투입액을 나타내고, 둘째 항인 A^2는 1차 생산유발효과로 나타난 각 품목부문 생산물의 생산에 필요한 중간재투입액인 2차 생산유발효과를 나타내며, A^3와 A^4도 마찬가지로 3차, 4차의 생산유발효과를 나타내면서 무한등비급수의 형태가 된다.

따라서, 식 (2-9)의 의미는 외생변수인 '최종수요-수입-잔폐물$(y-m-z)$'이 주어지면, 생산유발계수$(I-A)^{-1}$에 의해 직접효과(DE)와 간접효과(IE)에 따른 생산유발효과인 총파급효과(TE)를 산출할 수 있음을 나타낸다.

생산유발효과 산출은 주로 EXCEL을 활용하며, 앞에서 살펴본 식 (2-9) $x=(I-A)^{-1}(y-m-z)$에 적합하게 행렬을 변형시켜 최종수요에 의해 발생하는 직·간접적인 생산의 크기를 나타낸다.

EXCEL의 조작 방법은 설명의 편의를 위하여 <표 2-27>과 같이 2019년 투입산출표 총거래표(생산자가격)를 기준하여 '농림수산품', '광산품', '공산품', '전력·가스·수도 및 폐기물', '건설'

및 '서비스'로 6개 부문으로 표현한 통합 투입산출표 총거래표를
예시로 나타내고, 이 예시를 활용하여 설명한다.

〈표 2-27〉 2019년 6개 부문 통합 투입산출표 총거래표 예시

(단위: 조원)

상품＼상품		중 간 수 요							최종 수요	수입
		1	2	3	4	5	6	계		
중간투입	1	4.5	0.0	39.0	0.0	0.4	11.8	55.7	19.4	12.1
	2	0.0	0.0	110.8	37.7	0.3	0.0	148.9	2.1	146.7
	3	17.8	0.7	859.1	14.2	103.6	267.7	1,263.1	1,012.0	455.3
	4	0.9	0.1	38.2	16.2	1.1	40.2	96.6	24.7	0.2
	5	0.1	0.0	1.2	0.5	0.1	12.5	14.4	260.7	0.0
	6	7.5	1.5	238.6	12.7	48.2	578.0	886.5	1,313.3	117.3
	계	30.8	2.3	1,287.0	81.3	153.6	910.1	2,465.2	2,632.3	731.6
부가가치		32.1	2.0	532.8	39.8	121.5	1,172.4	1,900.7		
총투입액		62.9	4.3	1,819.8	121.2	275.1	2,082.6	4,365.9		

위의 투입산출표를 기준으로 첫 번째 작업은 투입계수표(A)를
산출한다. 투입계수표(A)는 식 (2-4)와 같이 중간투입내역 x_{ij}를
총투입액 x_j로 나눈 값($a_{ij} = x_{ij}/x_j$)의 투입계수행렬을 말한다.
<표 2-28>에 투입계수표 예시를 나타내었다. 그리고 계산을 위한
단위행렬(I)표는 <표 2-29>에 나타내었다.

<표 2-28> 투입계수표(A) 예시 　　〈표 2-29〉 단위행렬(I) 예시

	1	2	3	4	5	6		1	2	3	4	5	6
1	0.07	0.00	0.02	0.00	0.00	0.01	1	1	0	0	0	0	0
2	0.00	0.00	0.06	0.31	0.00	0.00	2	0	1	0	0	0	0
3	0.28	0.15	0.47	0.12	0.38	0.13	3	0	0	1	0	0	0
4	0.01	0.03	0.02	0.13	0.00	0.02	4	0	0	0	1	0	0
5	0.00	0.00	0.00	0.00	0.00	0.01	5	0	0	0	0	1	0
6	0.12	0.34	0.13	0.10	0.18	0.28	6	0	0	0	0	0	1

다음은 계산의 중간 과정으로 $(I-A)$를 표로 만든다. 아래의 <표 2-30>에 $(I-A)$ 표를 나타내었다.

〈표 2-30〉 $(I-A)$ 표 예시

	1	2	3	4	5	6
1	0.93	0.00	-0.02	0.00	0.00	-0.01
2	0.00	1.00	-0.06	-0.31	0.00	0.00
3	-0.28	-0.15	0.53	-0.12	-0.38	-0.13
4	-0.01	-0.03	-0.02	0.87	0.00	-0.02
5	0.00	0.00	0.00	0.00	1.00	-0.01
6	-0.12	-0.34	-0.13	-0.10	-0.18	0.72

다음은 $(I-A)$ 행렬의 역행렬[42]을 구한다. 역행렬은 EXCEL에서 MINVERSE[43] 함수를 사용하여 계산한다.

---

42) 역행렬(Inverse Matrix)은 주어진 행렬에 곱하여 단위행렬(I)이 되는 행렬을 말한다.

43) "MINVERSE 함수"는 배열에 저장된 행렬에 대한 역행렬을 반환한다. 구문은 MINVERSE(array)로 사용되며, 역행렬을 구할 배열을 array로 입력하고, 역행렬로 출력할 셀 범위를 지정한 후, 출력 범위 중 왼쪽

MINVERSE(array) 함수를 사용하여 구한 $(I\text{-}A)$ 행렬의 역행렬은 생산유발계수$(I-A)^{-1}$표가 되며, 아래의 <표 2-31>에 생산유발계수표를 나타내었다.

<표 2-31> 생산유발계수$(I-A)^{-1}$표 예시

	1	2	3	4	5	6
1	1.09	0.02	0.05	0.02	0.02	0.02
2	0.06	1.05	0.15	0.40	0.07	0.04
3	0.70	0.48	2.10	0.51	0.86	0.40
4	0.04	0.06	0.07	1.19	0.04	0.04
5	0.00	0.01	0.01	0.01	1.00	0.01
6	0.34	0.60	0.47	0.46	0.44	1.49
열 합계	2.24	2.20	2.84	2.58	2.44	2.00

이 생산유발계수$(I-A)^{-1}$표를 활용한 생산유발효과의 산출은 식 (2-9)에 따라 '최종수요-수입-잔폐물$(y-m-z)$' 행렬과 생산유발계수$(I-A)^{-1}$ 행렬의 곱으로 나타난다. EXCEL에서 행렬의 곱은 MMULT[44] 함수를 사용한다.

<표 2-27>에서 예시로 들었던 투입산출표에는 잔폐물이 없으므로 잔폐물 $z=0$이 되어 생산유발계수$(I-A)^{-1}$ 행렬과 '최종

상단 셀에 수식을 입력한 다음, 「Ctrl+Shift+Enter」를 눌러 수식을 레거시 배열 수식으로 입력해야 한다.

44) "MMULT 함수"는 두 행렬의 곱을 나타내는 함수이다. 구문은 MMULT(array1, array2)로 사용되며, 곱을 할 두 배열을 array1과 array2로 입력하고, 결과로 출력할 셀 범위를 지정한 후, 출력 범위 중 왼쪽 상단 셀에 수식을 입력한 다음, 「Ctrl+Shift+Enter」를 눌러 수식을 레거시 배열 수식으로 입력해야 한다.

수요(y)-수입(m)'을 계산한 행렬의 곱으로 6개 품목부문별 생산유발효과를 나타낼 수 있으며, 산출한 결과는 <표 2-32>에 나타내었다.

〈표 2-32〉 생산유발효과 산출 예시

	생산유발계수$(I-A)^{-1}$ 행렬						최종수요 $y-m$ 행렬	생산유발효과
	1	2	3	4	5	6		
1	1.09	0.02	0.05	0.02	0.02	0.02	7.24	62.93
2	0.06	1.05	0.15	0.40	0.07	0.04	-144.57	4.29
3	0.70	0.48	2.10	0.51	0.86	0.40	556.77	1,819.82
4	0.04	0.06	0.07	1.19	0.04	0.04	24.56	121.18
5	0.00	0.01	0.01	0.01	1.00	0.01	260.70	275.14
6	0.34	0.60	0.47	0.46	0.44	1.49	1,196.04	2,082.55
							합계	4365.92

($\times$ 표시는 3열과 6열 사이, $=$ 표시는 6열과 최종수요 사이에 위치)

각 부문별 생산유발효과의 합계는 전체 산업부문에서의 생산유발효과를 나타내며, 이는 최종수요에 의해 발생하는 직·간접적인 국내총산출(x)을 나타낸다. 총산출은 총투입과 같으므로, <표 2-32>의 국내총산출 값은 <표 2-27>의 총투입액과 같은 값이다.

또한, 생산유발계수$(I-A)^{-1}$ 행렬에서 각 부문별 생산유발계수는 열의 합으로 나타나며, 부문별 생산유발계수는 최종수요에 의해 발생하는 직·간접적인 부문별 생산의 크기를 표현한다. 즉 산업 i의 최종수요 1단위 증가에 따른 경제 내 모든 산업의 총산출액 증가 효과를 합함으로써 산업 j의 생산유발효과를 나타낼 수 있다. 따라서 부문별 생산유발계수행렬을 이용한 생산유발효과 산출도 <표 2-33>과 같으며, <표 2-32>의 결과와도 같은 결과를 나타낸다.

〈표 2-33〉 부문별 생산유발계수 산출 예시

생산유발계수$(I - A)^{-1}$ 행렬 부문 열 합계							$y - m$ 행렬		생산유발효과
	1	2	3	4	5	6	7.24		
							-144.57		
열 합계	2.24	2.20	2.84	2.58	2.44	2.00	556.77		4365.92
							24.56		
							260.70		
							1,196.04		

위의 예시에서는 최종수요량을 <표 2-27>에 예시한 투입산출표의 최종수요량으로 산출하였으나 연구대상에 따라 최종수요를 변화하면서 그 변화에 따른 생산유발효과를 산출할 수 있다.

상기 예시에서 EXCEL을 활용하여 2019년 투입산출표를 기준으로 하여 투입계수표(A)를 만들고, 생산유발계수$(I - A)^{-1}$표를 도출하여 최종수요의 크기에 따라 경제에서 생산유발효과를 산출하는 방법을 설명하였다.

외생화(外生化)

생산유발효과 산출식은 투입계수로부터 도출된 생산유발계수 $(I - A)^{-1}$와 '최종수요-수입-잔폐물($y - m - z$)'의 함수 관계로 해석된다. 이는 내생변수와 외생변수의 함수 관계이다.

여기서 <표 1-2>에 표현한 내생부문과 외생부문의 의미를 살펴보면, 내생부문은 재화와 서비스의 산업 간 모든 거래를 나타내는 부분인 중간거래(중간투입, 중간수요)를 나타내고, 외생부문은 최종수요부문과 부가가치부문을 나타낸다.

즉 산업연관분석은 산업 간 모든 거래와 관계없이 모형 밖에서 독립적으로 주어진 외생부문의 변동을 충족시키기 위하여 내생부문의 모형 내에서 국민경제에 어떠한 파급효과를 미치는가를 알아보는 것이다.

그러므로 생산유발효과 산출식 $x = (I - A)^{-1}(y - m - z)$은 외생변수인 '최종수요-수입-잔폐물$(y - m - z)$'의 변동을 충족시키기 위한 내생변수인 '생산유발계수 $(I - A)^{-1}$'를 통하여 산출되는 '총산출(x)'을 표현한 것이다.

그런데, 어떤 특정 산업 k의 최종수요 증감에 따른 경제적 파급효과를 살펴보고자 할 경우, 원시 투입계수행렬을 그대로 사용하면 산업 k가 최종수요와 중간재 수요에 모두 사용됨으로써 해당 산업의 최종수요 증가로 인해 발생하는 생산이나 부가가치, 고용 및 취업에 대한 유발효과가 경제적 실체를 정확히 반영하지 못하게 된다[45]. 따라서 투입계수행렬에서 산업 k를 분리하여 독립적인 최종수요 항목으로 변형하는 외생화[46]를 하여야 한다[47].

---

45) 송준혁(2017), "외생화 및 내생화가 산업연관분석에 미치는 효과: 주거용 건물 건설업을 대상으로", 부동산분석학회 학술발표논문집, 2017(1).

46) 외생화는 특정 산업 k의 행과 열의 항목을 중간투입계수행렬에서 제외하여 최종수요 항목으로 변형하는 것을 말하며, 내생화는 원시 투입계수행렬의 중간투입계수행렬을 그대로 사용하는 것으로 외생화

생산유발효과 산출은 연구의 대상에 따라 소비, 투자, 수출 등 최종 소비의 변화가 각 산업의 생산활동에 미치는 파급효과를 분석할 수도 있고, 특정 산업의 생산, 지출, 고용 등의 변화가 각 산업의 생산활동에 미치는 파급효과를 분석할 수도 있다.

이때 연구의 대상에 따라 최종수요변화에 따른 파급효과분석은 내생화 투입계수표(A)를 활용하며, 특정 산업 변화에 따른 파급효과분석은 원시 투입계수표(A)에서 연구대상 산업부문(k 산업)을 제외시키는 외생화 기법을 사용한 외생화 투입계수표($A_{\not\ni k}$)를 활용한다. <표 2-34>에 내생화 투입계수표와 외생화 투입계수표의 차이를 나타내었다.

〈표 2-34〉 투입계수표 내생화, 외생화 비교

구분	도출 생산 유발 계수	활 용
내생화 투입계수표(A)	$(I-A)^{-1}$	최종 소비($y-m-z$) 변화에 따른 파급효과분석
외생화 투입계수표($A_{\not\ni k}$)	$(I-A_{\not\ni k})^{-1}A_k$	특정 산업(k)의 변화에 따른 파급효과분석

특정 산업 k의 외생화 방법을 설명하면 다음과 같다.

투입계수행렬 A에서 분석대상 산업 k에 해당하는 행과 열을

에 대비하여 사용하거나 최종수요 항목 중 투입계수행렬로 포함하여 사용하는 것을 말한다.

47) 임규민, 김상봉(2020), "내생 및 외생적 산업연관분석을 통한 기술보증의 효과분석", 신용카드리뷰, 14(2), pp.111-128.

제외한 행렬을 $A_{\not\ni k}$로 정의[48]하면, $A_{\not\ni k}$는 $((n-1) \times (n-1))$ 행렬로 차원이 한 단계 낮아진다. 또 투입계수행렬 A에서 분석대상 산업 k에 해당하는 열벡터를 구하고 분석대상 산업에 해당하는 행을 제외한 산업 k의 투입계수행렬을 A_k로 정의하면, A_k 행렬의 차원도 한 단계 낮은 $((n-1) \times 1)$의 벡터가 된다.

위에서 정의한 $A_{\not\ni k}$와 A_k를 사용하여 외생화 생산유발계수 행렬을 구하면 다음 식과 같다.

$$\frac{\partial x_{\not\ni k}}{\partial y_k} = \left(I - A_{\not\ni k}\right)^{-1} A_k \qquad (2-11)$$

여기서, $x_{\not\ni k}$: 산업 k를 제외한 나머지 산업의 총산출액

$\qquad\quad y_k$: 산업 k의 최종수요

식 (2-11)의 외생화 생산유발계수행렬 $\left(I - A_{\not\ni k}\right)^{-1} A_k$을 산출하는 EXCEL 조작 방법의 설명은 <표 2-27>에서 표현한 6개 부문으로 구성된 투입산출표(A)에서 연구대상 산업 k를 '3. 공산품'으로 가정하고, 해당하는 행과 열을 제외하여 행렬 $A_{\not\ni k}$를 나타낸 <표 2-35>를 기준으로 설명한다.

---

48) 기호 $\not\in$는 집합 판별 기호로서 특정 원소를 포함하지 않음을 나타낸다. 즉 $A_{\not\ni k}$는 산업 k를 포함하지 않는 행렬 A를 표현한다.

〈표 2-35〉 산업 k를 제외한 투입산출표($A_{\not\ni k}$) 예시

(단위: 조원)

상품＼상품		중 간 수 요						최종 수요	수입
		1	2	4	5	6	계		
중간투입	1	4.5	0.0	0.0	0.4	11.8	55.7	19.4	12.1
	2	0.0	0.0	37.7	0.3	0.0	148.9	2.1	146.7
	4	0.9	0.1	16.2	1.1	40.2	96.6	24.7	0.2
	5	0.1	0.0	0.5	0.1	12.5	14.4	260.7	0.0
	6	7.5	1.5	12.7	48.2	578.0	886.5	1,313.3	117.3
	계	30.8	2.3	81.3	153.6	910.1	2,465.2	2,632.3	731.6
부가가치		32.1	2.0	39.8	121.5	1,172.4	1,900.7		
총투입액		62.9	4.3	121.2	275.1	2,082.6	4,365.9		

(산업 "3"의 행과 열의 값이 제외되어 있다.)

이렇게 특정 산업 k를 제외한 투입산출표($A_{\not\ni k}$)를 조작하여 앞에서 설명한 생산유발계수$(I-A)^{-1}$ 행렬 산출방법과 동일한 방법으로 진행하면, $(I-A_{\not\ni k})^{-1}$ 행렬이 산출되며, 산업 k 투입 계수행렬을 A_k로 산출하여 식 (2-11)과 같이 두 행렬의 곱으로 나타내면 <표 2-36>과 같이 각 부문별 산업 k 외생화 생산유발 계수행렬$(I-A_{\not\ni k})^{-1}A_k$를 산출할 수 있다.

〈표 2-36〉 생산유발계수$(I-A_{\not\supseteq k})^{-1}a_k$ 산출 예시

$(I-A_{\not\supseteq k})^{-1}$ 행렬						산업 k 투입계수행렬(a_k)		생산유발계수 $(I-A_{\not\supseteq k})^{-1}a_k$
	1	2	4	5	6			
1	1.08	0.00	0.00	0.00	0.01	0.02		0.03
2	0.01	1.01	0.36	0.00	0.01	0.06		0.07
4	0.02	0.04	1.17	0.01	0.03	0.00	$\times$	0.02
5	0.00	0.01	0.01	1.00	0.01	0.13	$=$	0.14
6	0.19	0.49	0.35	0.25	1.40	0.47		0.73

생산유발계수표 종류

투입계수로부터 도출된 생산유발계수$(I-A)^{-1}$는 행렬형태로 표현되므로 생산유발계수표로 작성된다.

한편, 투입계수표는 연구대상에 따라 다양하게 변형이 가능하며, 실제 분석목적에 맞게 사용하기 위해서 투입계수표를 적절히 변형하는 과정을 거친 뒤 사용하여야 한다. 만약 분석의 목적을 고려하지 않고 투입계수표를 그대로 사용할 경우 경제적 파급효과는 과대 또는 과소 계상되어 실질적인 경제 효과와는 괴리되는 문제가 발생할 수 있다.

식 (2-9) $x=(I-A)^{-1}(y-m-z)$에 표현한 생산유발효과 산출은 국내에 공급되는 초기 지출이나 투자요소로 최종수요(y), 수입(m) 및 잔폐물(z)을 표현하고 있으며, 수입의 취급방법에 따라 산업연관표는 경쟁수입형과 비경쟁수입형으로 구분한다. 따라서,

투입계수표를 활용하여 산출하는 생산유발계수표는 수입의 취급 방법에 따라 경쟁수입형과 비경쟁수입형으로 구분하며, 그에 따른 생산유발계수표의 종류는 <표 2-37>과 같이 나타낼 수 있다.

〈표 2-37〉 생산유발계수표 종류

구 분		설 명
경쟁 수입형	$(I-A)^{-1}$	경쟁수입형, 수입을 외생변수로 취급
	$(I-A+\hat{M}^*)^{-1}$	경쟁수입형, 수입을 내생변수로 취급
	$(I-(I-\hat{M})A)^{-1}$	경쟁수입형, 수입을 내생변수로 취급, 최종수요 항목 중 수출을 별도로 취급
비경쟁 수입형	$(I-A^d)^{-1}$	비경쟁수입형

■ $(I-A)^{-1}$형

이 생산유발계수표는 국산과 수입을 구분하지 않는 경쟁수입형 투입산출표의 투입계수를 기초로 하여 도출한 것이다. 이 생산유발계수표에서는 수입과 국내생산활동 간에 아무런 함수관계가 존재하지 않는다는 가정하에 수입을 외생변수로 취급하고 있다. 따라서, 수급방정식은 아래 식으로 정의된다.

$$x = (I - A)^{-1}(y - m - z) \quad (2-12)$$

각 부문별 총산출액(x)은 생산유발계수표$(I - A)^{-1}$에 '최종수요 -수입-잔폐물($y-m-z$)'을 곱하여 구하게 된다. 그러므로 이 생산유발계수표를 이용하기 위해서는 외생변수로서 최종수요 벡터(y)와 수입 벡터(m)와 잔폐물 발생액 벡터(z)가 주어져야 한다.

■ $(I - A + \widehat{M}^*)^{-1}$형

이 생산유발계수표는 경쟁수입형 투입산출표의 투입계수를 기초로 하나 수입은 국내총산출 수준에 의해 결정되므로 수입을 외생변수로 취급하지 않고 내생화하여 도출한 것이다.

투입산출표를 행으로 보아 각 품목부문(i)의 수입액을 그 부문의 총산출액으로 나눈 값을 수입계수(m_i^*)라고 정의하고 각 품목부문에 있어서 중간수요와 모든 최종수요 항목이 동일한 비율만큼 수입품을 포함하고 있다고 가정한다.

이때 각 품목부문의 수입계수를 주대각요소로 하는 대각행렬[49]을 $\widehat{M}^*$으로 표시하면 $m = \widehat{M}^* x$가 되므로 경쟁수입형 투입산출표의 수급방정식은 $Ax + y - \widehat{M}^* x - z = x$로 바꾸어 쓸 수 있으며, 다음과 같이 정의된다.

$$x = (I - A + \widehat{M}^*)^{-1}(y - z) \qquad (2-13)$$

---

49) "대각행렬(Diagonal Matrix)"은 주대각선 원소를 제외하고 나머지 모든 원소가 0인 정사각 행렬을 말한다.

$$D = \begin{bmatrix} a_{11} & 0 & 0 & \cdots & 0 \\ 0 & a_{22} & 0 & \cdots & 0 \\ 0 & 0 & a_{33} & \cdots & 0 \\ \vdots & \vdots & \vdots & \ddots & \vdots \\ 0 & 0 & 0 & \cdots & a_{nn} \end{bmatrix}$$

이 $\left(I - A + \widehat{M^*}\right)^{-1}$형의 생산유발계수표를 이용하기 위해서는 외생변수로서 최종수요 벡터(y)와 잔폐물 발생액 벡터(z)만 주어지면 된다.

■ $\left(I - (I - \widehat{M})A\right)^{-1}$형

이 생산유발계수표는 경쟁수입형 투입산출표의 투입계수를 기초로 하여 수입은 내생화하여 도출하나 최종수요 항목 중 수출을 다른 항목과 별도로 취급하여 수입이 수출에 포함되지 않도록 도출한 것이다.

이 형의 생산유발계수표 도출을 위하여 우선 각 품목부문의 수입액을 그 품목부문 생산물에 대한 국내 총수요액(총수요액－수출액)으로 나눈 값으로 수입계수를 정의하고, 각 품목부문의 수입계수를 주대각요소로 하는 대각행렬을 $\widehat{M}$으로 표시하면 $m = \widehat{M}(Ax + y^*)$의 관계가 성립한다. 여기에서 Ax는 중간수요 벡터, y^*는 국내최종수요 벡터를 나타낸다.

경쟁수입형 투입산출표의 수급방정식 $Ax + y - m - z = x$에서 최종수요 y를 국내최종수요 y^*와 수출 y^e로 나누어 다시 써 보면 $Ax + y^* + y^e - m - z = x$가 되는데 이 식의 m 대신 $\widehat{M}(Ax + y^*)$를 대입하여 x에 대해 풀면, 다음과 같이 정의된다.

$$x = \left[I - (I - \widehat{M})A\right]^{-1}\left[(I - \widehat{M})y^* + y^e - z\right] \quad (2-14)$$

이 $[I-(I-\widehat{M})A]^{-1}$형 생산유발계수표[50)]를 이용하여 국내최종수요(y^*), 수출(y^e) 및 잔폐물(z)이 주어지면 이를 충족시키기 위하여 필요한 총산출액(x)을 구할 수 있다.

■ $(I-A^d)^{-1}$형

이 생산유발계수표는 국산과 수입을 구분하여 작성하는 비경쟁수입형 투입산출표의 투입계수로부터 도출한 것이다.

경쟁수입형 투입산출표를 기초로 도출한 생산유발계수표를 이용하여 최종수요 증가에 따른 생산유발효과를 계측하는 경우에는 순수한 국내생산유발효과와 수입으로 인하여 해외로 누출되는 부분을 구분할 수 없게 된다. 즉 수입품에 대한 최종수요가 국내산출에 영향을 주지 않고 국산품 최종수요(y^d) 발생에 따른 국내에서의 산출 효과만을 계측하고자 한다면 $(I-A^d)^{-1}$형의 생산유발계수를 이용하는 것이 적합하다.

비경쟁수입형 국산거래표와 수입거래표에 대해서는 각각 다음과 같은 수급방정식이 성립된다.

국산거래표 $A^d x + y^d - z = x$

수입거래표 $A^m x + y^m - z = m$

여기에서 A^d: 국산투입계수행렬

A^m: 수입투입계수행렬

---

50) 유도 과정은 한국은행(2014),「산업연관분석 해설」, p. 63. 참조.

y^d: 국산품에 대한 최종수요 벡터

y^m: 수입품에 대한 최종수요 벡터

국산거래표의 수급방정식을 x에 대하여 풀면 다음과 같이 국산거래표 기준 생산유발효과 산출식이 정의된다.

$$x = \left(I - A^d\right)^{-1}\left(y^d - z\right) \quad (2-15)$$

이 $\left(I - A^d\right)^{-1}$형의 생산유발계수표를 이용하면, 국산품에 대한 최종수요(y^d)와 잔폐물(z)이 외생변수로 주어질 때 이를 충족시키기 위하여 필요한 총산출액 (x)을 구할 수 있다.

비경쟁수입형 생산유발계수$\left(I - A^d\right)^{-1}$표의 EXCEL 조작 방법은 거래표 중 국산거래표를 이용하여 국산투입계수(A^d)표를 만드는 것에서부터 시작된다. 설명의 편의를 위하여 <표 2-38>에 2019년 투입산출표 국산거래표(생산자가격)를 기준하여 '농림수산품', '광산품', '공산품', '전력·가스·수도 및 폐기물', '건설' 및 '서비스'로 6개 부문 통합 투입산출표 국산거래표를 예시로 나타내었다.

〈표 2-38〉 2019년 6개 부문 통합 투입산출표 국산거래표 예시

(단위: 조원)

상품\상품		중 간 수 요							최종수요
		1	2	3	4	5	6	계	
중간투입	1	4.1	0.0	31.9	0.0	0.3	11.0	47.3	15.6
	2	0.0	0.0	3.6	0.5	0.2	0.0	4.4	-0.1
	3	16.7	0.7	598.6	12.4	95.1	227.8	951.4	868.4
	4	0.9	0.1	38.2	16.2	1.1	40.1	96.5	24.7
	5	0.1	0.0	1.2	0.5	0.1	12.5	14.4	260.7
	6	7.0	1.5	221.7	12.2	46.8	525.0	814.1	1,268.4
	계	28.8	2.2	895.3	41.9	143.6	816.3	1,928.1	2,437.8
부가가치[주]		32.1	2.0	532.8	39.8	121.5	1,172.4	1,900.7	
총투입액[주]		62.9	4.3	1,819.8	121.2	275.1	2,082.6	4,365.9	

주). 국산거래표에는 부가가치, 총투입액이 없으나, 투입계수 산출을 위하여 총거래표 참조

<표 2-38>은 국산거래표로서 <표 2-27>의 총거래표와 차이는 각 부문별 "수입"이 제외되어 있다.

식 (2-15)에 따라 $(I - A^d)^{-1}$형 생산유발계수표의 도출은 총거래표를 활용하여 생산유발계수$(I - A)^{-1}$표를 생성하는 과정과 동일하게 진행되며, 그 결과로 도출된 $(I - A^d)^{-1}$형 생산유발계수표는 <표 2-39>에 나타내었다.

〈표 2-39〉 국산 생산유발계수 $(I-A^d)^{-1}$ 표 예시

	1	2	3	4	5	6
1	1.08	0.01	0.03	0.01	0.01	0.01
2	0.00	1.00	0.00	0.01	0.00	0.00
3	0.47	0.33	1.55	0.22	0.58	0.24
4	0.04	0.05	0.04	1.16	0.03	0.04
5	0.00	0.01	0.00	0.01	1.00	0.01
6	0.24	0.52	0.27	0.20	0.33	1.39
열 합계	1.84	1.91	1.90	1.59	1.95	1.68

이상에서 살펴본 바와 같이 생산유발계수는 연구대상 및 분석 목적에 따라 다양하게 변형된 형태로 활용할 수 있다.

따라서, 내생화·외생화 투입산출표 또는 $(I-A)^{-1}$형, $(I-A+\widehat{M*})^{-1}$형, $[I-(I-\widehat{M})A]^{-1}$형 및 $(I-A^d)^{-1}$형 등의 생산유발계수는 연구내용에 따라 적절히 이용하여야 한다.

영향력계수와 감응도계수

영향력계수와 감응도계수는 제2장 산업연관분석 제4절 경제구조 분석방법 중 「중간투입률과 중간수요율에 의한 산업유형 분석 사례」에서 살펴보았다.

영향력계수는 후방연쇄효과라고 하며, 감응도계수는 전방연쇄 효과라고 한다. 앞의 제4절에서 설명하였듯이 영향력계수와 감응도계수는 산업연관표 중 사용표 또는 투입산출표를 활용하여 산출한다.

이번 절에서는 투입산출표의 생산유발계수표$(I - A)^{-1}$를 활용하여 영향력계수와 감응도계수를 산출하는 방법을 설명한다.

생산유발계수를 이용하여 산업 간의 상호의존관계의 정도를 전 산업의 평균치를 기준으로 한 상대적 크기로 표시한 것이 영향력계수와 감응도계수이다.

영향력계수는 어떤 산업부문의 생산물에 대한 최종수요가 한 단위 증가하였을 때 전 산업부문에 미치는 영향, 즉 후방연쇄효과의 정도를 전 산업평균에 대한 상대적 크기로 나타낸 계수로서 당해 산업의 생산유발계수의 열 합계를 전 산업의 평균으로 나누어 구한다.

감응도계수는 모든 산업부문의 생산물에 대한 최종수요가 각각 한 단위씩 증가하였을 때 어떤 산업이 받는 영향, 즉 전방연쇄효과가 어느 정도인가를 전 산업평균에 대한 상대적 크기로 나타내는 계수로서 그 산업의 생산유발계수의 행 합계를 전 산업의 평균으로 나누어 구한다.

국산 생산유발계수표$(I - A^d)^{-1}$를 예시했던 <표 2-39>를 기준으로 설명하면, 영향력계수는 표의 세로(열) 방향으로 산업의 생산유발계수 열 합계를 나타내고, 열 합계의 평균(예시에서는 평균이 1.81이다.)을 산출하여 부문별 열 합계를 전 산업의 평균으로 나누어 구한다. 같은 방식으로 감응도계수는 표의 가로(행) 방향으로 부문별 생산유발계수의 행 합계를 전 산업의 평균으로

나누어 구한다. 위의 설명으로 산출한 영향력계수와 감응도계수
를 <표 2-40>에 나타내었다.

<표 2-40> 영향력계수, 감응도계수 예시

	1	2	3	4	5	6	행 합계	감응도계수
1	1.08	0.01	0.03	0.01	0.01	0.01	1.15	0.64
2	0.00	1.00	0.00	0.01	0.00	0.00	1.01	0.56
3	0.47	0.33	1.55	0.22	0.58	0.24	3.39	1.87
4	0.04	0.05	0.04	1.16	0.03	0.04	1.36	0.75
5	0.00	0.01	0.00	0.01	1.00	0.01	1.03	0.57
6	0.24	0.52	0.27	0.20	0.33	1.39	2.94	1.62
열 합계	1.84	1.91	1.90	1.59	1.95	1.68		
영향력계수	1.01	1.05	1.05	0.88	1.08	0.93		

기준 자료는 <표 2-39> 국산 생산유발계수$(I-A^d)^{-1}$표 참조

위의 예시로 산출한 영향력계수와 감응도계수는 <그림 2-5>에서
설명한 바와 같이 4분면으로 구분한 도표로도 나타낼 수 있으며,
이 4분면 도표는 산업부문별 전후방연쇄효과의 정도를 나타내므로
연구대상 및 분석목적에 따라 4분면의 의미를 정의하고 연구에
활용할 수 있다.

<그림 2-7>에 2019년 투입산출표 국산거래표(생산자가격)를
기준하여 '농림수산품', '광산품', '공산품', '전력·가스·수도
및 폐기물', '건설' 및 '서비스'로 6개 부문 영향력계수와 감응도
계수로 표현한 산업부문별 전후방연쇄효과 예시 도표를 나타내
었다.

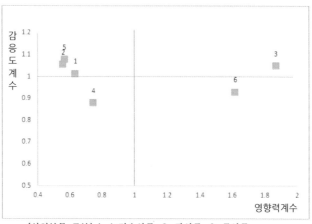

[산업부문 구분] 1. 농림수산품, 2. 광산품, 3. 공산품,
4. 전력·가스·수도 및 폐기물, 5. 건설, 6. 서비스

수입유발효과

경제의 생산활동을 위하여 필요로 하는 중간재는 국산품뿐만
아니라 수입품에 의해서도 충당되므로 최종수요 발생에 따른
생산유발은 국산품 생산유발과 수입품 생산유발로 나누어지게
된다. 따라서 최종수요를 중간생산이나 부가가치와 연결시켜
그 기능적 관계를 파악하는 것과 마찬가지로 최종수요와 중간생산
및 수입을 연결시켜 최종수요 발생에 따른 수입유발효과도 계측
할 수 있다.

수입유발계수는 국내생산물에 대한 최종수요가 한 단위 발생할 경우 국민경제 전체에서 직·간접적으로 유발되는 수입 단위를 나타낸다. 따라서 앞에서 산출한 생산유발계수를 활용하여 수입유발계수를 도출한다.

투입계수표 중 수입거래표의 수급방정식은 $A^m x + y^m - z = m$와 같이 정의되며, 이때 A^m는 수입투입계수행렬, y^m는 수입품에 대한 최종수요 벡터를 나타낸다.

여기서 설명을 위하여 $(I - A^d)^{-1}$형 생산유발계수표를 이용하여 위의 수급방정식에 생산유발 관계식 $x = (I - A^d)^{-1}(y^d - z)$를 대입하면, 다음과 같이 수입유발효과 산출식이 정의된다.

$$m = A^m(I - A^d)^{-1}(y^d - z) + y^m \qquad (2-16)$$

이 식에서 $A^m(I - A^d)^{-1}$을 수입유발계수 행렬이라고 한다. 이 $A^m(I - A^d)^{-1}$형 수입유발계수는 어떤 품목부문의 국내생산물에 대한 최종수요가 한 단위 발생할 경우 국민경제 전체에서 직·간접적으로 유발되는 수입량을 나타낸다.

수입유발효과 산출의 EXCEL 조작 방법은 $A^m(I - A^d)^{-1}$에 따라 수입투입계수행렬(A^m)을 산출하고, $(I - A^d)^{-1}$형 생산유발계수행렬을 곱함으로써 구할 수 있다. 설명의 편의를 위하여 <표 2-41>에 2019년 투입산출표 수입거래표(생산자가격)를 기준하여 6개 부문 통합 투입산출표 수입거래표를 예시로 나타내었다.

⟨표 2-41⟩ 2019년 6개 부문 통합 투입산출표 수입거래표 예시

(단위: 조원)

상품＼상품		중 간 수 요							최종 수요
		1	2	3	4	5	6	계	
중간투입	1	0.4	0.0	7.1	-	0.0	0.8	8.4	3.8
	2	-	-	107.2	37.2	0.1	0.0	144.5	2.2
	3	1.1	0.0	260.4	1.8	8.5	39.8	311.7	143.6
	4	0.0	0.0	0.0	0.0	-	0.1	0.1	0.1
	5	-	-	-	-	-	0.0	0.0	0.0
	6	0.5	0.0	16.9	0.5	1.4	53.0	72.4	44.9
	계	2.0	0.0	391.7	39.5	10.0	93.8	537.1	194.5
총투입액주)		62.9	4.3	1,819.8	121.2	275.1	2,082.6	4,365.9	

주). 국산거래표에는 총투입액이 없으나, 투입계수 산출을 위하여 총거래표 참조

투입산출표 수입거래표에서 수입투입계수 m_{ij}의 산출은 수입 중간투입내역을 총투입액으로 나눈 것을 나타내며, ⟨표 2-42⟩와 같이 수입투입계수(A^m)표로 표현된다.

⟨표 2-42⟩ 수입투입계수(A^m)표 예시

	1	2	3	4	5	6
1	0.01	0.00	0.00	-	0.00	0.00
2	-	-	0.06	0.31	0.00	0.00
3	0.02	0.00	0.14	0.01	0.03	0.02
4	0.00	0.00	0.00	0.00		0.00
5						0.00
6	0.01	0.00	0.01	0.00	0.01	0.03
열 합계	0.03	0.01	0.22	0.33	0.04	0.05

이제 수입유발계수 $A^m(I-A^d)^{-1}$의 도출은 수입투입계수행렬 (A^m)과 생산유발계수행렬$(I-A^d)^{-1}$의 곱으로 나타난다.

위에서 설명한 $(I-A^d)^{-1}$형 생산유발계수표를 이용한 것과 마찬가지로 $(I-A+\widehat{M}*)^{-1}$형 또는 $[I-(I-\widehat{M})A]^{-1}$형 생산유발계수표를 이용하면 각각 $\widehat{M}*(I-A+\widehat{M}*)^{-1}$, $\widehat{M}A[I-(I-\widehat{M})A]^{-1}$형의 수입유발계수 행렬도 도출하여 활용할 수 있다.

부가가치유발효과

투입계수를 포함한 투입산출표의 일반적인 형식인 <표 2-26>을 보면, 부가가치는 외생변수로서 최종수요의 변동이 국내생산의 변동을 유발하고 생산활동에 의해서 부가가치가 창출되므로 결과적으로 최종수요의 변동이 부가가치 변동의 원천이라고 간주된다. 따라서 산업연관표를 이용하면 최종수요와 부가가치와의 관계도 파악할 수 있다.

최종수요와 부가가치간의 연관관계를 나타내는 관계식을 설명하기 위해 $(I-A^d)^{-1}$형 생산유발계수표를 이용하면, 다음과 같은 관계식이 성립한다.

총산출액과 부가가치 관계식 $v=\widehat{A}^v x$

여기서, v: 부가가치 벡터(vector)

$\widehat{A}^v$: 부가가치율의 대각행렬

x: 총산출액 벡터(vector)

따라서, 이 식을 생산유발 관계식 $x = (I - A^d)^{-1}(y^d - z)$에 대입하면, 아래와 같다.

$$v = \hat{A}^v(I - A^d)^{-1}(y^d - z) \quad (2-17)$$

이 식에서 $\hat{A}^v(I - A^d)^{-1}$을 부가가치유발계수 행렬이라고 하며, 이 부가가치유발계수는 어떤 품목부문의 국내생산물에 대한 최종수요가 한 단위 발생할 경우 국민경제 전체에서 직·간접적으로 유발되는 부가가치를 나타낸다.

부가가치유발효과 산출의 EXCEL 조작 방법은 $\hat{A}^v(I - A^d)^{-1}$에 따라 부가가치율의 대각행렬($\hat{A}^v$)을 산출하고, $(I - A^d)^{-1}$형 생산유발계수행렬을 곱함으로써 구할 수 있다.

설명의 편의를 위하여 2019년 투입산출표 국산거래표(생산자가격)를 기준하여 '농림수산품', '광산품', '공산품', '전력·가스·수도 및 폐기물', '건설' 및 '서비스'로 6개 부문 통합 투입산출표 국산거래표를 예시로 나타낸 <표 2-38>을 참고하면, 부문별 총투입액과 부가가치가 표현되어 있다. 부가가치율 대각행렬($\hat{A}^v$)은 <표 2-43>와 같다.

<table>
<thead>
<tr><th></th><th>1</th><th>2</th><th>3</th><th>4</th><th>5</th><th>6</th></tr>
</thead>
<tbody>
<tr><td>1</td><td>0.51</td><td>0</td><td>0</td><td>0</td><td>0</td><td>0</td></tr>
<tr><td>2</td><td>0</td><td>0.47</td><td>0</td><td>0</td><td>0</td><td>0</td></tr>
<tr><td>3</td><td>0</td><td>0</td><td>0.26</td><td>0</td><td>0</td><td>0</td></tr>
<tr><td>4</td><td>0</td><td>0</td><td>0</td><td>0.20</td><td>0</td><td>0</td></tr>
<tr><td>5</td><td>0</td><td>0</td><td>0</td><td>0</td><td>0.32</td><td>0</td></tr>
<tr><td>6</td><td>0</td><td>0</td><td>0</td><td>0</td><td>0</td><td>0.25</td></tr>
</tbody>
</table>

〈표 2-43〉 부가가치율 대각행렬($\widehat{A}^v$)표 예시

여기서 부가가치유발계수 $\widehat{A}^v(I-A^d)^{-1}$의 도출은 부가가치율 대각행렬($\widehat{A}^v$)과 생산유발계수행렬$(I-A^d)^{-1}$의 곱으로 나타난다.

위에서 설명한 $(I-A^d)^{-1}$형 생산유발계수표를 이용한 것과 마찬가지로 $(I-A+\widehat{M}^*)^{-1}$형 또는 $[I-(I-\widehat{M})A]^{-1}$형 생산유발계수표를 이용하면 각각 $\widehat{A}^v(I-A+\widehat{M}^*)^{-1}$, $\widehat{A}^v[I-(I-\widehat{M})A]^{-1}$형의 수입유발계수 행렬도 도출하여 활용할 수 있다.

노동유발효과

노동유발계수란 일정 기간 생산활동에 투입된 노동량을 총산출액으로 나눈 값이다. 이는 한 단위[51]의 생산에 직접 필요한 노동량을 의미하므로 노동생산성과는 역수의 관계가 있다.

---

51) 노동유발효과 산출에서는 일반적으로 한 단위를 산출액 10억원을 기준으로 한다.

한편 노동유발계수는 취업계수와 고용계수로 구분된다. 즉, 노동량에 피용자(임금근로자)만 나타낸 것을 고용계수라 하고 노동량에 피용자와 자영업자 및 무급가족종사자를 모두 포함한 것은 취업계수라 하며, 산업연관표의 부속표인 고용표에도 취업자 수와 피용자 수로 구분하여 통계 된다.

또한, 노동유발계수가 클수록 산출량 단위당 필요한 노동량이 많으므로 노동집약적 산업이며, 생산을 위하여 설비 자동화 등의 투자가 늘어나면 산출량 단위당 필요한 노동량이 적어지므로 노동유발계수가 작아지며 상대적으로 노동절약적 산업, 곧 자본집약적 산업이 된다. 따라서 노동유발계수는 경제가 성장함에 따라 계속 하락하고 있는데 이는 생산설비의 자동화 등에 따른 노동생산성 향상에 기인하지만 근래에는 구조조정 등에 의한 인력감축도 상당 부분 노동유발계수의 하락요인으로 작용하고 있다고 볼 수 있다.

최종수요와 노동량의 연관관계를 나타내는 관계식을 설명하기 위해 $(I - A^d)^{-1}$형 생산유발계수표를 이용하면, 다음과 같은 관계식이 성립한다.

총산출액과 노동량 관계식 $l = \hat{L} * x$
여기서, l: 노동량 벡터(vector)
$\hat{L}^*$: 노동계수의 대각행렬
x: 총산출액 벡터(vector)

따라서, 이 식을 생산유발 관계식 $x = (I - A^d)^{-1}(y^d - z)$에 대입하면, 아래와 같다.

$$l = \hat{L} * (I - A^d)^{-1}(y^d - z) \qquad (2-18)$$

$$\text{고용량 } l^e = \hat{L}^e * (I - A^d)^{-1}(y^d - z)$$

$$\text{취업량 } l^w = \hat{L}^w * (I - A^d)^{-1}(y^d - z)$$

이 식에서 $\hat{L} * (I - A^d)^{-1}$을 노동유발계수 행렬이라고 하며, 이 노동유발계수는 어떤 품목부문의 국내생산물에 대한 최종수요가 한 단위 발생할 경우 국민경제 전체에서 직·간접적으로 유발되는 노동량을 나타낸다. 노동유발계수의 산출에서는 최종수요 한 단위를 산출액 10억원을 기준으로 한다. 그리고 고용유발계수 $\hat{L}^e * (I - A^d)^{-1}$, 취업유발계수 $\hat{L}^w * (I - A^d)^{-1}$를 활용하여 고용량과 취업량도 산출할 수 있다.

노동유발효과 산출의 EXCEL 조작 방법은 부속표인 고용표의 피용자 수를 기준으로 고용유발효과 도출을 설명한다. 고용유발효과는 고용유발계수 $\hat{L}^e * (I - A^d)^{-1}$에 따라 고용계수의 대각행렬 ($\hat{L}^e *$)을 산출하고, $(I - A^d)^{-1}$형 생산유발계수행렬을 곱함으로써 구할 수 있다.

설명의 편의를 위하여 2019년 투입산출표 국산거래표(생산자가격)를 기준하여 '농림수산품', '광산품', '공산품', '전력·가스·수도 및 폐기물', '건설' 및 '서비스'로 6개 부문 통합 투입산출표 국산거래표를 예시로 나타낸 <표 2-38>을 참고하며, 2019년 산업연관표의 부속표인 고용표의 피용자 수를 단위 변환[52] 후 대각행렬을 산출한 고용계수의 대각행렬($\hat{L}^{e*}$)은 <표 2-44>와 같다.

〈표 2-44〉 고용계수 대각행렬($\hat{L}^{e*}$)표 예시

	1	2	3	4	5	6
1	1.62	0	0	0	0	0
2	0	3.35	0	0	0	0
3	0	0	1.88	0	0	0
4	0	0	0	1.55	0	0
5	0	0	0	0	5.13	0
6	0	0	0	0	0	6.23

여기서 고용유발계수 $\hat{L}^{e*}(I-A^d)^{-1}$의 도출은 고용계수 대각행렬($\hat{L}^{e*}$)과 생산유발계수행렬$(I-A^d)^{-1}$의 곱으로 나타난다.

물가파급효과분석

앞에서 살펴본 최종수요의 생산, 부가가치 및 수입유발효과분석은 투입산출표를 가로(행) 방향으로 본 수급균형식을 이용한 물량적인 파급효과 분석이다. 그런데 투입산출표를 세로(열) 방향으로 본 각 품목부문의 투입구성은 각 품목부문의 생산활동에 대한 비용 구조를 나타내는 것이므로 이를 이용하면 가격의 파급효과를 분석할 수 있다.

---

52) 단위변환은 국산거래표는 백만원 단위이지만 고용계수의 산출 단위는 10억원이므로 노동량에 1,000을 곱하여 산출한다.

물량파급효과분석이 최종수요를 독립변수로 하여 그것이 생산이나 수입 등 공급을 유발하는 파급효과를 분석하는 데 비하여 가격파급효과분석은 임금 등 부가가치 항목이나 투입된 원재료의 가격변동을 독립변수로 하여 그것이 각 부문의 생산물 가격에 미치는 영향을 파악하는 것이다.

물량 파급효과를 설명하기 위해 표현한 <표 2-24>의 투입산출표 일반적인 형식을 기준하여 각 부문별로 가격을 표시하면 <표 2-45>와 같은 가격변동률 모형의 설명을 위한 투입산출표 일반적인 형식을 나타낼 수 있다.

〈표 2-45〉 투입산출표 일반적인 형식(부문 가격 표시)

상품＼상품		중 간 수 요						최종수요	총수요	총산출액	수입	잔폐물발생	가격
		1	2	$\cdots$	j	$\cdots$	n						
중간투입	1	x_{11}	x_{12}	$\cdots$	x_{1j}	$\cdots$	x_{1n}	y_1		x_1	m_1	z_1	p_1
	2	x_{21}	x_{22}	$\cdots$	x_{2j}	$\cdots$	x_{2n}	y_2		x_2	m_2	z_2	p_2
	$\vdots$	$\vdots$	$\vdots$		$\vdots$		$\vdots$	$\vdots$		$\vdots$	$\vdots$	$\vdots$	$\vdots$
	i	x_{i1}	x_{i2}	$\cdots$	x_{ij}	$\cdots$	x_{in}	y_i		x_i	m_i	z_i	p_i
	$\vdots$	$\vdots$	$\vdots$		$\vdots$		$\vdots$	$\vdots$		$\vdots$	$\vdots$	$\vdots$	$\vdots$
	n	x_{n1}	x_{n2}	$\cdots$	x_{nj}	$\cdots$	x_{nn}	y_n		x_n	m_n	z_n	p_n
부가가치	1	v_1											p_1^v
	2		v_2										p_2^v
	$\vdots$			$\cdots$									$\vdots$
	i				v_j								p_i^v
	$\vdots$					$\cdots$							$\vdots$
	n						v_n						p_n^v
총투입액		x_1	x_2	$\cdots$	x_j	$\cdots$	x_n						

생산물의 단위가격은 생산물 한 단위당 생산비용과 이윤의 합계가 된다. 생산물의 비용과 이윤은 투입산출표의 세로(열) 방향의 중간재투입과 부가가치로 구성되어 있으므로 생산물 한 단위의 가격은 생산물 단위당 중간투입액과 생산물 단위당 부가가치액을 더한 것과 같다.

생산물 단위당 중간투입액은 그 부문의 물량적 투입계수에 투입되는 상품의 가격을 곱하여 표시하고 부가가치액은 부가가치율에 부가가치의 단위당 가격을 곱하여 표시할 수 있으므로 투입산출표를 세로(열) 방향으로 다음과 같이 가격에 관한 균형방정식과 행렬로 나타낼 수 있다.

$$
\begin{matrix}
a_{11}p_1 + a_{21}p_2 + \cdots + a_{i1}p_i + \cdots + a_{n1}p_n + a_1^v p_1^v = p_1 \\
\vdots \qquad \vdots \qquad\quad \vdots \qquad\quad \vdots \qquad \vdots \qquad \vdots \\
a_{1j}p_1 + a_{2j}p_2 + \cdots + a_{ij}p_j + \cdots + a_{nj}p_n + a_j^v p_j^v = p_j \\
\vdots \qquad \vdots \qquad\quad \vdots \qquad\quad \vdots \qquad \vdots \qquad \vdots \\
a_{1n}p_1 + a_{2n}p_2 + \cdots + a_{in}p_i + \cdots + a_{nn}p_n + a_n^v p_n^v = p_n
\end{matrix}
$$

$$
\begin{bmatrix}
a_{11} & \cdots & a_{i1} & \cdots & a_{n1} \\
\vdots & & \vdots & & \vdots \\
a_{1j} & \cdots & a_{ij} & \cdots & a_{nj} \\
\vdots & & \vdots & & \vdots \\
a_{1n} & \cdots & a_{in} & \cdots & a_{nn}
\end{bmatrix}
\begin{bmatrix} p_1 \\ \vdots \\ p_j \\ \vdots \\ p_n \end{bmatrix}
+
\begin{bmatrix}
a_1^v & \cdots & 0 & \cdots & 0 \\
\vdots & & \vdots & & \vdots \\
0 & \cdots & a_j^v & \cdots & 0 \\
\vdots & & \vdots & & \vdots \\
0 & \cdots & 0 & \cdots & a_n^v
\end{bmatrix}
\begin{bmatrix} p_1^v \\ \vdots \\ p_j^v \\ \vdots \\ p_n^v \end{bmatrix}
=
\begin{bmatrix} p_1 \\ \vdots \\ p_j \\ \vdots \\ p_n \end{bmatrix}
$$

여기서, a_{ij}: j부문 생산을 위한 i부문 생산물 투입계수

p_j: j부문의 생산물 가격

a_j^v: j부문 생산물의 부가가치율

p_j^v: j부문 생산물의 부가가치 단위당 가격

이것을 다시 행렬기호로 표현하면 다음의 식으로 나타낼 수 있다.

$$A'p + \widehat{A}^v p^v = p \quad (2-19)$$

여기서, A': 물량 투입계수행렬의 전치행렬[53]

p: 생산물 가격 벡터(vector)

$\widehat{A}^v$: 부가가치율의 대각행렬

p^v: 부가가치의 단위가격 벡터

식 (2-25)를 전개하여 p에 대해 풀면 아래 식과 같이 산업연관분석의 가격파급모형이 표현된다.

$$p = (I - A')^{-1} \widehat{A}^v p^v \quad (2-20)$$

식 (2-20)은 투입산출표의 가격 균형식으로서 생산품의 가격이 중간재로 사용한 다른 상품의 가격과 본원적 생산요소의 가격, 즉 중간투입 요소의 가격과 부가가치 요소의 가격에 의해 결정됨을 의미한다.

---

53) "전치행렬"이란 임의의 행렬 A가 주어졌을 때 그 행렬 A에서 행과 열을 바꾼 행렬을 행렬 A의 전치행렬이라 하고, A^T, A^t, A'로 표현한다. 행렬 A의 전치행렬 A'의 예를 보면 다음과 같다.

$$A = \begin{bmatrix} a_{11} & a_{12} & a_{13} \\ a_{21} & a_{22} & a_{23} \end{bmatrix} \qquad A' = \begin{bmatrix} a_{11} & a_{21} \\ a_{12} & a_{22} \\ a_{13} & a_{23} \end{bmatrix}$$

이 가격모형을 보면 앞에서 본 물량 파급모형과 형식상으로는 차이가 없으며 다만 투입계수행렬의 전치행렬 A'를 사용하는 점이 다르며, EXCEL에서 전치행렬로 변환은 TRANSPOSE() 함수를 사용하여 행과 열의 데이타를 변환한다.

이상 설명한 것은 투입산출표를 이용한 가격 파급효과 분석의 기본모형이라고 할 수 있으며, 임금인상 등의 물가파급효과분석, 공공요금 인상 등의 물가파급효과분석, 수입상품 가격변동의 물가파급효과분석 및 환율변동의 물가파급효과분석 등 가격변동에 따른 파급효과분석에는 이 기본모형을 기초로 하여 여러 가지로 변형된 복잡한 형태의 가격파급모형이 이용된다.

■ 임금인상 등 본원적 생산요소의 물가파급효과분석

본원적 생산요소란 임금, 이윤, 세금 등 부가가치 요소를 말하며, 본원적 생산요소의 변동에 따른 물가파급효과의 산출은 식 (2-20)의 가격파급모형 $p = (I - A')^{-1} \hat{A}^v p^v$이 활용된다.

가격파급모형에서 본원적 생산요소의 가격은 수입품 가격에 전혀 영향을 미치지 못하고 동일한 중간재도 국산품과 수입품 가격에 차이가 있으므로, 수입품과 관련하여 더욱 적합한 가격모형을 도출하기 위해서는 투입계수를 국산품과 수입품으로 구분할 필요가 있다.

따라서 투입산출표를 세로(열) 방향으로 가격에 관한 균형방정식을 국산품과 수입품으로 구분하여 표시하면 다음과 같이 표현할 수 있다.

$$(a_{11}^d p_1^d + a_{11}^m p_1^m) + \cdots + (a_{n1}^d p_n^d + a_{n1}^m p_n^m) + a_1^v p_1^v = p_1^d$$
$$\vdots \qquad\qquad \vdots \qquad\qquad \vdots \qquad \vdots$$
$$(a_{1j}^d p_1^d + a_{1j}^m p_1^m) + \cdots + (a_{nj}^d p_n^d + a_{nj}^m p_n^m) + a_j^v p_j^v = p_j^d$$
$$\vdots \qquad\qquad \vdots \qquad\qquad \vdots \qquad \vdots$$
$$(a_{1n}^d p_1^d + a_{1n}^m p_1^m) + \cdots + (a_{nn}^d p_n^d + a_{nn}^m p_n^m) + a_n^v p_n^v = p_n^d$$

여기서, a^d : 국산품 투입계수

$\quad\quad\ \ p^d$: 국산품 가격

$\quad\quad\ \ a^m$: 수입품 투입계수

$\quad\quad\ \ p^m$: 수입품 가격

이 균형방정식을 행렬로 표시하면 다음과 같다.

$$\begin{bmatrix} a_{11}^d & \cdots & a_{n1}^d \\ \vdots & & \vdots \\ a_{1n}^d & \cdots & a_{nn}^d \end{bmatrix} \begin{bmatrix} p_1^d \\ \vdots \\ p_n^d \end{bmatrix} + \begin{bmatrix} a_{11}^m & \cdots & a_{n1}^m \\ \vdots & & \vdots \\ a_{1n}^m & \cdots & a_{nn}^m \end{bmatrix} \begin{bmatrix} p_1^m \\ \vdots \\ p_n^m \end{bmatrix} + \begin{bmatrix} a_1^v & \cdots & 0 \\ \vdots & & \vdots \\ 0 & \cdots & a_n^v \end{bmatrix} \begin{bmatrix} p_1^v \\ \vdots \\ p_n^v \end{bmatrix} = \begin{bmatrix} p_1^d \\ \vdots \\ p_n^d \end{bmatrix}$$

이것을 다시 행렬기호로 표현하여 국산품 가격 p^d 에 대해 전개하면 다음과 같이 국산품 가격모형을 나타낼 수 있다.

$$p^d = (I - A^{d'})^{-1} (A^{m'} p^m + \hat{A}^v p^v) \quad\quad (2-21)$$

여기서, $A^{d'}$: 국산품 투입계수행렬의 전치행렬

$\quad\quad\ \ A^{m'}$: 수입품 투입계수행렬의 전치행렬

$\quad\quad\ \ \hat{A}^v$: 부가가치율의 대각행렬

식 (2-21)의 국산품 가격모형에서 가격변동률 모형으로 변경하면 다음 식으로 나타난다.

$$\dot{p}^d = \left(I - A^{d\prime}\right)^{-1}\left(A^{m\prime}\dot{p}^m + \hat{A}^v\dot{p}^v\right) \quad (2-22)$$

여기서, $\dot{p}^d$: 국산품 가격의 변동률
$\dot{p}^m$: 수입품 가격의 변동률
$\dot{p}^v$: 부가가치 단위가격의 변동률

가격변동률 모형에서 수입품 가격에는 변동이 없다($\dot{p}^m = 0$)고 가정하면, 임금 등 본원적 생산요소의 가격변동이 물가에 미치는 파급효과가 다음의 가격 분석 기본식으로 산출된다.

$$\dot{p}^d = \left(I - A^{d\prime}\right)^{-1}\hat{A}^v\dot{p}^v \quad (2-23)$$

여기서, 부가가치(V)는 피용자보수(W), 영업잉여(R), 고정자본소모(D), 보조금을 공제한 기타 생산세(T)로 구성되므로 이들 부가가치 항목을 반영하여 가격 분석 기본식을 변형하면 다음의 식으로 표현할 수 있다.

$$\dot{p}^d = \left(I - A^{d\prime}\right)^{-1}\left(\hat{A}^W\dot{p}^W + \hat{A}^R\dot{p}^R + \hat{A}^D\dot{p}^D + \hat{A}^T\dot{p}^T\right) \quad (2-24)$$

상기 식에 따라 $\left(I - A^{d\prime}\right)^{-1}$를 산출하면 임금 등 부가가치 단위가격의 변동에 따른 물가파급효과를 구할 수 있다.

식 (2-24)에서 부가가치 항목 중 상품가격 변동에 가장 크게 영향을 미치는 피용자보수(임금)(W) 즉 노동의 단위가격이 어떤 품목부문에서 변동되었을 때 각 부문에 미치는 영향은 어느 정도인가를 살펴보고자 하는 경우 영업잉여 등 다른 부가가치 항목은 불변이라 가정하여 $\dot{p}^d = (I - A^{d'})^{-1} \hat{A}^W \dot{p}^W$ 의 식으로 산출한다.

다른 부가가치 항목의 단위가격변동에 따른 파급효과도 이와 유사한 방법으로 분석할 수 있다.

■ 공공요금 인상 등 특정 산업 k 가격변동의 물가파급효과분석

임금 등 본원적 생산요소가 아닌 전기 및 교통요금 등 공공요금 및 특정 산업 k의 가격이 변동할 경우 이 상품을 중간재로 사용하고 있는 여타 상품의 가격에 미치는 파급효과도 가격파급모형을 활용하여 산출할 수 있다.

특정 산업 k의 가격변동에 따른 물가파급효과분석은 우선 가격이 변동한 부문을 내생부문에서 외생부문으로 이전 처리한다.

외생화 작업은 투입계수행렬 A에서 분석대상 산업 k에 해당하는 행과 열을 제외하여 차원이 $((n-1) \times (n-1))$로 한 단계 낮아진 $A_{\not\ni k}$ 행렬을 구하고, 투입계수행렬 A에서 제외한 분석대상 산업 k에 해당하는 열벡터에서 분석대상 산업에 해당하는 행을 제외하여 차원이 $((n-1) \times 1)$로 한 단계 낮아진 산업 k의 투입계수행렬 A_k를 산출한다.

외생화 작업 후 투입산출표를 세로(열) 방향으로 행렬기호로 표현하여 산업 k를 외생화 한 국산품 가격 $p^d_{\not\ni\,k}$에 대해 전개하면 다음 식과 같은 행렬식으로 나타낼 수 있다.

$$p^d_{\not\ni\,k} = \left(I - A^{d\,'}_{\not\ni\,k}\right)^{-1} \times \qquad\qquad (2-25)$$

$$\left(A^{m\,'}_{\not\ni\,k}\,p^m_{\not\ni\,k} + A^{d\,'}_k\,p^d_k + A^{m\,'}_k\,p^m_k + \widehat{A}^{v}_{\not\ni\,k}\,p^v_{\not\ni\,k}\right)$$

여기서, $p^d_{\not\ni\,k}$: 산업 k를 제외한 국산품 가격

$\qquad\quad$ $p^m_{\not\ni\,k}$: 산업 k를 제외한 수입품 가격

$\qquad\quad$ $p^v_{\not\ni\,k}$: 산업 k를 제외한 부가가치의 단위가격 벡터

$\qquad\quad$ p^d_k: 산업 k의 국산품 가격

$\qquad\quad$ p^m_k: 산업 k의 수입품 가격

$\qquad\quad$ $A^{d\,'}_{\not\ni\,k}$: 산업 k를 제외한 국산품 A^d의 전치행렬

$\qquad\quad$ $A^{m\,'}_{\not\ni\,k}$: 산업 k를 제외한 수입품 A^m의 전치행렬

$\qquad\quad$ $A^{d\,'}_k$: 산업 k의 국산품 A^d_k의 전치행렬

$\qquad\quad$ $A^{m\,'}_k$: 산업 k의 수입품 A^m_k의 전치행렬

위 식의 국산품 가격모형을 국산품 가격변동률 모형으로 변경하면 다음 식으로 나타난다.

$$\dot{p}^d_{\not\ni\,k} = \left(I - A^{d\,'}_{\not\ni\,k}\right)^{-1} \times \qquad\qquad (2-26)$$

$$\left(A^{m\,'}_{\not\ni\,k}\,\dot{p}^m_{\not\ni\,k} + A^{d\,'}_k\,\dot{p}^d_k + A^{m\,'}_k\,\dot{p}^m_k + \widehat{A}^{v}_{\not\ni\,k}\,\dot{p}^v_{\not\ni\,k}\right)$$

위 식의 국산품 가격변동률 모형에서 수입품 가격에는 변동이 없고 부가가치도 변동이 없다고 가정하면, $\dot{p}^m_{\not\ni k} = 0$, $\dot{p}^d_k = 0$ 및 $\dot{p}^v_{\not\ni k} = 0$ 이 되므로, 아래 식과 같이 특정 산업 k의 가격변동에 따른 물가파급모형식이 산출된다.

$$\dot{p}^d_{\not\ni k} = \left(I - A^{d'}_{\not\ni k}\right)^{-1} A^{d'}_k \dot{p}^d_k \quad (2-27)$$

따라서 가격이 변동되는 k부문을 외생화하여 $\left(I - A^{d'}_{\not\ni k}\right)^{-1} A^{d'}_k$ 을 계산해 두면 동 부문의 가격변동이 각 품목부문에 미치는 가격파급의 정도를 분석할 수 있다.

■ 수입상품 가격변동의 물가파급효과분석

물가파급효과분석의 내용 중 수입상품의 가격변동에 따른 물가파급효과분석도 국산품 가격모형을 기준으로 진행할 수 있다.

수입상품의 가격변동은 먼저 당해 수입상품을 중간재로 투입하는 모든 상품가격에 변동을 가져오고 다음으로 이들 제품을 다시 중간재로 사용하는 관련 제품의 가격에 영향을 미친다. 또한, 이러한 가격파급효과 외에도 대체효과를 통하여 수입품과 대체 관계에 있는 국산품의 가격을 변화시킴으로써 투입구조의 변화까지도 초래한다.

이러한 수입상품 가격변동이 물가에 미치는 파급모형은 국산품 가격변동률 모형 $\dot{p}^d = \left(I - A^{d'}\right)^{-1}\left(A^{m'}\dot{p}^m + \hat{A}^{v}\dot{p}^v\right)$에서 부가

가치 가격의 변동이 없다고 가정하면 $\dot{p}^v = 0$ 이므로 다음의 식과 같이 나타난다.

$$\dot{p}^d = \left(I - A^{d\prime}\right)^{-1} A^{m\prime} \dot{p}^m \qquad (2-28)$$

여기서, $\dot{p}^d$: 국산품 가격의 변동률
$\dot{p}^m$: 수입품 가격의 변동률

따라서 수입상품 가격변동에 따른 물가파급효과분석은 $\left(I - A^{d\prime}\right)^{-1} A^{m\prime}$만 계산해 두면, 여기에 수입상품 가격변동률 벡터($\dot{p}^m$)를 곱하여 수입상품 가격변동이 각 부문에 미치는 파급효과를 쉽게 구할 수 있다.

■ 환율변동의 물가파급효과분석

환율변동은 수입상품가격(원화로 표시)을 변동시켜 수입상품을 원재료로 사용하는 모든 상품의 가격에 변동을 가져와 결국 국내 물가에 영향을 미치게 된다.

예를 들어 자국의 통화 가치가 상승하면 환율이 하락하고 수입 상품가격이 하락하여 이들 수입상품을 중간재로 투입하는 제품의 판매 가격이 하락하는 등 국내 물가의 전반적인 하락이 초래된다.

환율변동의 물가파급효과 계측은 수입상품 가격변동이 물가에 미치는 파급효과 모형 $\dot{p}^d = \left(I - A^{d\prime}\right)^{-1} A^{m\prime} \dot{p}^m$을 그대로 사용할 수 있다.

환율변동으로 수입상품의 원화가격이 변동하는 경우 이들 수입원자재를 이용하여 생산하는 상품의 가격이 곧바로 변동하는 경우를 가정하고 분석한다. 즉 수입상품가격 변동시에는 수입가격변동률 벡터($\dot{p}^m$)에서 당해 상품부문에만 값이 나타나고 나머지 부문은 모두 영(0)의 값을 갖도록 하는 데 비해 환율변동 시에는 수입가격변동률 벡터의 값이 전 부문에 걸쳐서 동일한 수치를 갖도록 한다는 점에 차이가 있다.

6

간접방식에 의한 연장표 작성법

산업연관표는 통계자료의 실측 조사 여부에 따라 실측표와 연장표로 구분한다. 연도의 끝자리가 0과 5인 년도에 실측을 통하여 작성하는 기준년표를 작성하고, 그 밖의 연도에는 기준년표의 작성기준과 부분조사를 통한 간접추정방식으로 기준년표를 연장하는 비교년표를 작성한다.

실측표와 연장표의 주요 목적을 비교하여 보면, 실측표는 과거의 경제 상황을 분석하고 파악하여 과거 경제 상황을 이해하는 데 활용되며, 연장표는 기준연도 이후의 경제 동향을 예측하거나 분석하는 등 미래 경제 상황을 예측하고 정책 결정을 지원하는 데 활용된다. 따라서 연장표는 기준연도를 기반으로 미래의 파급효과와 시나리오를 평가하는 데 활용된다.

연장표 작성은 기준년표의 부문분류와 작성기준을 동일하게 적용하고, 내생부문 중 투입구조의 변동이 심한 일부 부문의 자료를 부분적으로 조사하고 업데이트하여 간접추정방식 등으로 작성한다.

RAS 방법(RAS Method)

RAS 방법(RAS Method)은 예측연도의 투입구조가 전혀 알려지지 않았을 때 기준연도 투입계수로부터 예측연도의 투입계수를 추정하는 방법으로써 예측연도의 중간수요계, 중간투입계, 총산출액을 추계하고 행변화계수(R계수)와 열변화계수(S계수)를 활용하여 예측연도의 중간수요계, 중간투입계에 근사한 값을 얻을 때까지 반복계산하는 방법이다. 이중비례조정법(Biproportional Adjustment Method)이라하며 수정 RAS 방법과 비교하여 단순 RAS 방법이라고도 한다.

"RAS"라는 용어는 개발자인 R. Stone 교수의 독자적인 명칭으로, 기준연도 투입계수행렬인 A^0가 주어졌을 때 일정한 조건이 만족되면 예측연도 행렬 $_tA$가 $RA^0S = {_tA}$가 되는 양부호대각행렬(Positive-Definite Diagonal Matrix) R과 S가 존재함을 보일 수 있다는 데서 유래되었다.

RAS 방법의 설명을 위하여 <표 2-46>과 같이 기준연도 투입산출표 A^0를 예시로 나타내었다.

연장표의 작성은 먼저 예측연도의 중간수요계($_tw$), 중간투입계($_tz$), 총투입액($_tx$) 등을 추계한 예측연도의 추계표를 작성한다. <표 2-47>에 예측연도의 추계표 예시를 나타내었다.

⟨표 2-46⟩ 기준연도 투입산출표(A^0) 예시

상품 \ 상품	중간 수요 1	2	$\cdots$	j	$\cdots$	n	중간수요계 (w)	최종수요 (y)	총산출 (x)
중간투입 1	x_{11}	x_{12}	$\cdots$	x_{1j}	$\cdots$	x_{1n}	w_1	y_1	x_1
2	x_{21}	x_{22}	$\cdots$	x_{2j}	$\cdots$	x_{2n}	w_2	y_2	x_2
$\vdots$	$\vdots$	$\vdots$		$\vdots$		$\vdots$	$\vdots$	$\vdots$	$\vdots$
i	x_{i1}	x_{i2}	$\cdots$	x_{ij}	$\cdots$	x_{in}	w_i	y_i	x_i
$\vdots$	$\vdots$	$\vdots$		$\vdots$		$\vdots$	$\vdots$	$\vdots$	$\vdots$
n	x_{n1}	x_{n2}	$\cdots$	x_{nj}	$\cdots$	x_{nn}	w_n	y_n	x_n
중간투입계(z)	z_1	z_2	$\cdots$	z_j	$\cdots$	z_n			
부가가치(v)	v_1	v_2	$\cdots$	v_j	$\cdots$	v_n			
총투입(x)	x_1	x_2	$\cdots$	x_j	$\cdots$	x_n			

⟨표 2-47⟩ 예측연도 추계표 예시

상품 \ 상품	중간 수요 1	2	$\cdots$	j	$\cdots$	n	중간수요계 ($_tw$)	최종수요 ($_ty$)	총산출 ($_tx$)
중간투입 1							$_tw_1$	$_ty_1$	$_tx_1$
2							$_tw_2$	$_ty_2$	$_tx_2$
$\vdots$							$\vdots$	$\vdots$	$\vdots$
i							$_tw_i$	$_ty_i$	$_tx_j$
$\vdots$							$\vdots$	$\vdots$	$\vdots$
n							$_tw_n$	$_ty_n$	$_tx_n$
중간투입계($_tz$)	$_tz_1$	$_tz_2$	$\cdots$	$_tz_j$	$\cdots$	$_tz_n$			
부가가치($_tv$)	$_tv_1$	$_tv_2$	$\cdots$	$_tv_j$	$\cdots$	$_tv_n$			
총투입($_tx$)	$_tx_1$	$_tx_2$	$\cdots$	$_tx_j$	$\cdots$	$_tx_n$			

RAS 방법은 <표 2-46>과 같이 기준연도 투입산출표를 기준하여 <표 2-47>의 예측연도 추계 자료를 바탕으로 행변화계수(R계수)와 열변화계수(S계수)를 활용하여 예측연도의 중간수요계, 중간투입계에 근사한 값을 얻을 때까지 반복계산하는 방법이다.

여기서 아래 식에 의해 제1차 잠정거래행렬 $M^{\langle 1 \rangle}$을 만든다. 제1차 잠정거래행렬 $M^{\langle 1 \rangle}$을 아래 <표 2-48>에 나타내었다.

$$M^{\langle 1 \rangle} = A^0 {}_t\hat{x} \qquad (2-29)$$

여기서, A^0: 기준연도 투입계수행렬

$\quad\quad\ {}_t\hat{x}$: 추계표 ${}_tx$를 대각요소로 하는 대각행렬

<표 2-48> 제1차 잠정거래행렬($M^{\langle 1 \rangle}$) 예시

상품＼상품		중 간 수 요					중간수요계 ($w^{\langle 1 \rangle}$)
		1	2	$\cdots$	j	$\cdots$	n	
중간 투입	1	$x_{11}^{\langle 1 \rangle}$	$x_{12}^{\langle 1 \rangle}$	$\cdots$	$x_{1j}^{\langle 1 \rangle}$	$\cdots$	$x_{1n}^{\langle 1 \rangle}$	$w_1^{\langle 1 \rangle}$
	2	$x_{21}^{\langle 1 \rangle}$	$x_{22}^{\langle 1 \rangle}$	$\cdots$	$x_{2j}^{\langle 1 \rangle}$	$\cdots$	$x_{2n}^{\langle 1 \rangle}$	$w_2^{\langle 1 \rangle}$
	$\vdots$	$\vdots$	$\vdots$		$\vdots$		$\vdots$	$\vdots$
	i	$x_{i1}^{\langle 1 \rangle}$	$x_{i2}^{\langle 1 \rangle}$	$\cdots$	$x_{ij}^{\langle 1 \rangle}$	$\cdots$	$x_{in}^{\langle 1 \rangle}$	$w_i^{\langle 1 \rangle}$
	$\vdots$	$\vdots$	$\vdots$		$\vdots$		$\vdots$	$\vdots$
	n	$x_{n1}^{\langle 1 \rangle}$	$x_{n2}^{\langle 1 \rangle}$	$\cdots$	$x_{nj}^{\langle 1 \rangle}$	$\cdots$	$x_{nn}^{\langle 1 \rangle}$	$w_n^{\langle 1 \rangle}$
중간투입계($z^{\langle 1 \rangle}$)		$z_1^{\langle 1 \rangle}$	$z_2^{\langle 1 \rangle}$	$\cdots$	$z_j^{\langle 1 \rangle}$	$\cdots$	$z_n^{\langle 1 \rangle}$	

<표 2-48>의 제1차 잠정거래행렬 $M^{\langle 1 \rangle}$에서 행 합계인 중간 수요계($w^{\langle 1 \rangle}$)를 <표 2-47> 예측연도 추계표의 중간수요계($_tw$)와 비교하여 불일치하면, 잠정거래에 대한 대체효과인 제1차 행수정계수 $r^{\langle 1 \rangle}$행렬을 구하여 다음 식으로 제2차 잠정거래행렬 $M^{\langle 2 \rangle}$을 작성한다.

$$M^{\langle 2 \rangle} = \hat{r}^{\langle 1 \rangle} M^{\langle 1 \rangle} = \hat{r}^{\langle 1 \rangle} \left(A^0 {}_t\hat{x} \right) \quad (2-30)$$

여기서, $\hat{r}^{\langle 1 \rangle}$: 제1차 행수정계수의 대각행렬

$$r_i^{\langle 1 \rangle} = \frac{{}_tw_i}{w_i^{\langle 1 \rangle}}$$

제2차 잠정거래행렬 $M^{\langle 2 \rangle}$을 아래 <표 2-49>에 나타내었다.

〈표 2-49〉 제2차 잠정거래행렬($M^{\langle 2 \rangle}$) 예시

상품 \ 상품		중 간 수 요					중간수요계 ($w^{\langle 2 \rangle}$)
		1	2	$\cdots$	j	$\cdots$	n	
중간 투입	1	$x_{11}^{\langle 2 \rangle}$	$x_{12}^{\langle 2 \rangle}$	$\cdots$	$x_{1j}^{\langle 2 \rangle}$	$\cdots$	$x_{1n}^{\langle 2 \rangle}$	$w_1^{\langle 2 \rangle}$
	2	$x_{21}^{\langle 2 \rangle}$	$x_{22}^{\langle 2 \rangle}$	$\cdots$	$x_{2j}^{\langle 2 \rangle}$	$\cdots$	$x_{2n}^{\langle 2 \rangle}$	$w_2^{\langle 2 \rangle}$
	$\vdots$	$\vdots$	$\vdots$		$\vdots$		$\vdots$	$\vdots$
	i	$x_{i1}^{\langle 2 \rangle}$	$x_{i2}^{\langle 2 \rangle}$	$\cdots$	$x_{ij}^{\langle 2 \rangle}$	$\cdots$	$x_{in}^{\langle 2 \rangle}$	$w_i^{\langle 2 \rangle}$
	$\vdots$	$\vdots$	$\vdots$		$\vdots$		$\vdots$	$\vdots$
	n	$x_{n1}^{\langle 2 \rangle}$	$x_{n2}^{\langle 2 \rangle}$	$\cdots$	$x_{nj}^{\langle 2 \rangle}$	$\cdots$	$x_{nn}^{\langle 2 \rangle}$	$w_n^{\langle 2 \rangle}$
중간투입계($z^{\langle 2 \rangle}$)		$z_1^{\langle 2 \rangle}$	$z_2^{\langle 2 \rangle}$	$\cdots$	$z_j^{\langle 2 \rangle}$	$\cdots$	$z_n^{\langle 2 \rangle}$	

여기에서는 <표 2-49>의 제2차 잠정거래행렬 $M^{\langle 2 \rangle}$에서 열합계인 중간투입계($z^{\langle 2 \rangle}$)를 <표 2-47> 예측연도 추계표의 중간투입계($_t z$)와 비교하여 불일치하면, 가공도 변화효과인 제1차 열수정계수 $s^{\langle 1 \rangle}$행렬을 구하여 다음 식으로 제3차 잠정거래행렬 $M^{\langle 3 \rangle}$을 작성한다.

$$M^{\langle 3 \rangle} = M^{\langle 2 \rangle} \hat{s}^{\langle 1 \rangle} = \left[\hat{r}^{\langle 1 \rangle} \left(A^0 {}_t \hat{x} \right) \right] \hat{s}^{\langle 1 \rangle} \qquad (2-31)$$

여기서, $\hat{s}^{\langle 1 \rangle}$: 제1차 열수정계수의 대각행렬

$$s_i^{\langle 1 \rangle} = \frac{{}_t z_i}{z_j^{\langle 1 \rangle}}$$

제3차 잠정거래행렬 $M^{\langle 3 \rangle}$을 아래 <표 2-50>에 나타내었다.

〈표 2-50〉 제3차 잠정거래행렬($M^{\langle 3 \rangle}$) 예시

상품＼상품		중 간 수 요					중간수요계 ($w^{\langle 3 \rangle}$)
		1	2	$\cdots$	j	$\cdots$ n	
중간투입	1	$x_{11}^{\langle 3 \rangle}$	$x_{12}^{\langle 3 \rangle}$	$\cdots$	$x_{1j}^{\langle 3 \rangle}$	$\cdots$ $x_{1n}^{\langle 3 \rangle}$	$w_1^{\langle 3 \rangle}$
	2	$x_{21}^{\langle 3 \rangle}$	$x_{22}^{\langle 3 \rangle}$	$\cdots$	$x_{2j}^{\langle 3 \rangle}$	$\cdots$ $x_{2n}^{\langle 3 \rangle}$	$w_2^{\langle 3 \rangle}$
	$\vdots$	$\vdots$	$\vdots$		$\vdots$	$\vdots$	$\vdots$
	i	$x_{i1}^{\langle 3 \rangle}$	$x_{i2}^{\langle 3 \rangle}$	$\cdots$	$x_{ij}^{\langle 3 \rangle}$	$\cdots$ $x_{in}^{\langle 3 \rangle}$	$w_i^{\langle 3 \rangle}$
	$\vdots$	$\vdots$	$\vdots$		$\vdots$	$\vdots$	$\vdots$
	n	$x_{n1}^{\langle 3 \rangle}$	$x_{n2}^{\langle 3 \rangle}$	$\cdots$	$x_{nj}^{\langle 3 \rangle}$	$\cdots$ $x_{nn}^{\langle 3 \rangle}$	$w_n^{\langle 3 \rangle}$
중간투입계($z^{\langle 3 \rangle}$)		$z_1^{\langle 3 \rangle}$	$z_2^{\langle 3 \rangle}$	$\cdots$	$z_j^{\langle 3 \rangle}$	$\cdots$ $z_n^{\langle 3 \rangle}$	

여기에서 또 <표 2-50>의 제3차 잠정거래행렬 $M^{\langle 3 \rangle}$에서 행합계인 중간수요계($w^{\langle 3 \rangle}$)를 <표 2-47> 예측연도 추계표의 중간수요계($_t w$)와 비교하여 일치여부를 확인한다.

이와 같은 행과 열의 수정 계산을 $w^{\langle n \rangle} = {}_t w$, $z^{\langle n \rangle} = {}_t z$가 될 때까지 식 (2-30)과 식 (2-31)을 반복하여 산출하고, 일치할 때의 잠정거래행렬 $M^{\langle n \rangle}$이 예측연도의 투입계수행렬 A^n이 된다. 즉, 예측연도의 연장표가 작성된 것이다.

그러나 위의 예시와 같은 반복적인 계산 결과 이 중간수요계와 중간투입계의 두 식($w^{\langle n \rangle} = {}_t w$, $z^{\langle n \rangle} = {}_t z$)을 동시에 만족하는 행렬을 만들기는 쉬운 일이 아니므로 일정한 수렴조건에 의하여 행수정계수 r과 열수정계수 s가 거의 1에 가까운 값을 취할 때까지 반복하는 것이 일반적이다.

한편 반복계산의 각 단계에서의 행수정계수 r과 열수정계수 s를 각각 곱하면 다음과 같이 기준연도와 연장표 예측연도 간 대체효과인 행수정계수 R과 가공도 변화효과인 열수정계수 S를 얻게 된다.

$$R_i = r_i^{\langle 1 \rangle} \times r_i^{\langle 2 \rangle} \times \cdots \times r_i^{\langle k \rangle} \times \cdots \times r_i^{\langle n \rangle} = \prod_{k=1}^{n} r_i^{\langle k \rangle}$$

$$S_i = s_i^{\langle 1 \rangle} \times s_i^{\langle 2 \rangle} \times \cdots \times s_i^{\langle k \rangle} \times \cdots \times s_i^{\langle n \rangle} = \prod_{k=1}^{n} s_i^{\langle k \rangle}$$

이렇게 계산된 R, S를 아래 식과 같이 기준연도의 투입계수 A^0에 적용하여 계산하면 예측연도의 투입계수 $_tA$이 산출된다.

$$_tA = \hat{R} A^0 \hat{S} \quad (2-32)$$

여기서, $\hat{R}$: R_i를 대각요소로 하는 대각행렬
$\hat{S}$: S_i를 대각요소로 하는 대각행렬

수정 RAS 방법(Modified RAS Method)

수정 RAS 방법(Modified RAS Method)은 단순 RAS 방법과 거의 유사하나 단순 RAS 방법의 한계인 행 또는 열의 각 원소들의 변화 방향이 다른 경우 행 변환 계수(R계수)와 열변화계수(S계수)에 의해 투입계수의 조정에서 심한 편차가 발생하는 것을 극복하기 위한 방법으로, 특정 산업에 대한 중간투입액을 직접조사나 기초통계 등으로 추계하여 활용한다.

수정 RAS 방법의 설명을 위하여 <표 2-51>과 같이 3개 부문으로 구성된 구체적인 수치를 표현한 기준연도 투입산출표 A^0를 예시로 나타내었다.

〈표 2-51〉 기준연도 투입산출표(A^0) 예시

상품＼상품		중 간 수 요 1	2	3	중간수요계 (w)	최종수요 (y)	총산출 (x)
중간투입	1	60	90	0	150	50	200
	2	40	60	20	120	180	300
	3	20	60	40	120	80	200
중간투입계(z)		120	210	60	390	310	700
부가가치(v)		80	90	140	310		
총투입(x)		200	300	200	700		

또한 단순 RAS 방법과 동일하게 예측연도 추계표의 구성도 예측연도의 중간수요계($_tw$), 중간투입계($_tz$), 총투입액($_tx$) 등을 추계하며 추가로 특정 산업에 대한 중간투입액을 직접조사나 기초통계 등으로 추정하여 기록한다. <표 2-52>에 산업 1에 대한 산업 2의 투입액을 30으로 추계한 예측연도의 추계표 예시를 나타내었다.

〈표 2-52〉 예측연도 추계표 예시

상품＼상품		중 간 수 요 1	2	3	중간수요계 ($_tw$)	최종수요 ($_ty$)	총산출 ($_tx$)
중간투입	1				160	40	200
	2	30			160	240	400
	3				140	160	300
중간투입계($_tz$)		120	260	80	460	440	900
부가가치($_tv$)		80	140	220	440		
총투입($_tx$)		200	400	300	900		

수정 RAS 방법은 <표 2-52>에 중간투입액으로 직접 추계한 산업 1에 대한 산업 2의 투입액 30을 투입계수행렬 A^0 및 중간투입계($_tz$)와 중간수요계($_tw$)에서 제외하고, 단순 RAS 방법과 동일한 절차를 거치고 난 후, 해당란에 제외한 투입액(30)을 대체하여 연장표를 작성하는 방법이다.

따라서 수정 RAS 방법을 진행하기 전에 예측연도 추계표를 <표 2-52>에서 <표 2-53>과 같이 수정한다.

<표 2-53> 수정한 추계표 예시

상품 \ 상품		중 간 수 요			중간수요계 ($_tw$)
		1	2	3	
중간투입	1				160
	2	0			130
	3				140
중간투입계($_tz$)		90	260	80	

이제 <표 2-53>의 수정한 추계표를 기준으로 수정 RAS 방법을 진행하면, 제1차 잠정거래행렬 $M^{\langle 1 \rangle}$을 아래 식으로 산출하고, 그 결과를 <표 2-54>에 나타내었다.

$$M^{\langle 1 \rangle} = A^0_{\not\ni\, ij}\, {_t\hat{x}} \qquad (2-33)$$

여기서, $A^0_{\not\ni\, ij}$: A^0에서 외생적으로 추계된 $(i,\ j)$요소
를 0으로 바꾼 행렬(본 예에서는 a^0_{21})

$_t\hat{x}$: 추계표 $_tx$를 대각요소로 하는 대각행렬

⟨표 2-54⟩ 제1차 잠정거래행렬 $M^{\langle 1 \rangle}$

상품＼상품		중 간 수 요			중간수요계 $(w^{\langle 1 \rangle})$	행수정계수 $(r^{\langle 1 \rangle})$
		1	2	3		
중간투입	1	60	120	0	180	0.89
	2	0	80	30	110	1.18
	3	20	80	60	160	0.88

<표 2-54>의 중간수요계($w^{\langle 1 \rangle}$)와 <표 2-53>의 중간수요계 ($_t w$)가 불일치하므로, 단순 RAS 방법에서 살펴본 제1차 행수정계수 $r^{\langle 1 \rangle}$행렬을 활용한 식 (2-30) $M^{\langle 2 \rangle} = \hat{r}^{\langle 1 \rangle} M^{\langle 1 \rangle}$으로 제2차 잠정거래행렬 $M^{\langle 2 \rangle}$를 작성한다. 그 결과는 <표 2-55>에 나타내었다.

⟨표 2-55⟩ 제2차 잠정거래행렬 $M^{\langle 2 \rangle}$

상품＼상품		중 간 수 요		
		1	2	3
중간투입	1	53.33	106.67	0.00
	2	0	94.55	35.45
	3	17.50	70.00	52.50
중간투입계($z^{\langle 1 \rangle}$)		70.83	271.21	87.95
열수정계수($s^{\langle 1 \rangle}$)		1.27	0.96	0.91

<표 2-55>의 중간투입계($z^{\langle 1 \rangle}$)와 <표 2-53>의 중간투입계($_t z$)가 불일치하므로, 제1차 열수정계수 $s^{\langle 1 \rangle}$행렬을 활용한 식 (2-31) $M^{\langle 3 \rangle} = M^{\langle 2 \rangle} \hat{s}^{\langle 1 \rangle}$로 제3차 잠정거래행렬 $M^{\langle 3 \rangle}$를 작성한다. 그 결과는 <표 2-56>에 나타내었다.

〈표 2-56〉 제3차 잠정거래행렬 $M^{\langle 3 \rangle}$

상품＼상품		중 간 수 요			중간수요계 $(w^{\langle 2 \rangle})$	행수정계수 $(r^{\langle 2 \rangle})$
		1	2	3		
중간투입	1	67.76	102.26	0.00	170.02	0.94
	2	0.00	90.64	32.25	122.88	1.06
	3	22.24	67.11	47.75	137.09	1.02

이렇게 제3차의 변환을 하였지만 〈표 2-56〉의 중간수요계 ($w^{\langle 1 \rangle}$)와 〈표 2-53〉의 중간수요계($_t w$)가 일치하지 않는다. 따라서 단순 RAS 방법과 동일하게 행수정계수(r)와 열수정계수(s)가 1에 근접할 때까지 반복계산한다. 반복계산 결과 행은 5차, 열은 4차로서 모두 9차의 반복계산을 거쳐 수정계수 r과 s가 1에 귀착되었다.

제9차 잠정거래행렬($M^{\langle 9 \rangle}$)로 만들어진 잠정거래행렬표에 계산을 시작하면서 외생적으로 수정한 요소 30을 해당란에 대체하여 최종적으로 만든 예측연도 연장표는 〈표 2-57〉과 같이 도출한다.

〈표 2-57〉 예측연도 연장표(수정 RAS 방법 활용)

상품＼상품		중 간 수 요			중간수요계 $(_t w)$	최종수요 $(_t y)$	총산출 $(_t x)$
		1	2	3			
중간투입	1	65.9	94.1	0	160	40	200
	2	30	96.9	33.1	160	240	400
	3	24.1	69	46.9	140	160	300
중간투입계($_t z$)		120	260	80	460	440	900
부가가치($_t v$)		80	140	220	440		
총투입($_t x$)		200	400	300	900		

제3장
산업연관분석 사례

1

경제구조 분석 연구 사례

경제구조란 한 나라나 지역 내에서 경제활동의 구성과 조직으로 표현하며 주로 산업구조, 고용구조, 소비구조, 수출 및 수입구조, 자본구조 등 경제체제의 핵심 구성요소와 그들 간의 관계를 나타낸다.

산업연관표를 활용한 경제구조 분석은 공급사용표를 활용하여 경제 내 다양한 산업부문 간의 상호작용과 종속성을 이해하고 분석하는 방법으로서 이를 통해 특정 국가나 지역의 경제구조를 파악하고, 산업 간의 연결성과 영향력을 이해하며 시계열분석으로 주요 성장요인의 변화 등을 살펴볼 수 있다. 이 절에서는 산업연관표를 활용한 경제구조 분석 연구 사례를 살펴본다.

① 산업연관분석을 이용한 한국경제의 산업구조변화와 성장요인 분석(1995~2008년)

■ 조병도 · 정준호(2011), 산업경제연구, 24(6):3433-3456

본 논문은 1995~2000~2005~2008년 접속산업연관표를 이용하여 1995~2008년을 대상기간으로 산업구조변화를 살펴보고 Miller and Blair(2009)에서 제시된 산업연관모형을 활용하여 수요변화와 기술구조변화의 각 요인들이 우리나라의 산업성장에 미친 영향에 대하여 실증적으로 분석한 연구이다.

그 결과를 보면 산업 성장에 대한 기여율은 수출(55.4%), 소비(40.1%), 투자(4.6%), 생산유발계수변화(-0.1%) 순으로 나타났다. 수출이 가장 큰 산업 성장요인으로 나타난 것은 1995~2008년 중 수출증가액이 소비나 투자의 증가액에 비해 훨씬 크고 또한 수출의 생산유발계수가 평균적으로 소비나 투자의 생산유발계수 보다 높았기 때문이다. 소비가 수출 다음으로 산업 성장에 큰 기여율을 보인 것은 수출이나 투자에 비해 상대적으로 그 생산유발계수는 낮으나 1995~2008년 중 소비증가액이 수출증가액 다음으로 높았는데 기인한다. 투자가 수출 및 소비에 비해 낮은 기여율을 나타낸 것은 수송 장비와 건설투자의 부진으로 투자의 증가액이 수출이나 소비의 증가액에 비해 너무 낮았기 때문이다.

기술구조변화인 생산유발계수의 변화는 1990년대 후반에는 생산을 증가시킨 반면 2000년 이후에는 생산의 감소요인으로 작용하였다. 특히 외환위기가 포함된 1995~2000년 중에는 투자의 기여율은 건설투자 감소 등으로 마이너스 기여율인 -13.0%를 나타냈으며, 글로벌 금융위기의 발생에 따라 2005~2008년 중에도 건설 등 투자 부진으로 투자의 기여율은 2.1%에 머물렀다.

이러한 분석결과를 토대로 한국경제가 지속적으로 성장을 하기 위해서는 첫째, 전기 및 전자기기, 수송장비, 철강 등의 제조업을 중심으로 경쟁력 향상을 통한 수출의 지속적인 증대,

둘째, 생산자서비스부문(부동산 및 사업서비스, 금융 및 보험, 통신 및 방송 등)의 육성 및 사회서비스부문(교육 및 보건, 공공행정 및 국방 등)의 육성을 중심으로 경제의 서비스화를 통한 서비스업의 질적 성장이 요구되며, 셋째, 수송장비에 대한 투자 부진 및 글로벌 금융위기에 따른 주택건설에 대한 투자 부진의 개선, 넷째, 수출 증대와 전산업의 전방연관효과를 상승시키는 데 필요한 부품·소재의 국산화와 이를 위한 대기업과 중소기업 간의 공동기술개발 등의 상생협력이 필요하다.

② 산업연관표를 이용한 권역별 산업 성장의 구조변화분석
■ 박승규 · 김의준(2009), 경제연구, 2009:79-103

본 연구는 기존 일자리 창출 및 산업성장구조 관련 연구의 한계였던 권역별 구분과 총 산업 이용에 대한 보완으로써, 1995년~2005년의 전체 산업을 대상으로 권역별 산업연관표를 추정하고, 이를 통한 취업계수변화와 국내수요증감효과, 수출증가효과, 중간재수요효과, 수입대체효과로 분해한 산업구조변화를 고려하여 총고용자변화를 분석하는 것을 목적으로 한다.

본 연구의 구조변화분석을 위해서 1995년, 2000년, 그리고 2005년 한국은행의 경상가격 산업연관표를 부문별 물가지수를 이용하여 2005년 산업연관표로 불변화시켰으며, 산업구조효과와 취업계수효과로 구분하여 고용자 변화에 대한 요인분석을 시도하였다. 권역별 구분을 위해서는 2003년 지역별 산업연관표의 권역을 산출액을 기준으로 구분하여 권역별로 구분되지 않은

1995년에 적용하여 사용하였다. 이를 이용하여 기간별·산업별·권역별 산업성장 주요요인과 고용자 변동의 주요요인 분해를 시도하였다.

이러한 고용 변동요인의 구조적인 분해는 특정 산업에서의 구조적인 변화요인이 산업을 성장하게 하며, 산업별 고용자의 이동 및 변화 추이에 대한 근거를 제시한다.

6개 권역의 28개 산업에 대한 실증분석결과, 권역별 산업성장은 취업계수 변화보다 산업구조변화에 의해 영향을 받는 것으로 분석되었다. 또한, 산업성장은 산업구조 변화요인 중 국내수요증감효과와 중간재 수요효과에 의해 주도되는 것으로 분석되었으며, 중간재수요효과보다는 국내수요증감효과가 산업의 성장을 결정하는 것으로 분석되었다. 2000년~2005년 고용자의 수도권 집중은 1995년~2000년보다 심화되었으며, 기술 집적에 따라 2차 산업과 3차 산업으로 고용자가 증가하는 실증적 분석결과를 제시하였다.

따라서 향후 정부의 일자리 창출에 대한 고려는 직면한 경기 변동 및 불안정 외에 지역별 및 산업별 구조변화의 영향요인을 체계적으로 고려한 접근이 필요하다.

③ **산업연관분석을 활용한 한국 소비재산업의 구조변화 및 기술구조변화지수 추이 분석**

■ 박재운(2012), 국제통상연구, 17(1):1-24

본 연구의 목적은 한국 소비재산업의 산업연관지표를 확인하고,

구조변화지수 및 기술변화지수의 추이 및 그 특징을 분석하는 것이다.

본 연구는 한국은행의 기준에 따라 투입산출표 350부문 중 총 29개 세분류 및 음식료업, 섬유/가죽 제품, 목재/종이 제품, 인쇄/복제, 기타 제조업 제품 등 5개 중분류 부문을 소비재산업으로 분류하고, 1995, 1998, 2000, 2003, 2005, 2007, 2009년의 산업연관표를 접속불변산업연관표로 작성하여 소비재산업의 구조변화 및 기술변화지수 추이를 분석하였다.

분석결과, 소비재산업의 총산출 및 부가가치의 경제 내 비중은 1995년 이후 점차 감소하고 있고 중간투입률, 국산 중간투입률은 2000년 이후 점차 낮아지고 있으며, 이로 인해 생산유발효과도 낮아지고 있다. 그리고 소비재산업은 전방연관효과가 후방연관효과에 비해 크며, 전방연관효과의 경우 1998년 이후 크게 확대되었다.

구조변화지수 분석결과 총산출 기준 구조변화지수는 1998 ~2000년이 가장 높은 시기였으며, 이후 지수가 크게 하락하였고, 부가가치 기준 구조변화지수는 1995~1998년 가장 높았으나 이후 지속적으로 하락하였으며 외환위기 이후 하락 폭이 크게 확대되었다.

한편 소비재산업의 기술구조변화지수는 비교적 최근인 2005 ~2007년이 가장 높았다. 이는 소비재산업이 최근 중간수요율이 높아지면서 중간투입구조의 변화가 진행되고 있음을 의미한다.

④ 접속불변에너지산업연관표 OO-O5-O8 을 이용한
산업별 에너지소비 변화량의 구조분해분석

■ 김윤경 · 장운정(2011), 자원 · 환경경제연구, 20(2):255-291

본 논문은 2000년, 2005년, 2008년의 3개년을 대상으로 접속
불변에너지산업연관표(76개의 산업분류)를 작성하여 집계통계와
함께 산업별 미시적 통계를 제시하고, 이를 이용하여 산업별로
에너지소비량의 변화에 영향을 미치는 요인과 그 크기를 분석하
였다.

본 논문에서 부가가치 총액 변화, 부가가치 비중 변화, 산출
구조 변화, 에너지원단위 변화의 4가지 요인을 고려하였다. 분석
모형으로는 우리나라가 수출주도형의 산업구조를 갖고 있다는 점을
고려하여 공급측 모형을 이용한 구조분해분석을 적용하였다.

집계통계를 이용한 분석결과에 따르면 시기에 상관없이 부가
가치 총액 변화는 에너지소비량을 증가시켰지만, 산출구조 변화는
에너지소비 변화량을 감소시켰다. 부가가치 비중 변화와 에너지
원단위 변화에서는 시기별로 에너지소비 변화량의 증감이 반대로
도출되었다.

산업별 통계를 이용한 결과에 따르면 부가가치 비중 변화는
시점과 상관없이 전자기기에서 에너지소비 변화량을 증가시키고,
석유제품, 시멘트, 석탄제품에서 에너지소비량을 감소시켰다.
그리고 에너지원단위 변화는 석유제품, 화력, 사업서비스, 금융
및 보험, 보관 및 운수관련서비스에서의 에너지원단위 변화가
에너지소비 변화량을 증가시켰다.

이상의 결과처럼 집계통계를 이용하면 각 산업에서의 현상이 나타나지 않는다. 정부가 정책을 입안하고 시행할 때에 집계통계만을 기준으로 하면 효율적 성과를 거두기 어렵다.

⑤ 한국 ICT 제조업의 고용유발효과 변화 추이 분석: 산업연관표 부속 고용표를 중심으로

■ 박재운·김기홍(2010), 국제경제연구, 16(3):157

본 연구의 목적은 불변산업연관표 및 부속 고용표를 이용하여 한국 ICT 제조업의 최종수요 항목별 고용유발효과를 분석한 뒤, 이와 관련한 정책방향을 제시하는 것이다.

분석결과로 첫째, ICT 제조업의 총고용, 피용자 그리고 자영업자 수는 2005년까지 완만한 증가추세를 보였으나 2005년 이후 감소세로 돌아서고 있다. 둘째, 최종수요에 의한 고용유발인원 역시 2005년을 정점으로 감소추세로 접어들고 있다. 즉, ICT 제조업은 총수급관련지표 상 지속적으로 성장하고 있지만 그에 상응하는 정도의 고용증가는 이루어지지 않고 있다. 또, 최종수요 항목 중 수출수요에 의한 고용유발인원은 지속적으로 증가하고 있지만 소비나 투자수요에 의한 고용유발인원은 감소하고 있다. 넷째, 고용유발계수는 지속적으로 급격히 하락하고 있다. 특히 수출수요에 의한 고용유발계수의 하락속도가 소비나 투자수요의 그것보다 빨라지고 있다.

이는 결국 우리 경제에서 상당한 위상을 차지하는 ICT 제조업의 수출 증가가 국내 고용문제를 해결하는 열쇠가 되지 못함을 시사한다. 이런 문제를 해결하기 위해서는 주요 부품소재의 수입의존도를 낮추어 중간투입재의 국산화율을 높이고 관련 생산자 지원 서비스 부문을 획기적으로 발전시키며 신성장동력과 ICT 제조업을 긴밀히 연결시켜 ICT 융·복합산업을 발전시켜야 한다.

⑥ 시계열 산업연관표를 통해 본 우리나라 건설산업의 특징과 시사점

■ 빈재익(2010), 한국건설산업연구원 ISSUE FOCUS 2010, 1-25

우리 경제가 외환위기와 최근 금융위기를 겪는 과정에서 건설산업이 경험한 변화를 1995-2000-2005-2008년의 산업연관표 분석을 통해 기술하고자 한다.

연구결과 생산유발계수나 영향력계수를 통해 확인된 것처럼 건설산업의 후방연쇄효과는 1995/2000/2005년 기간에서 지속적으로 하락하다 2005/2008년 기간에서는 상승하였으며, 감응도계수가 나타내는 전방연쇄효과는 1995/2000/2005/2008년 기간에서 지속적으로 하락하였다.

경기와 역관계를 갖는 정부의 사회간접자본시설에 대한 투자에도 불구하고, 건설산업의 산출액은 주택, 비주택 건설, 기타 특수 건설 등 민간부문 영역에서 산출액 변화와 같은 추이를 보였다.

이는 사회간접자본에 대한 재정투자가 효율적이기 위해서는 향후 사회간접자본 투자계획은 고답적인 방식으로 이루어지지 않아야 한다는 결론을 추론할 수 있다.

⑦ 구조분해분석을 통한 철도산업의 성장요인 분석

■ 박철민(2019), 한국철도학회 논문집, 22(3):249-259

본 연구의 목적은 철도산업이 1975~2009년간 어떠한 요인으로 인해 성장해왔는지 구조분해분석모형을 통해 분석하고, 그로부터 정책적 시사점을 제시하는 것이다.

이를 위해, 먼저 철도산업을 철도차량, 철도운송, 철도시설의 3개 부문으로 분류한 후, 접속불변산업연관표를 이용하여 요인별 성장기여율을 계측하였다.

분석결과, 철도산업의 성장은 산업별 또는 기간별로 성장기여율 변화 추이가 상이한 것으로 나타났으나, 공통적으로는 그 성장이 국내 최종수요에 의해 주도된 것으로 나타났다. 다만, 철도차량은 민간 고정자본형성, 철도운송은 민간소비지출, 철도시설은 정부 고정자본형성이 큰 영향을 미쳤다는 점에 차이를 보이고 있다.

아울러 수출수요와 수입대체 또한 철도차량 및 철도운송산업에 있어서 중요한 성장요인으로 최근 부상하고 있는 바, 철도산업의 지속적인 성장을 위해서는 현재의 최종수요에 의존적인 구조에서 벗어나 성장요인의 다변화를 모색할 필요가 있다.

■ 이영수 · 홍필기 · 서환주(2021), 정보화연구, 18(2):105-114

⑧ 산업연관표를 활용한 정보통신 기술과 로봇기술의 확산 분석

기술혁신의 성장과 경쟁력 향상에 기여는 혁신 이후 신기술이 연구소에서 머무르지 않고 다양한 경제주체들에 의하여 채택되고 활용되어야만 현실화될 수 있다. 이러한 문제의식에서 본 연구에서는 ICT와 산업용 로봇기술의 산업별 확산 수준을 산업연관표의 중간투입률을 이용하여 추산하였다.

우선 ICT 확산에 대한 중요한 결과를 요약하면 다음과 같다. 제조업과 서비스업이 균등한 ICT 확산 추세를 보이고 있으나 제조업이나 서비스업 내부에서는 산업별로 불균등한 확산 추세를 보였다. 예를 들어 제조업의 경우 고위기술 산업군의 ICT 중간투입률이 47.8%인 반면 중저위기술 산업군은 0.7%에 불과하여 제조업 내부에서도 ICT 확산률에 많은 차이가 있음을 확인할 수 있었다.

산업 전체로는 로봇의 중간투입률이 2016년 기준으로 0.019% 수준으로 ICT의 확산이 로봇에 비하여 약 45배가량 높은 것으로 나타났다. 따라서 로봇기술의 확산은 ICT에 비하여 초보단계로 평가된다.

서비스업과 제조업 사이에도 많은 격차를 보이는데, 제조업의 산업 로봇 확산이 서비스업에 비하여 14배 높은 것으로 나타났다. 상대적으로 로봇기술의 확산 수준이 높다고 평가되는 제조업도 특정 산업 즉 중고위기술 산업군이 확산을 주도하고 있다고 평가되어 제조업 내부에서도 확산의 불균등성이 높게 나타났다.

⑨ 한국형 리쇼어링 정책을 위한 산업연관분석 기반의 리쇼어링 영향지수 설계

■ 김태형·김민수(2022), 한국전자거래학회지, 27(3):127-138

리쇼어링은 해외 진출 기업의 본국 이전을 의미하는 활동으로, 자국 산업을 보호하고 국가경제를 활성화하기 위한 핵심 전략 중의 하나이다.

우리나라는 2012년부터 리쇼어링 촉진 정책을 추진하고 있으나, 유턴 기업의 수는 주요 선진국들과 비교하면 아직까지 미미한 수준이다. 핵심산업 분야에서 생산기지의 이전은 기업 차원뿐만 아니라 국가 차원에서도 중요하게 다루어야 할 사안으로, 리쇼어링 촉진 정책의 성공을 위해서는 리쇼어링이 실제로 나타나고 있는지를 정량적으로 파악할 필요가 있다.

리쇼어링 효과를 파악하기 위한 기존의 지표들은 미국 제조업의 역외 생산 의존도를 기초로 한 것으로, 한국의 산업에 그대로 적용하기에는 무리가 있으며, 제조업을 포함하여 전체 산업에 걸쳐 리쇼어링 영향을 파악하는 데에도 일부 한계를 보인다.

본 연구에서는 산업연관표상의 수입중간재 비중을 부가가치 유발계수와 결합하여 리쇼어링의 영향을 보다 종합적으로 파악할 수 있는 두 가지의 리쇼어링 영향지수를 설계하였다.

두 영향 지수는 미국과 한국에 대해서 대체로 유사한 추세적 움직임을 보였으나, 기존의 리쇼어링 지수와는 다른 흐름을 보였다. 이는 산업별로 국가경제에 미치는 영향에 따라 중간재 수입 비중을 조정하는 부가가치유발계수의 결과로 해석할 수 있겠다.

본 연구결과를 토대로 국내 산업의 리쇼어링 추세를 파악하고, 개별 산업의 리쇼어링 효과에 대한 분석이 심도있게 진행된다면, 선택과 집중을 통해 촉진 정책의 효과적인 추진이 가능할 것으로 기대된다.

⑩ 북한의 산업연관표와 북한산업의 전,후방연관효과

■ 신동천·이혁·김용균(2014), 통일연구, 18(2):37-65

북한의 제한된 투자재원을 이용하여 경제성장을 꾀하기 위해서는 현재의 북한경제 상황에서 경제적 파급효과가 큰 산업에 투자되어야 한다.

일반적으로 북한의 투자우선순위 결정에 사용되는 기준 중 하나인 전방 및 후방연관효과를 측정하기 위해서 본 논문에서는 최근의 북한산업연관표를 추정하였다.

추정된 북한의 산업연관표로부터 북한산업의 전방 및 후방연관효과를 분석한 결과는 북한의 경공업과 일차금속산업의 전방 및 후방연관효과가 모두 높고 기계, 전자산업을 제외한 대부분의 중화학공업은 전방연관효과는 높으나 후방연관효과는 낮은 것으로 나타났다. 농림수산업과 서비스산업 등은 반대로 후방연관효과는 높으나 전방연관효과는 낮은 것으로 평가되었으며 기계, 전자산업은 전·후방연관효과가 모두 낮아 투자우선순위가 낮은 것으로 평가되었다.

본 논문에서 추정된 최근의 북한산업연관표는 이전의 연구결과들을 사전적 정보로 이용하였기 때문에 과거의 북한산업구조가 간접적으로 반영되었다. 물론 북한경제의 발전 추이를 고려할 때 북한경제가 2000년대 이후 크게 변동하였다고는 볼 수 없으나 한국과 같이 몇 년 동안의 직접적인 조사와 연구를 통하여 발표되는 산업연관표의 질적인 수준까지 만족하게 할 수 없다. 따라서 이에 따른 분석상의 오류도 있을 수 있음을 부인할 수 없다. 향후 북한경제에 관한 보다 정확한 통계자료의 발굴과 연구가 필요한 이유이기도 하다.

⑪ 산업연관분석을 이용한 중국의 산업 및 기술구조 변화요인 분석

■ 왕춘뢰·최용재(2021), 아시아연구, 24(4):65-85

본 연구에서는 1987년부터 2017년까지 중국의 산업연관표를 이용해 산업구조 현황과 특징을 살펴보고, 산업 및 기술구조 변화요인을 소비, 투자 및 수출로 구성된 최종수요 항목별 기준으로 분석하였다.

본 연구의 주요 결론을 요약하면 다음과 같다.

첫째, 분석기간 동안 전 산업을 대상으로 산업 및 기술구조

변화요인을 분석한 결과, 산업구조 변화요인은 소비가 72%를 차지하여 산업구조 변화는 대부분 소비 변화로부터 기인하였다. 그러나 2000년대 전후 소비의 설명력이 약화 되었는데, 그 이유는 경기 침체로 인한 민간소비 둔화와 중국 정부의 수출 주도형 성장 전략과 투자 활성화 정책에 기인한 것으로 판단된다.

둘째, 산업별 산업 및 기술구조 변화요인을 분해한 결과, 제조업은 소비가 약 2,541억 위안으로 산업구조 변화에 가장 큰 영향을 미친 것으로 나타났으며, 수출 역시 약 2,451억 위안으로 산업구조 변화에 중요한 영향을 미친 것으로 나타났다. 서비스업은 약 2,206억 위안의 소비 변화가 산업구조 변화에 기인하고, 투자와 수출은 각각 709억, 871억 위안의 변화가 산업구조 변화에 기여한 것으로 나타났다. 이는 산업 특성상 서비스업은 중간투입보다는 최종 소비재로 사용되기 때문에 이러한 결과가 나타난 것으로 판단된다.

셋째, 산업별 기술구조 변화요인을 최종수요 항목별로 분해한 결과, 제조업의 경우 소비의 405억 위안 증가가 기술구조 변화요인으로 작용한 것으로 나타났으며, 수출보다는 투자가 기술구조 변화를 주도한 것으로 나타났다. 기술구조 변화에 있어서도 소비가 가장 중요한 역할을 한 것으로 분석되었으며, 제조업 보다는 서비스업에서 소비의 역할이 중요했던 것으로 분석되었다.

넷째, 세부 산업별로 산업 및 기술구조 변화요인을 최종수요 항목별로 분해한 결과, 최종수요 변화요인 중 소비의 기여도가 특히 큰 산업으로는 농림어업, 음식료품, 화학제품, 운수 및 보관, 도소매업, 교육 및 보건 등을 들 수 있으며, 투자의 역할이 중요했던 산업으로는 일반 및 특수장비제조업, 교통운송장비, 전기기계 및 장비, 운수 및 보관, 도소매업, 교육 및 보건 등을 들 수 있다. 한편 수출의 기여도가 큰 산업으로는 화학제품, 일반 및 특수장비제조업, 도소매업 등을 들 수 있다. 기술구조 변화요인에 대한 최종수요 항목별로 살펴보면 산업구조변화와 마찬가지로 소비가 가장 중요한 역할을 하고 있으나, 산업구조 변화요인과 달리 수출 보다는 투자의 역할이 중요하였다.

⑫ 산업연관분석에 의한 한국 제조업의 수입의존 구조변화와 특징

■ 이홍배(2012), 기업과혁신연구, 5(1):91-111

본 연구는 2000년부터 2008년까지를 대상으로 산업연관분석의 기본모형을 도입하여 국내 제조업의 생산 및 수입의존 구조의 변화와 함께 수출과 수입구조의 상호의존관계를 관찰하고 있다.

실증분석결과, 국내 제조업의 품목별 수출 비중과 수입 비중은 모든 기간 동안 전체 산업에 비하여 상대적으로 매우 높게 나타나, 국내 제조업의 품목별 수출 증가(감소)는 수입 증가(감소)로 이어지는 상호의존관계가 관찰되었다. 이는 곧 "수출증가 = 수입증가 = 수출증가"라는 한국경제성장 패러다임의 구조적 장점과 단점을 여실히 나타내고 있다.

■ 경제구조 분석 연구 사례 요약

① **산업연관분석을 이용한 한국경제의 산업구조변화와 성장요인 분석 (1995~2008년)**
   - 목적: 수요변화와 기술구조변화의 요인들이 산업성장에 미친 영향 분석
   - 방법: 1995~2000~2005~2008년 접속산업연관표
   - 결과
       ① 산업성장에 대한 기여율은 수출(55.4%), 소비(40.1%), 투자 (4.6%), 생산유발계수 변화(-0.1%) 순
       ② 기술구조변화인 생산유발계수의 변화는 1990년대 후반에는 생산을 증가시킨 반면 2000년 이후에는 생산의 감소요인으로 작용

② **산업연관표를 이용한 권역별 산업 성장의 구조변화분석**
   - 목적: 취업계수변화와 산업구조변화를 고려하여 총고용자변화 분석
   - 방법: 1995년, 2000년, 2005년 경상가격 산업연관표를 2005년 기준으로 불변화
   - 결과
       ① 권역별 산업성장은 취업계수 변화보다 산업구조변화에 영향을 받음
       ② 산업성장은 산업구조 변화요인 중 국내수요 증감효과에 의해 결정됨
       ③ 2000년~2005년 고용자의 수도권 집중은 1995년~2000년 보다 심화, 2차 산업과 3차 산업으로 고용 증가

③ 산업연관분석을 활용한 한국 소비재산업의 구조변화 및 기술구조 변화지수 추이 분석
- 목적: 산업연관지표 중 구조변화지수 및 기술변화지수의 추이 및 그 특징을 분석
- 방법: 1995, 1998, 2000, 2003, 2005, 2007, 2009년의 투입산출표를 접속불변산업연관표로 변환하고 제조산업, 서비스산업, 소비재산업으로 구분
- 결과
  ① 소비재산업의 총산출 및 부가가치의 경제 내 비중은 1995년 이후 점차 감소
  ② 총산출 기준 구조변화지수는 1998 ~2000년이 가장 높고 부가가치 기준 구조변화지수는 1995~1998년이 가장 높음
  ③ 소비재산업 기술구조변화지수는 2005~2007년이 가장 높음

④ 접속불변에너지산업연관표 00-05-08을 이용한 산업별 에너지소비 변화량의 구조분해분석
- 목적: 산업별 에너지소비량의 변화에 영향을 미치는 요인과 그 크기 분석
- 방법: 2000년, 2005년, 2008년 3개년 대상 접속불변에너지산업연관표 작성하고, 부가가치 총액 변화, 부가가치 비중 변화, 산출구조 변화, 에너지원단위 변화 4가지 요인 고려
- 결과
  ① 부가가치 비중 변화는 전자기기에서 에너지소비 변화량을 증가시키고, 석유제품, 시멘트, 석탄제품에서 에너지소비량을 감소
  ② 에너지원단위 변화는 석유제품, 화력, 사업 서비스, 금융 및 보험, 보관 및 운수관련서비스에서 에너지소비 변화량을 증가

⑤ 한국 ICT 제조업의 고용유발효과 변화 추이 분석:
산업연관표 부속 고용표를 중심으로
- 목적: 한국 ICT 제조업의 최종수요 항목별 고용유발효과분석
  및 이와 관련한 정책방향 제시
- 방법: 1985년부터 2008년까지 8개년도 불변산업연관표 및 부속
  고용표 횡단면 자료의 시계열화를 통해 최종수요 구성 요인별
  고용유발효과 변화 분석
- 결과
  ① ICT 제조업 총고용, 피용자 그리고 자영업자 수는 2005년
    까지 완만한 증가추세, 2005년 이후 감소세
  ② 수출수요에 의한 고용유발인원은 지속적으로 증가
  ③ 소비나 투자수요에 의한 고용유발인원은 감소
  ④ 고용유발계수는 지속적으로 급격히 하락

⑥ 시계열 산업연관표를 통해 본 우리나라 건설산업의 특징과 시사점
- 목적: 우리 경제의 외환위기와 금융위기 과정에서 건설산업이
  경험한 변화 기술
- 방법: 1995-2000-2005-2008년의 산업연관표 분석
- 결과
  ① 후방연쇄효과 1995/2000/2005년 기간에 하락, 2005/2008년
    기간에 상승
  ② 전방연쇄효과는 지속적으로 하락
  ③ 정부의 투자에도 불구하고, 건설산업의 산출액은 민간부문의
    산출액 변화와 같은 추이

⑦ 구조분해분석을 통한 철도산업의 성장요인 분석
- 목적: 1975~2009년간 철도산업의 성장요인을 분석하고, 정책적
  시사점 제시

- 방법: 철도산업을 철도차량, 철도운송, 철도시설 3개 부문으로 분류한 후, 접속불변산업연관표를 이용하여 요인별 성장기여율 계측
- 결과
  ① 철도산업의 성장은 국내최종수요에 의해 주도되었음
  ② 철도차량은 민간 고정자본형성, 철도운송은 민간소비지출, 철도시설은 정부 고정자본형성이 큰 영향을 미쳤음

⑧ 산업연관표를 활용한 정보통신 기술과 로봇기술의 확산 분석
- 목적: 해양산업 중심으로 ICT 확산과 로봇기술 확산 정도를 추정
- 방법: 산업연관표의 고정자본형성표 활용 분석
- 결과
  ① 제조업과 서비스업이 균등한 ICT 확산 추세
  ② 로봇 중간투입률 2016년 기준 0.019% 수준으로 ICT 확산이 로봇에 비하여 약 45배가량 높음
  ③ 제조업의 산업 로봇 확산이 서비스업에 비하여 14배 높음

⑨ 한국형 리쇼어링 정책을 위한 산업연관분석 기반의 리쇼어링 영향지수 설계
- 목적: 리쇼어링 효과를 파악하기 위한 지표 개발
- 방법: 산업연관표의 수입중간재 비중을 부가가치유발계수와 결합하여 리쇼어링 영향지수 설계
- 결과: 영향 지수는 미국과 한국에 대해서 대체로 유사하지만, 기존의 리쇼어링 지수와는 다른 흐름을 나타냄

⑩ 북한의 산업연관표와 북한산업의 전,후방연관효과
- 목적: 최근의 북한산업연관표를 추정하고 북한산업의 전·후방연관 효과와 북한산업에 대한 투자 우선순위 평가

- 방법: 대외적으로 알려진 북한의 수출입 자료, 산업 생산에 대한 북한 자체의 보도 등을 감안하여 북한의 산업연관표를 추정
- 결과
  ① 경공업과 일차금속산업의 전·후방연관효과 높음
  ② 중화학공업은 전방연관효과 높고 후방연관효과 낮음
  ③ 농림수산업과 서비스산업은 후방연관효과 높고 전방연관효과 낮음
  ④ 기계, 전자산업은 전·후방연관효과 모두 낮음

⑪ **산업연관분석을 이용한 중국의 산업 및 기술구조 변화요인 분석**
- 목적: 중국의 산업구조 현황과 특징 분석
- 방법: 1987년부터 2017년까지 중국의 산업연관표를 이용해 산업 및 기술구조 변화요인을 소비, 투자 및 수출로 구성된 최종수요 항목별 기준으로 분석
- 결과
  ① 전 산업을 대상으로 산업 및 기술구조 변화요인 분석결과, 산업구조 변화요인은 소비가 72% 차지
  ② 산업별 산업 및 기술구조 변화요인 분해 결과, 제조업은 소비 약 2,541억 위안, 수출 약 2,451억 위안, 서비스업은 소비 약 2,206억 위안, 투자 709억 위안, 수출 871억 위안의 변화가 산업구조변화에 기여
  ③ 산업별 기술구조 변화요인을 최종수요 항목별로 분해한 결과, 제조업의 경우 소비의 405억 위안 증가가 기술구조 변화요인으로 작용하며 수출보다는 투자가 기술구조변화를 주도하며 소비가 가장 중요한 역할
  ④ 세부 산업별로 산업 및 기술구조 변화요인을 최종수요 항목별로 분해한 결과, 소비 기여도가 큰 산업은 농림어업,

음식료품, 화학제품, 운수 및 보관, 도소매업, 교육 및 보건 등, 투자의 역할이 중요했던 산업은 일반 및 특수장비제조업, 교통운송장비, 전기기계 및 장비, 운수 및 보관, 도소매업, 교육 및 보건 등이며, 수출의 기여도가 큰 산업은 화학제품, 일반 및 특수장비제조업, 도소매업 등으로 나타남

⑫ 산업연관분석에 의한 한국 제조업의 수입의존 구조변화와 특징

- 목적: 국내 제조업의 생산 및 수입의존 구조의 변화와 함께 수출과 수입구조의 상호의존관계를 관찰
- 방법: 2000년부터 2008년 산업연관분석
- 결과: 국내 제조업의 품목별 수출 비중과 수입 비중은 전체 산업에 비하여 상대적으로 매우 높게 나타나며, 국내 제조업의 품목별 수출 증가(감소)는 수입 증가(감소)로 이어지는 상호의존 관계가 관찰됨

2

경제적 파급효과 연구 사례

경제적 파급효과(Economic Impacts) 분석은 특정한 품목의 생산, 지출, 고용 등의 변화가 경제 전체 또는 특정 부분에 어떤 영향을 미치는지를 분석하는 방법론이다. 이 분석은 산업연관표 중 투입산출표로부터 산출한 투입계수를 이용하여 도출되는 생산유발계수, 부가가치유발계수 등 각종 분석계수를 이용한다.

이 절에서는 투입산출표를 활용한 경제적 파급효과 분석 연구 사례를 살펴본다.

① 산업연관분석을 활용한 수출입 항만물동량 유발효과의 계산

■ 이민규 · 송민호 · 이건우(2020), 해운물류연구, 83:617-635

본 연구는 2012년도 우리나라 산업연관표와 해운항만물류정보센터(SP-IDC) 수출입 항만물동량 통계를 접목한 산업연관분석으로 수출입 항만물동량 유발효과를 분석하였다.

분석 과정에서 산업연관표 통합대분류(30개 부문)의 산업과 SP-IDC의 화물품목을 서로 매칭하여 28개 산업부문으로 재분류하였다. 또한, 수출입 유발효과에 항만물동량 원단위를 적용하여 물동량 유발효과를 도출할 수 있었다.

분석결과, 수출유발계수와 수출물동량 유발계수 사이의 상관계수가 0.45에 불과한 반면, 수입유발계수와 수입물동량 유발계수 사이의 상관 계수는 0.92에 이른다. 수출입 항만물동량 유발계수가 큰 산업은 석탄 및 석유제품, 섬유 및 가죽제품, 비금속광물제품 등으로 나타났다.

본 연구는 정부 재정사업의 추진으로 발생하는 수출입 항만물동량을 예측하는 데 많은 도움을 줄 것으로 기대된다.

② 산업연관분석을 활용한 수소버스 개발의 파급효과분석

■ 박현석 · 이민규(2021), 기술혁신학회지, 24(4):653-672

최근 정부의 수소경제 활성화를 위한 다양한 정책의 중심에는 수소차가 자리 잡고 있으며 그중에서도 수소버스 산업이 큰 축을 차지하고 있다. 하지만 현재까지 정부 정책의 근거를 제공할 수 있는 수소버스의 경제적 파급효과에 관한 연구가 부족한 상황이다.

본 논문은 2018년도 전국 산업연관표를 토대로 수소버스 산업을 새롭게 정의하고, 외생화 작업 후 수소버스 산업으로 인해 타 산업으로 유발되는 생산, 부가가치, 고용유발효과를 산정하고, 전·후방연쇄효과를 분석함으로써 수소버스 산업이 국가 산업에서 차지하는 상대적 특성을 제시하려고 한다.

분석결과에 따르면, 수소버스 산업의 생산유발효과는 0.704,

부가가치유발효과는 0.267, 고용유발효과는 2.494명/십억 원으로 산정되었다. 또한, 전체 34개 산업 중 전방연쇄효과는 17위, 후방연쇄효과는 13위로 산정되어 전후방 모두 중간재적 성격이 강한 산업으로 분석되었다.

본 연구는 정부의 수소버스 관련 정책을 추진하는 데 많은 도움을 줄 것으로 기대된다.

③ 4차 산업혁명 관련 산업의 경제적 파급효과에 대한 산업연관분석

■ 김동수 · 조정환(2020), 경제발전연구, 2020:1-26

본 연구는 4차 산업혁명 기술과 관련성이 높은 산업의 경제적 파급효과를 정량적으로 분석하고 추정하였다.

4차 산업혁명 관련 기술의 정의는 한국표준산업분류(KSIC)기준을 참고하여 산업연관표 상품분류와 연계를 시도하였으며 산업연관분석을 통해 4차 산업혁명 기술과 관련도가 높은 산업이 경제에 미치는 영향을 추정하였다.

분석결과, 도소매 및 상품중개서비스와 전문, 과학 및 기술서비스 등의 부문에서 생산유발과 부가가치유발효과가 큰 것으로 분석되었다. 레온티에프 가격모형을 이용하여 관련 산업의 가격변동이 물가에 미치는 파급효과를 분석한 결과, 4차 산업혁명 관련 산업의 산출물 가격이 10% 상승할 때 타 산업에 미치는 물가파급효과는 0.1517%로 나타났으며, 공급지장 효과분석에서는 산출물 감소로 가장 크게 영향을 받는 부문은 운송장비와 건설로 분석되었다. 마지막으로 산업 간 연쇄효과를 분석한 결과, 4차 산업혁명 기술과 관련도가 높은 산업은 경기 변동에 민감하며 중간수요적 원시산업형임을 확인하였다.

④ 스마트 팜의 국민경제적 파급효과: 산업연관분석을 중심으로

■ 홍재표 · 김동억 · 홍순중(2019), 산업경제연구, 32(4):1313-1332

본 연구에서는 산업연관분석을 통해 농업과 ICT 융합의 핵심 분야로 떠오르는 스마트 팜 분야의 생산·부가가치·고용유발계수, 타 산업과의 연관관계, 전·후방연쇄효과를 살펴보았다.

본 연구에서는 스마트 팜을 광의의 개념으로 접근하되, 국내 스마트 팜 분야의 기술수준과 농림축산부의 기술관점 분류 및 중소벤처기업부의 제품관점 분류를 종합적으로 고려해 스마트 팜 산업의 범주를 설정하고 현재 획득 가능한 최신의 자료인 2014년 산업연관표의 상품 및 산업분류체계(기본부문)를 기반으로 스마트 팜과 관련성이 높은 분야를 추출하여 스마트 팜을 독립된 산업부문으로 구성하였다.

분석결과 스마트 팜 분야의 생산유발계수는 1.7204, 부가가치 유발계수는 0.7210, 고용유발계수는 6.0854로 분석되었다. 도매 및 소매업의 경우 생산유발·부가가치 유발·고용유발의 모든 측면에서 스마트 팜 분야와 연관도가 높은 분야로 밝혀졌으며, 전·후방연쇄효과 분석결과, 스마트 팜은 타 산업 분야에 미치는 영향력은 작은데 반해 타 산업 분야에 의한 감응도는 상대적으로 큰 특성을 지니고 있는 것으로 나타났다.

본 연구의 분석결과를 토대로 도출된 시사점은 다음과 같다. 첫째, 스마트 팜은 전통 농업의 낮은 고용 창출을 극복할 수 있는 효과적인 대안으로 예상되는 바, 농업과 ICT의 융합을 통해 새롭게 발생할 수 있는 다양한 일자리에 대한 심도 있는 고민이 필요한 시점이라고 판단된다. 둘째, 스마트 팜은 특정 산업부문과의 높은 연관관계 및 강한 전방연쇄효과를 특징으로 하는 바, 스마트 팜의 경제적 파급효과 극대화를 위해서는 전·후방 산업과의 연관관계를 종합적으로 고려한 체계적인 발전 전략 수립이 필수적일 것으로 사료된다.

⑤ 우주개발사업의 복합성을 고려한 산업연관분석

■ 이의경·허희영(2014), 한국항공우주학회지, 42(9):739-744

본 연구는 우주개발사업이 갖는 복합성을 반영하여 산업연관분석을 수행한 것이다.

구체적인 분석대상은 2014년부터 2020년까지 수행될 것으로 예정되어 있는 달 탐사 사업이다. 종전에는 이러한 우주개발사업을 항공기 산업이나 공공연구사업 중 하나로 분류해서 단일 사업으로 산업연관분석을 수행하였는데 이러한 방식으로는 정확한 산업 파급효과를 측정하는데 한계가 있다.

본 연구에서는 달 탐사 사업을 구성하는 8개 부문별 예산을 이용하여 생산유발계수, 부가가치유발계수, 취업(고용)유발계수 등의 가중평균값(WAC)을 산출해서 이 사업의 산업파급효과를 분석하였다.

그 결과 7,157억원의 예산이 국내에 지출될 달 탐사 사업의 생산유발효과는 12,296억원, 부가가치유발효과는 3,246억원, 취업(고용)유발효과는 4,855명(4,171명)으로 나타났다. 산업파급 효과와 더불어 산업연쇄효과를 분석하였는데 전방연쇄효과를 나타내는 감응도계수는 0.7419, 후방연쇄효과를 나타내는 영향력 계수는 1.1690으로 나타나서 달 탐사 사업이 중간재보다는 최종재의 특성을 더 많이 갖고 있음이 확인되었다.

⑥ 산업연관분석을 활용한 기계산업의 경제적 파급효과 분석
■ 곽기호 · 박주형(2009), 산업경제연구, 22(1):179-199

본 연구에서는 2003년 산업연관표와 기계산업의 생산액 통계를 연계하여, 한국 기계산업의 경제적 파급효과를 분석하였다.

산업연관표상의 기본부문 중 기계산업에 해당하는 60개의 기본부문에 대한 경제적 파급효과 분석결과, 기계산업의 국가경제에 대한 생산유발효과는 약 565조 원, 부가가치유발효과는 약 183조 원, 고용유발효과는 약 285만 명으로 나타났다.

또한 이 중 경제적 파급효과가 큰 상위 16개 기본부문을 도출하여 해당 기본부문별 생산유발계수 및 부가가치유발계수 크기를 분석하고 각 기본부문별 현황 파악과 발전방안을 제시하였다.

더하여 기계산업 기본부문 간 전후방연쇄효과분석을 통해 각 연쇄효과가 큰 기본부문을 파악하고 기본부문의 전략적 육성을 통한 기계산업 발전을 모색하였다.

⑦ M2M(Machine-To-Machine) 부문에 대한 산업연관분석: RAS 법을 활용

■석왕헌·송영근·박추환(2009), 산업경제연구, 28(6):2303-2327

본 연구는 M2M 산업이 국가경제에 미치는 효과를 산업연관표와 RAS기법을 이용하여 분석하였다. 분석방법은 M2M 산업의 분류체계를 재분류한 후 2005년, 2009년 산업연관표를 기준으로 RAS 기법을 이용하여 2013년 산업연관표를 작성한 후 2013년 산업 연관 효과를 제시하였다.

분석결과를 살펴보면 M2M 기기 분야의 대체 수요 및 부가가치율은 대체 변화와 가공도 변화에 따라 증가한 것으로 나타났고, M2M 통신 서비스의 대체 수요 및 부가가치율은 지속적으로 감소하는 것으로 나타났다. 한편 생산유발 및 부가가치유발효과는 M2M 솔루션 분야가 1.8510, 0.7527로 M2M 기기(1.6598, 0.6918)에 비해 높은 것으로 나타났고, 고용유발효과 역시 M2M 솔루션 분야가 13.8828로 가장 높게 나타났다.

그러나 산업 연관 효과를 전 산업 평균(생산유발-1.9421, 부가가치 유발-0.6626, 고용 유발-11.6530)과 비교할 때, M2M 산업은 전반적으로 아직 파급력이 낮은 것으로 나타난다.

본 연구는 미래의 성장 동력으로 볼 수 있는 M2M과 관련해 생태계 및 경제적 파급효과 분석 등을 실행함으로써 정책적 기초 자료로 이용될 수 있을 것으로 사료된다.

⑧ 10차 전력수급기본계획에 따른 발전원별 경제적 파급효과 분석

■ 양민영 · 김진수(2023), 에너지경제연구, 22(1):135-158

한국의 온실가스 감축 목표 달성을 위해서는 전환(발전) 부문의 역할이 매우 중요하다. 10차 전력수급기본계획에서도 안정적인 전력 수급과 함께 탄소중립 방향성을 분명하게 제시하고 있으며, 기본계획에 따른 발전믹스 변화로 인하여 국가경제에 미치는 파급효과도 달라진다.

이에 본 연구에서는 에너지 안보와 탄소중립 정책에 따른 발전 믹스 변화가 발전부문과 타 산업에 유발하는 생산, 부가가치, 고용효과에 미치는 영향을 정량적으로 분석하고자 하였다.

이를 위하여 석탄과 가스복합화력, 태양광과 풍력발전이 분리 된 산업연관표를 새롭게 구축하였다.

분석결과, 석탄을 제외한 나머지 발전원의 생산유발계수는 전 산업 평균보다 높은 것으로 나타났으며, 부가가치유발계수는 원자력과 풍력이 각각 0.8354, 0.7655로 전 산업 평균보다 높게 분석되었다. 취업유발계수 결과에 따르면 10억 원의 최종수요 발생에 따라 풍력이 8.7명, 태양광이 7.7명, 원자력이 5.5명,

가스복합화력이 2.1명, 석탄화력이 1.3명의 유발효과를 가지는 것으로 나타났다.

시나리오별 분석결과는 이와 같은 발전원의 영향을 반영하는 것으로 나타났다. 10차 전력수급기본계획이 가장 큰 부가가치유발효과를 보였으며, 생산과 고용유발효과는 NDC, 10차, 9차 시나리오 순으로 높게 나타났다.

본 연구는 개별 발전원의 경제적 파급효과에 대한 정량화 결과와 함께 탄소중립 정책에 따른 전력 부문의 경제적 파급효과에 대한 정보를 제공한다.

⑨ LNG 벙커링 및 관련 인프라 산업의 경제적 파급효과: 해양금융에의 시사점

▪ **최문성(2023), 무역금융보험연구, 24(4):57-71**

본 연구는 산업연관분석을 사용하여 IMO의 선박 연료 규제 강화에 대응 수단 중 하나인 LNG 벙커링 및 관련 인프라 부문의 경제적 파급효과를 분석하였다.

이를 위하여 LNG 벙커링 운영 방식 및 LNG 벙커링 공급 체인을 토대로 LNG 벙커링 산업을 재분류하고, 2014년 산업 연관 연장표와 2019년 산업 연관 연장표를 이용하여 각각의 생산유발계수, 부가가치유발계수, 취업(고용)유발계수, 영향력계수 및 감응도계수를 도출하고, 이를 비교하였다.

분석결과 2014년과 2019년 모두 전·후방연쇄효과가 낮은 것으로 분석되어, LNG 벙커링 및 관련 인프라 부문 최종수요적 원시산업형으로 분류될 수 있었다. 또한, 생산유발, 부가가치유발 및 취업(고용)유발계수가 전 산업 평균보다 낮은 것으로 나타나 LNG 벙커링 및 관련 인프라 산업의 경제적 파급효과는 산업 평균보다 낮은 수준이었다.

LNG 벙커링 및 관련 인프라 산업의 비교적 낮은 국민경제적 파급효과에도 불구하고, 강화되고 있는 해양환경규제 대응을 위한 친환경 선박 보급 및 활성화와 치열해지고 있는 항만경쟁력 확보를 위해 LNG 벙커링 인프라 구축이 시급히 요구된다. 또한, LNG 벙커링 사업주체는 필요한 재원 조달을 위해 해양금융의 적극적 활용을 고려해 볼 필요가 있다.

⑩ 화력발전의 신재생에너지 전환에 따른 경제적 파급효과 분석

■ 임상수(2023), 자원·환경경제연구, 32(2):127

본 연구는 정부의 탄소중립 정책 중 하나인 화력발전을 신재생에너지로 대체하는 경우에 대한 경제적 파급효과를 분석하는 것을 목적으로 한다.

이러한 분석을 위해 화력발전을 신재생에너지로 100% 대체하는 경우를 시나리오 A로 설정하고, 60%로 대체하는 경우를 시나리오 B로 설정한다. 또한, 이렇게 화력발전을 신재생에너지로 대체할 때 비용이 발생하게 되는데 현행과 동일한 비용인 경우를 시나리오 1, 현행보다 비용이 120% 증가한 경우를 시나리오 2로 설정한다. 따라서 화력발전을 신재생에너지로 전환할 때 시나리오는 크게 이와 같이 4가지 경우로 정리된다.

화력발전을 신재생에너지로 전환하는 경우, 화력발전의 생산유발계수는 시나리오와 관계없이 현행 수준보다 감소하는 것으로 나타났다. 그러나 화력발전을 신재생에너지로 100% 전환하는 경우 부가가치유발계수와 온실가스 배출량 유발계수는 현행 수준보다 감소한 반면 화력발전을 신재생에너지로 60% 대체하는 경우 부가가치유발계수와 온실가스 배출량 유발계수는 현행 수준보다 증가했다. 또한, 대부분의 업종의 온실가스 배출량 유발계수는 감소하는 것으로 나타난 반면 생산유발계수와 부가가치유발계수는 증가하는 것으로 나타났다.

정부정책의 목적은 화력발전을 신재생에너지로 전환시켜 온실가스 배출량을 축소시키는 것이기 때문에 시나리오 화력발전을 신재생에너지로 100% 전환하는 경우가 더 적합한 것으로 보인다. 다만, 이로 인해 일부 업종의 생산유발계수와 부가가치유발계수가 감소하는 부작용이 발생하므로 이를 해결하기 위한 정부의 지원정책이 필요하다.

⑪ 신재생에너지 가치사슬 산업의 경제적 파급효과 비교분석 연구: 2010, 2015년 산업연관표를 활용하여

■ 서한결 · 이인우 · 정양헌(2019), 경영교육연구, 34(6):583-599

본 연구에서는 산업연관분석방법론을 활용하여 신재생에너지에 관련한 가치사슬 산업의 2010년, 2015년 경제적 파급효과를 분석하고, 신재생에너지 생산에 따른 경제적 영향 변화에 대한 시사점을 제공하고자 한다.

본 연구는 신재생에너지 산업을 가치사슬 관점에서 원재료, 부품소재, 인프라, 신재생에너지 생산 단계로 외생화하였고, 2010, 2015년도 전후방연쇄효과, 신재생에너지 생산 산업의 생산유발계수, 생산유발액, 부가가치유발계수, 부가가치유발액을 도출하였다. 2010년 및 2015년도의 신재생에너지 생산 산업에 따른 전후방연쇄효과, 파급효과의 수준 비교를 통해 신재생에너지 산업의 경제적 연관관계 변화를 분석하고자 한다.

전후방연쇄효과의 결과로는 2010년도와 다르게 2015년도 영향도계수가 감소하였으며, 총생산유발계수는 2010년 1.1278에서 2015년 0.7016으로 감소하였고, 총 부가가치유발계수는 2010년 0.0399에서 2015년 0.3861으로 증가하였다.

기존에 본 연구는 신재생에너지 가치사슬 관계 및 비관련 산업으로 구분하여 신재생에너지 시점별 비교 분석함으로써 기존에 간과되었던 신재생에너지 경제적 영향 변화를 실증하였으며 이는 신재생에너지 정책 입안자와 정책 연구자에 이론적, 실무적 시사점을 제공하였다.

⑫ 발전부문 천연가스 사용 확대에 따른 도시가스산업의 경제적 파급효과 분석

■ 양민영·김진수(2017), 자원·환경경제연구, 26(4):549-575

앞으로 우리나라의 발전원 구성은 신정부의 에너지 정책에 따라 석탄 화력과 원자력이 감소하고 가스 복합과 신재생에너지가 증가할 것으로 예상되며, 그러한 변화로 도시가스산업에도 변화가 있을 것이다.

본 연구에서는 발전원 변경에 따른 영향을 정량적으로 살펴보기 위하여 석탄화력과 원자력을 각각 가스복합과 연료전지로 대체하는 시나리오를 설정하여 시나리오별로 도시가스산업이 다른 산업에 미치는 경제적 파급효과의 변화를 분석하였다. 이 과정에서 정책의 영향이 나타날 시점을 고려하여 2030년 산업연관표를 추정하여 분석을 실시하였다.

분석결과 가스복합으로 발전원을 대체하는 경우는 전체 산업에 유발하는 생산이 감소하고 연료전지를 사용하는 경우 증가하는 것으로 나타났으며, 모든 시나리오에서 전체 산업에 유발하는 부가가치는 동일한 것으로 나타났다.

이러한 결과는 발전원 변경 시, 변경 영향이 상대적으로 작게 나타나며 진입 장벽이 낮은 가스복합을 단기적으로 활용하고, 장기적으로는 경제적 파급효과가 큰 연료전지를 활용하는 방안이 적절함을 의미한다.

⑬ 한국 R&D 투자의 기술 수준별 제조업 구분에 따른 경제적 파급효과 분석: 산업연관표 활용

■ 박창대 · 안승구 · 박중구(2018), 기술혁신연구, 26(1):85-105

본 논문은 한국의 연구개발투자가 제조업 구분에 따른 파급효과들을 산업연관분석을 이용하여 분석하고 있다.

연구방법은 2010~2014년 국내 산업연관표상에서 연구개발투자 부문을 외생화하고, 경제협력개발기구(OECD)의 기술 수준 분류표에 근거하여 기술 수준별로 제조업을 분류하여 연구개발투자가 미치는 생산유발효과와 부가가치유발효과를 분석하였다.

분석결과, 연구개발투자의 기술 수준별 제조업 구분에 따른 생산유발효과는 중고기술과 중저기술에 속한 제조업에서 높은 것으로 나타났으며, 부가가치유발효과 역시 중고기술 제조업에서 높은 것으로 나타났다. 반면 연구개발투자가 가장 많은 고기술 제조업에서 생산유발효과와 부가가치유발효과가 상기 2부문보다 낮은 것으로 분석되었다.

이러한 결과들은 한국 제조업이 연구개발투자를 통해 기술 수준의 제고를 달성하고 이를 산업구조의 고도화로 이어간다는 품질 사다리이론과 연계되지 않았음을 의미한다. 이러한 분석결과로부터 한국의 연구개발투자가 고기술 제조업의 생산유발과 부가가치 효과의 증대를 위해 구조조정이 필요하다는 시사점을 얻었다. 본 논문은 산업연관표의 구조적 특성으로 인해 연구개발투자의 시차를 고려하지 못한 한계를 안고 있다.

⑭ 최저임금인상이 물가에 미치는 영향: 산업연관표를 활용한 분석

■ 강승복(2015), 노동정책연구, 15(2):1-23

이 연구는 한국의 최저임금이 물가(생산물 가격)에 미치는 영향을 산업연관모형을 이용하여 분석한 것이다.

이 연구에서 최저임금이 물가에 미치는 영향은 먼저 최저임금의 인상이 전체 근로자 평균 임금 변화에 미치는 영향을 계산하고, 이에 따라 변화된 전체 임금이 다시 산업연관분석을 통해 물가에 영향을 미치는 2단계의 경로로 분석된다.

분석결과, 최저임금이 10% 인상되었을 때 전체 임금은 약 1% 정도 상승하며, 이에 따라 물가는 약 0.2~0.4% 상승하는 것으로 나타났다.

이 연구결과는 최저임금이 물가에 미치는 영향이 당기에 모두 발생하며 고용 조정이나 이윤 조정 없이 물가 인상으로 완전히 전가되는 상황 아래의 효과, 즉 최저임금의 물가 효과에 대한 일종의 최대치로 이해하는 것이 바람직하다.

⑮ 대·중소기업 간 생산파급효과분석: 낙수효과와 분수효과의 실증분석을 중심으로

■ 이용호·김재진(2017), 산업경제연구, 30(6):1885-1904

한국 사회의 양극화 문제가 심화되고 있으며, 이에 대한 해법으로 낙수효과와 분수효과가 주목받고 있다. 비교적 오랜 기간 논의의 대상이었던 낙수효과에 비해 분수효과에 집중하고 있는 연구는 상대적으로 찾아보기 힘든 상황이다.

이에 본 연구는 산업의 생산구조가 주체들 간에 긴밀한 연관 관계를 기반으로 이루어져 있음에 주목하여, 낙수효과와 분수효과를 동시에 바라보는 것이 적절함을 밝히고 있다.

낙수효과와 분수효과에 대한 종합적인 분석을 위해 행위의 범위를 생산으로 한정하고, 생산 주체의 범위를 대기업과 중소기업으로 한정하였다. 또한 대·중소기업 산업연관표를 이용하여 생산파급효과를 직접효과와 교차효과로 구분하여 파급효과의 경로와 규모를 분석하고, 본원적 생산요소인 노동과 자본이 이들 파급효과에 어떠한 영향을 미치는지 분석하였다.

연구의 결과를 통해, 교차 파급효과로 대별되는 낙수·분수효과에 비해 직접 파급효과가 월등히 높게 나타나고 있으며, 대기업과 중소기업 간의 연결 고리가 점차 약화되고 있음이 제시되었다. 또한 생산으로 인해 유발되는 경제적 파급효과가 대기업 또는 중소기업 어느 한쪽의 방향으로 흐르는 일방 통행 효과는 찾을 수 없으며, 어느 한쪽의 일방적인 성장과 투자가 상대편으로 유입되기를 바라는 것은 현실적인 성장 전략이 될 수 없음을 확인할 수 있다.

⑯ 산업연관분석을 활용한 무용산업의 경제적 파급효과

■ 이지영·김지안(2021), 한국체육학회지, 60(3):371-389

본 연구의 목적은 가구당 무용의 소비 항목별 지출 규모를 중심으로 무용산업의 경제적 파급효과를 파악함으로써 잠재적인 경제 가치를 조망하는데 있다.

이에 김지영, 이지영(2020)의 무용산업분류체계를 바탕으로 통계청(2019)의 한국표준산업분류와 한국은행(2015)의 산업연관표를 매칭하여 연관표를 추가하고 이를 근거로 산업연관분석을 실시하였다.

본 연구의 결과는 다음과 같다.

첫째, 무용산업의 소비 항목별 지출 규모를 파악한 결과, 무용 소비 지출이 가구당 연평균 642,987원이었으며, 전국에서 무용 소비 지출을 하는 가구의 총 지출액은 연간 1조 2,884억 원으로 나타났다. 특히 무용소비를 무용산업분류표의 대분류기준으로 비교하였을 때, 공연보다 교육, 용품, 콘텐츠와 같이 체험과 관련된 소비 지출이 가구당 483,155원으로, 전국 무용소비 지출의 75%에 해당하는 9,681억 원으로 나타났다.

둘째, 산업연관분석결과, 우리나라의 전체 무용소비 지출은 4조 6,172억 원의 생산유발효과, 9,589억 원의 부가가치유발효과, 연간 117,144명의 고용유발효과를 갖는 것으로 나타났다. 이는 무용산업을 전체 산업과 비교하였을 때 부가가치유발효과는 95%로 평균보다 낮았지만, 생산유발효과는 104%, 고용유발효과는 117%로 전체 산업의 평균보다 높게 나타났다.

이와 같은 결과는 무용산업이 공연, 교육, 콘텐츠, 용품 등 주류 생산업을 중심으로 연관된 생산업뿐만 아니라 지역과 국가 전체 경제에 영향을 미칠 수 있는 부문 산업임을 보여주고 있다.

⑰ 군 급식의 경제적 파급효과 분석: 산업연관분석을 중심으로

■ 염성규 · 최경환(2023), 한국산학기술학회 논문지, 23(6):170-177

군 급식에 대한 국민적 관심으로 국방부는 급식비 인상, 조달 방법 변경 등의 군 급식 종합 대책을 제시하며, 개선하고자 한다. 군 급식은 많은 예산이 투입되는 산업으로 국가경제에서의 파급력에 대한 분석이 선행되어야 효과적인 정책을 수립할 수 있다.

본 연구는 산업연관분석으로 군 급식의 경제적 파급효과를 정량적으로 제시하여, 군 급식 정책의 중요성을 강조하고, 군 급식 관련 정책과 연구에 기여하고자 한다.

이를 위해 군 급식 관련 연구를 분석하고, 산업연관표를 재구성하여, 생산유발효과, 부가가치유발효과, 고용·취업유발효과, 전·후방연쇄효과 등을 도출하였다.

2021년 기준 1조 6,214억 원의 군 급식 예산의 생산유발효과는 3조 6,160억 원, 부가가치유발효과는 1조 2,680억 원의 효과를 지닌다. 노동력 측면으로는 5,967명의 고용유발효과, 18,319명의 취업유발효과를 가진다. 더불어, 군 급식은 감응도계수가 1.204, 영향력계수가 1.349인 국가의 다른 산업으로부터 큰 영향을 받고 큰 영향을 주는 국가 핵심산업임을 알 수 있다.

이러한 연구결과는 향후 군 급식의 개선 정책을 수립함에 정책적 시사점을 함의할 것이다. 이 연구가 주는 메시지는 다음과 같다. 첫째, 군 급식은 국가경제발전에 이바지하고 있다. 둘째, 군 급식의 본질적 목적은 장병에게 양질의 급식 서비스를 제공하는 것이다. 셋째, 군 급식을 단순히 경쟁 조달로 전환하는 것이 아닌, 조달방식의 보완이 필요하다. 마지막으로, 데이터 분석에 의한 군 급식 정책의 수립과 보완이 필요하다.

⑱ 산업연관분석을 이용한 과기출연연 경제적 기여효과에 대한 연구: 한국생산기술연구원 사례를 중심으로

■ 정규채 · 김필성 · 이인우 · 정양헌(2017),
    기술혁신학회지. 24(1):137-155

본 논문에서는 한국생산기술연구원의 지난 24년간 연구활동으로 인한 수혜기업의 경제적 성과를 산업연관표를 이용하여 분석하였다. 지원분야가 다양하고, 산업 간 연관관계가 복잡하게 얽혀 있기 때문에 산업연관표를 이용하여 분석하고 그 결과를 고찰하였다.

분석결과 생기원은 지난 24년간 연구개발로 인해 전 산업에 걸쳐 총 10조 1천억 원의 생산을 유발하고 임금, 이윤과 같은 부가가치는 총 3조 8천억 원을 창출하였으며, 이로 인해 23,418명의 고용을 창출한 것으로 나타났다. 생산유발효과만 감안하여 비용편익분석(Cost Benefit Analysis) 효과로 해석하면 2.52에

달한다.

선행연구와 차이점은 산업연관표가 없는 연도에는 RAS 방식으로 투입구조를 추정하고 24년간 장기간의 성과를 분석한 것이다.

2018년부터 기관별로 역할을 새로이 정립한 R&R의 효과성에 대해 이러한 방법론을 적용하여 일정 주기로 R&R의 유효성을 평가·점검하는 방식의 적용 가능성도 함께 검토하였으며, 향후 '과기출연연의 R&R'을 실효성 있게 시행하기 위해 경제적인 측면의 성과 평가방법으로 적용할 수도 있을 것으로 기대된다.

⑲ 산업연관분석을 이용한 저작권산업 연구

■ 최종일·윤자영(2016), 계간 저작권, 29(4):147-168

저작권산업의 경제적 파급효과를 분석하기 위해 한국은행의 2013년 산업연관표를 활용하여 저작권산업의 전후방연쇄효과, 부가가치 및 고용(취업)유발효과 등을 추계하였다.

분석결과에 따르면, 저작권산업은 전 산업에 비해 생산유발효과와 전방연쇄효과, 부가가치유발효과, 고용 및 취업유발효과가 상대적으로 큰 산업이다. 또한 저작권산업 중에서 광고서비스업은 경제 전체에 미치는 전후방연쇄효과가 가장 크며, 음악·연극·오페라는 경제 전체에 미치는 부가가치유발효과와 고용 및 취업유발효과가 가장 큰 산업이다.

이러한 결과는 저작권산업이 국내산업 발전에 중요한 역할을 하는 것을 의미하며, 저작권산업 육성에 타당성을 부여한다.

특히 저작권산업 육성 시 광고서비스업, 영화·비디오, 음악·연극·오페라가 매우 중요한 산업임을 시사한다.

 ■ 경제적 파급효과 연구 사례 요약

① **산업연관분석을 활용한 수출입 항만물동량 유발효과의 계산**
- 목적: 정부정책 시행에 따른 항만물동량 수요예측과 물동량 영향 분석
- 방법: 2012년도 우리나라 산업연관표와 해운항만물류정보센터 (SP-IDC) 수출입 항만물동량 통계를 접목한 산업연관분석으로 수출입 항만물동량 유발효과를 분석
- 결과
    ① 수출유발계수와 수출물동량유발계수 사이의 상관계수가 0.45에 불과한 반면, 수입유발계수와 수입물동량유발계수 사이의 상관 계수는 0.92
    ② 수출입항만물동량유발계수가 큰 산업은 석탄 및 석유제품, 섬유 및 가죽제품, 비금속 광물제품 등

② **산업연관분석을 활용한 수소버스 개발의 파급효과분석**
- 목적: 정부의 수소경제 활성화를 위한 수소버스 산업의 경제적 파급효과 분석
- 방법: 2018년도 전국 산업연관표를 토대로 수소버스 산업을 정의하고, 외생화 작업 후 수소버스 산업으로 인한 생산, 부가가치, 고용유발효과와 전·후방연쇄효과분석

- 결과
  ① 수소버스 산업의 생산유발효과는 0.704, 부가가치유발효과는 0.267, 고용유발효과는 2.494명/십억 원
  ② 전방연쇄효과는 17위, 후방연쇄효과는 13위, 전후방 모두 중간재적 성격이 강한 산업으로 분석

③ **4차 산업혁명 관련 산업의 경제적 파급효과에 대한 산업연관분석**
- 목적: 4차 산업혁명 기술과 관련성이 높은 산업의 경제적 파급효과를 정량적으로 분석하고 추정
- 방법: 4차 산업혁명 관련 기술은 한국표준산업분류(KSIC)기준을 참고하여 산업연관표 상품분류와 연계하여 정의하고, 산업연관분석을 통해 4차 산업혁명 기술과 관련도가 높은 산업이 경제에 미치는 영향을 추정
- 결과
  ① 도소매 및 상품 중개 서비스와 전문, 과학 및 기술 서비스 등의 부문에서 생산유발과 부가가치유발효과가 큰 것으로 분석
  ② 4차 산업혁명 관련 산업의 산출물 가격이 10% 상승할 때 타 산업에 미치는 물가파급효과는 0.1517%
  ③ 공급지장효과분석에서는 산출물 감소로 가장 크게 영향을 받는 부문은 운송장비와 건설로 분석
  ④ 산업 간 연쇄효과를 분석한 결과, 4차 산업혁명 기술과 관련도가 높은 산업은 경기 변동에 민감하며 중간수요적 원시산업형임

④ **스마트 팜의 국민경제적 파급효과: 산업연관분석을 중심으로**
- 목적: 스마트 팜 분야의 생산·부가가치·고용유발계수, 타 산업과의 연관관계, 전·후방연쇄효과분석

- 방법: 국내 스마트 팜 분야의 기술수준과 농림축산부의 기술관점 분류 및 중소벤처기업부의 제품관점 분류를 종합적으로 고려, 스마트 팜 산업의 범주를 설정하고 2014년 산업연관표의 상품 및 산업분류체계(기본부문)를 기반으로 분석
- 결과
  ① 스마트 팜 분야의 생산유발계수는 1.7204, 부가가치유발 계수는 0.7210, 고용유발계수는 6.0854
  ② 스마트 팜 분야와 연관도가 높은 분야는 도매 및 소매업
  ③ 전·후방연쇄효과분석결과, 스마트 팜은 타 산업 분야에 미치는 영향력은 작은데 반해 타 산업 분야에 의한 감응도는 상대적으로 큰 특성

⑤ **우주개발사업의 복합성을 고려한 산업연관분석**
- 목적: 우주개발사업이 갖는 복합성을 반영하여 산업연관분석 수행
- 방법: 달 탐사 사업을 구성하는 8개 부문별 예산을 이용하여 생산유발계수, 부가가치유발계수, 취업(고용)유발계수 등의 가중 평균값(WAC)을 산출로 산업파급효과분석
- 결과
  ① 7,157억원의 예산이 국내에 지출될 달 탐사 사업의 생산 유발효과는 12,296억원, 부가가치유발효과는 3,246억원, 취업(고용)유발효과는 4,855명(4,171명)
  ② 감응도계수는 0.7419, 영향력계수는 1.1690으로 중간재보다는 최종재의 특성

⑥ **산업연관분석을 활용한 기계산업의 경제적 파급효과 분석**
- 목적: 기계산업의 경제적 파급효과 분석
- 방법: 2003년 산업연관표와 기계산업의 생산액 통계를 연계하여,

기계산업의 경제적 파급효과를 분석

- 결과: 기계산업의 생산유발효과 약 565조 원, 부가가치유발효과 약 183조원, 고용유발효과 약 285만 명

⑦ **M2M 부문에 대한 산업연관분석: RAS법을 활용**

- 목적: M2M(Machine-To-Machine) 산업이 국가경제에 미치는 효과분석
- 방법: M2M 산업의 분류체계를 재분류한 후 2005년, 2009년 산업연관표를 기준으로 RAS 기법을 이용하여 2013년 산업 연관표를 작성한 후 2013년 산업 연관 효과를 제시
- 결과

① M2M 기기분야의 대체수요 및 부가가치율은 대체변화와 가공도변화에 따라 증가

② M2M 통신서비스의 대체수요 및 부가가치율은 감소

③ 생산유발 및 부가가치유발효과는 M2M 솔루션분야가 1.8510, 0.7527로 M2M 기기(1.6598, 0.6918)에 비해 높으며, 고용유발효과도 M2M 솔루션분야가 13.8828로 가장 높음

④ 전 산업평균(생산유발-1.9421, 부가가치유발-0.6626, 고용유발-11.6530)과 비교할 때, M2M 산업은 전반적으로 아직 파급력이 낮음

⑧ **10차 전력수급기본계획에 따른 발전원별 경제적 파급효과 분석**

- 목적: 에너지 안보와 탄소중립 정책에 따른 발전믹스 변화가 발전부문과 타 산업에 유발하는 생산, 부가가치, 고용효과에 미치는 영향을 정량적으로 분석
- 방법: 석탄과 가스복합화력, 태양광과 풍력발전이 분리된 산업연관표를 새롭게 구축

- 결과
  ① 석탄을 제외한 나머지 발전원의 생산유발계수는 전 산업 평균보다 높음
  ② 부가가치유발계수는 원자력과 풍력이 각각 0.8354, 0.7655로 전 산업 평균보다 높게 분석
  ③ 취업유발계수는 풍력이 8.7명, 태양광이 7.7명, 원자력이 5.5명, 가스복합화력이 2.1명, 석탄화력이 1.3명

⑨ **LNG 벙커링 및 관련 인프라 산업의 경제적 파급효과: 해양금융에의 시사점**

- 목적: IMO의 선박연료 규제강화에 대응수단 중 하나인 LNG 벙커링 및 관련 인프라 부문의 경제적 파급효과 분석
- 방법: LNG 벙커링 운영방식 및 LNG 벙커링 공급체인을 토대로 LNG 벙커링산업을 재분류하고, 2014년 산업연관연장표와 2019년 산업연관연장표를 이용하여 각각의 생산유발계수, 부가가치유발계수, 취업(고용)유발계수, 영향력계수 및 감응도계수를 도출하고, 이를 비교
- 결과
  ① 2014년과 2019년 모두 전·후방연쇄효과가 낮음
  ② 생산유발, 부가가치 유발 및 취업(고용)유발계수가 전 산업 평균보다 낮음

⑩ **화력발전의 신재생에너지 전환에 따른 경제적 파급효과 분석**

- 목적: 정부의 탄소중립 정책 중 하나인 화력발전을 신재생에너지로 대체하는 경우에 대한 경제적 파급효과 분석
- 방법: 화력발전을 신재생에너지로 100% 대체하는 경우를 시나리오 A, 60%로 대체하는 경우를 시나리오 B로 설정하고, 발생비용이 동일할 경우를 시나리오 1, 현행보다 비용이 120% 증가

한 경우를 시나리오 2로 설정하여 4가지 경우를 비교

- 결과
  - ① 화력발전의 생산유발계수는 시나리오와 관계없이 현행 수준보다 감소
  - ② 화력발전을 신재생에너지로 100% 전환하는 경우 부가가치유발계수와 온실가스배출량 유발계수는 현행 수준보다 감소
  - ③ 화력발전을 신재생에너지로 60% 대체하는 경우 부가가치유발계수와 온실가스배출량 유발계수는 현행 수준보다 증가
  - ④ 대부분의 업종의 온실가스배출량 유발계수는 감소, 생산유발계수와 부가가치유발계수는 증가

⑪ 신재생에너지 가치사슬 산업의 경제적 파급효과 비교 분석 연구: 2010, 2015년 산업연관표를 활용하여
- 목적: 신재생에너지에 관련한 가치사슬 산업의 경제적 파급효과를 분석과 신재생에너지 생산에 따른 경제적 영향 변화에 대한 시사점 제공
- 방법: 신재생에너지 산업을 가치사슬 관점에서 원재료, 부품소재, 인프라, 신재생에너지 생산단계로 외생화하고, 2010, 2015년도 전후방연쇄효과, 신재생에너지 생산산업의 생산유발액, 부가가치유발액 도출
- 결과
  - ① 전후방연쇄효과는 2010년도와 다르게 2015년도 영향도계수가 감소
  - ② 생산유발계수는 2010년 1.1278에서 2015년 0.7016으로 감소
  - ③ 부가가치유발계수는 2010년 0.0399에서 2015년 0.3861으로 증가

⑫ **발전부문 천연가스 사용 확대에 따른 도시가스산업의**
   경제적 파급효과 분석
   - 목적: 발전원 변경에 따른 영향을 정량적으로 분석
   - 방법: 2030년 산업연관표를 추정하여 석탄화력과 원자력을 각각 가스복합과 연료전지로 대체하는 시나리오를 설정하여 시나리오별로 도시가스산업이 다른 산업에 미치는 경제적 파급효과 분석
   - 결과
     ① 가스복합으로 발전원을 대체하는 경우는 전체 산업에 유발하는 생산이 감소하고 연료전지를 사용하는 경우 증가
     ② 모든 시나리오에서 전체 산업에 유발하는 부가가치는 동일

⑬ **한국 R&D투자의 기술수준별 제조업 구분에 따른**
   경제적 파급효과 분석: 산업연관표 활용
   - 목적: 한국 연구개발투자의 제조업 구분에 따른 파급효과분석
   - 방법: 2010~2014년 국내 산업연관표상에서 연구개발투자부문을 외생화하고, 경제협력개발기구(OECD)의 기술수준분류표에 근거하여 기술수준별로 제조업을 분류하여 연구개발투자가 미치는 생산유발효과와 부가가치유발효과를 분석
   - 결과
     ① 생산유발효과는 중고기술과 중저기술에 속한 제조업에서 높음
     ② 부가가치유발효과는 중고기술 제조업에서 높음
     ③ 연구개발투자가 가장 많은 고기술제조업에서 생산유발효과와 부가가치유발효과는 낮음

⑭ **최저임금인상이 물가에 미치는 영향: 산업연관표를 활용한 분석**
   - 목적: 한국의 최저임금이 물가(생산물 가격)에 미치는 영향분석
   - 방법: 2005~2011년 7개년 한국은행의 「산업연관표」, 통계청

의 「경제활동인구 부가조사」 등 연간 자료 분석

- 결과: 최저임금이 10% 인상되었을 때 전체 임금은 약 1% 정도 상승하며, 이에 따라 물가는 약 0.2~0.4% 상승

⑮ 대·중소기업 간 생산파급효과분석: 낙수효과와 분수효과의 실증분석을 중심으로

- 목적: 대·중소기업의 낙수효과와 분수효과분석
- 방법: 낙수효과와 분수효과에 대한 종합적인 분석을 위해 행위의 범위를 생산으로 한정하고, 생산주체의 범위를 대기업과 중소기업으로 한정하며, 대·중소기업 산업연관표를 이용하여 생산파급효과를 직접효과와 교차효과로 구분하여 파급효과의 경로와 규모를 분석하고, 본원적 생산요소인 노동과 자본이 이들 파급효과에 어떠한 영향을 미치는지 분석
- 결과
  ① 교차파급효과로 대별되는 낙수·분수효과에 비해 직접파급효과가 월등히 높으며, 대기업과 중소기업 간의 연결고리가 점차 약화
  ② 생산으로 인해 유발되는 경제적 파급효과가 대기업 또는 중소기업 어느 한쪽의 방향으로 흐르는 일방통행효과는 없음

⑯ 산업연관분석을 활용한 무용산업의 경제적 파급효과

- 목적: 가구당 무용의 소비 항목별 지출 규모를 중심으로 무용산업의 경제적 파급효과 파악
- 방법: 무용산업분류체계를 바탕으로 통계청(2019)의 한국표준산업분류와 한국은행(2015)의 산업연관표를 매칭하여 연관표를 추가하고 이를 근거로 산업연관분석 실시
- 결과
  ① 무용소비 지출이 가구당 연평균 642,987원
  ② 무용소비 총 지출액은 연간 1조 2,884억 원

③ 공연보다 교육, 용품, 콘텐츠와 같이 체험과 관련된 소비 지출이 가구당 483,155원으로, 전국 무용소비 지출의 75%에 해당하는 9,681억 원

④ 생산유발효과 4조 6,172억 원, 부가가치유발효과 9,589억 원, 고용유발효과 연간 117,144명

⑤ 무용산업을 전체 산업과 비교하였을 때 부가가치유발효과는 95%, 생산유발효과는 104%, 고용유발효과는 117%

⑰ **군 급식의 경제적 파급효과 분석: 산업연관분석을 중심으로**

- 목적: 군 급식의 경제적 파급효과를 정량적으로 제시하여, 군 급식 정책의 중요성을 강조하고, 군 급식 관련 정책과 연구에 기여

- 방법: 군 급식 관련 연구를 분석하고, 산업연관표를 재구성하여, 생산유발효과, 부가가치유발효과, 고용·취업유발효과, 전·후방 연쇄효과 등 도출

- 결과
  ① 생산유발효과 3조 6,160억 원, 부가가치유발효과 1조 2,680억 원
  ② 노동력 측면으로는 5,967명의 고용유발효과, 18,319명의 취업유발효과
  ③ 감응도계수 1.204, 영향력계수 1.349

⑱ **산업연관분석을 이용한 과기출연연 경제적 기여효과에 대한 연구: 한국생산기술연구원 사례를 중심으로**

- 목적: 한국생산기술연구원의 지난 24년간 연구활동으로 인한 수혜기업의 경제적 성과 분석

- 방법: 수혜기업의 경제적 성과를 RAS 방식으로 투입구조를 추정하고 24년간 장기간의 성과를 산업연관표 이용 분석

- 결과
  ① 전 산업에 걸쳐 총 10조 1천억 원 생산유발, 부가가치
     총 3조 8천억 원 창출, 고용 창출 23,418명
  ② 생산유발효과만 감안하여 비용편익분석 효과로 해석하면 2.52

⑲ **산업연관분석을 이용한 저작권산업 연구**
- 목적: 저작권산업의 경제적 파급효과를 분석
- 방법: 한국은행의 2013년 산업연관표 활용, 저작권산업의 전후방
  연쇄효과, 부가가치 및 고용(취업)유발효과 등 추계
- 결과
  ① 저작권산업은 생산유발효과와 전방연쇄효과, 부가가치유발효과,
     고용 및 취업유발효과가 상대적으로 큰 산업
  ② 저작권산업 중에서 광고서비스업은 경제 전체에 미치는
     전후방연쇄효과가 가장 크며, 음악·연극·오페라는 경제
     전체에 미치는 부가가치유발효과와 고용 및 취업유발효과가
     가장 큰 산업

3

지역산업연관표 활용 연구 사례

지역산업연관표는 지역별로 서로 다른 생산기술구조와 지역 간의 거래형태를 반영하기 위하여 전국을 지역으로 구분하여 산업 및 상품별 거래내역을 나타낸 것이다.

지역산업연관표는 각 지역의 경제구조뿐만 아니라 지역 간 산업 및 상품 간 상호연관관계를 수량적으로 나타내기 때문에 지역 단위의 경제 및 산업구조분석과 경제정책 수립 및 효과분석 등에 중요한 분석도구로 활용된다

이러한 지역산업연관표를 활용한 연구 사례를 살펴본다.

① 지역산업연관표를 이용한 울산광역시 3대 주력산업의 구조변화와 성장요인 분석

 ■ 김소연·류수열(2017), 한국경제지리학회지, 20(1):1-15

본 연구는 2005~2013년간 울산지역의 성장을 견인하고 있는 3대 주력산업(석유화학산업, 조선산업, 자동차산업)이 어떠한 요인에 의해 성장하였는지를 투입산출 구조분해분석법을 통해 실증적으로

분석한 것이다.

이를 위해 한국은행에서 공표한 지역산업연관표를 이용하여 3대 주력산업의 구조변화를 살펴보고, 각 산업의 요인별 성장기여율을 최종수요, 수출수요, 최종재 수입대체, 중간재 수입대체, 기술변화 등으로 구분하여 분석하였다.

울산의 3대 주력산업 중 석유화학산업과 자동차산업의 총산출과 총수요 증가율은 2005~2010년에 비해 2010~2013년에 증가하였지만, 조선산업의 총산출과 총수요 증가율은 둔화한 것으로 나타났다. 3대 주력산업의 총산출 증가에 대한 요인별 성장기여율 분석한 결과, 수출수요가 가장 큰 영향을 미치는 것으로 나타났다.

산업별로 살펴보면, 석유화학산업은 수출수요 성장기여율이 2005~2010년에 209.23%, 2010~2013년에 113.78%로 가장 큰 비중을 차지하였다. 자동차산업은 수출수요 성장기여율이 2005~2010년에 258.72%, 2010~2013년에 72.69%의 비중을 차지하였고, 기술변화 성장기여율은 2005~2010년에 -115.36%에서 2010~2013년에 16.91%로 크게 증가하였다. 반면 조선산업은 2005~2010년에 수출수요 성장기여율이 94.47%로 가장 큰 비중을 차지하였으나 2010~2013년에는 -255.32로 크게 감소하였고, 최종수요 성장기여율도 2005~2010년에 1.75%에서 2010~2013년에 -502.65%로 급감하였으나, 최종재 수입대체와 기술변화 성장기여율은 280.68%와 492.21%로 크게 증가하였다.

울산의 3대 주력산업의 성장요인 분석은 관련 산업 정책을 재정리하고 수립하는데 기초자료로서 역할을 할 것으로 기대한다.

② 산업고도화를 위한 부산지역 핵심매개산업의 지역산업연관효과분석

■ 김윤수 · 박추환(2021), 경제연구, 39(2):85-106

부산지역의 산업구조를 고도화할 수 있는 핵심매개산업을 도출하고 이를 지역산업연관분석과 연계하여 파급효과를 제시하고자 한다.

부산지역 전략 추진 산업을 대상으로 ATLAS 방법론[54])을 통하여 핵심매개산업을 다양한 평가 요인을 근거로 도출하고, 핵심매개산업을 대상으로 I/O 관점에서 생산유발, 부가가치유발, 수입유발, 취업유발계수 및 전후방연관효과를 분석하고자 한다.

부산 핵심매개산업 대부분이 제조업을 매개로 부산 7대 전략산업들과의 연계가 이루어지고 있으며, 경제성장을 위해서는 제조업과 서비스업의 융합을 중요한 정책 과제로 추진해야 함을 시사하고 있다. 또한, 핵심매개산업에 대한 산업연관효과 분석 결과, 제조업의 경우 전반적으로 생산유발 및 수입유발효과가 높은 특징이 나타나는 반면 취업유발효과가 매우 낮게 나타난다. 반대로 서비스업의 경우 부산지역 내 평균보다 높은 부가가치유발 및 취업유발효과를 보이는 것으로 나타났다.

지역 내 전방연관효과 분석결과, '기계 및 장비', '섬유 및 가죽제품', '금속 가공 제품', '정보통신 및 방송서비스', '전문, 과학 및 기술서비스'가 포함된 산업의 효과가 높은 것으로 나타났다.

---

54) ATLAS 기법은 구축된 산업 네트워크를 기반으로 지역의 산업구조를 분석하여 성장 경로를 발굴하는 분석모형이다.

부산지역을 포함한 전 지역을 대상으로 할 경우 '목재 및 종이, 인쇄', '1차 금속제품', '전기장비', '화학제품', '건설'을 중심으로 전략산업을 추진하는 것이 효과적일 것으로 보인다.

또한, 지역 내 후방연관효과 분석결과, '금속가공제품', '정보통신 및 방송서비스', '전문, 과학 및 기술서비스'가 높게 나타나고, 전 지역을 대상으로 할 경우 '1차 금속제품', '화학제품'을 중심으로 하는 육성전략이 필요해 보인다.

③ 지역산업연관표로 분석한 광주의 산업구조에 관한 연구

■ 임상수(2017), 기업과혁신연구, 10(2):63-77

본 연구는 광주지역의 산업구조를 살펴보는 것을 목적으로 한다. 산업구조를 살펴보기 위해서는 투입과 산출관계를 나타내고 있는 산업연관표를 활용하는 것이 일반적이지만, 본 연구는 광주지역 산업과 타지역 산업 간 관계에도 주목하고 있어 지역까지 고려한 지역산업연관표를 활용한다. 광주지역의 산업구조는 산업별 투입 및 산출 규모에 관한 분석과 산업별 경제적 파급효과 분석으로 나누어서 살펴본다.

이와 같은 분석결과를 바탕으로 광주지역은 주로 운송장비와 전기 및 전자기기, 도소매서비스가 생산의 주를 이루는 반면 광주지역 경제규모에 기여하는 정도는 공공행정 및 국방, 도소매서비스, 운송장비 순인 것으로 나타났다.

이로 미루어볼 때, 광주지역은 운송장비와 도소매서비스가

중요한 산업이다. 더욱이 운송장비와 도소매서비스는 타산업에 비해 타지역에 대한 중간투입 의존도 역시 작은 것으로 나타났다. 그럼에도 불구하고 운송장비와 도소매서비스는 효율성이 높은 산업에 포함되지 않기 때문에 효율성을 제고시킬 수 있는 대책을 마련할 필요성이 있다.

④ 지역소비, 투자, 수출이 지역노동소득과 성장에 미친 파급효과: 2010, 2015 지역산업연관표 활용

■ 김종구(2021), 경제연구, 39(2):193

본 연구는 2010, 2015년 지역산업연관표를 정태분석하여 지역 간 소비, 투자, 수출이 지역노동소득에 미친 파급효과를 분석하였으며, 비교정태분석을 통해 노동소득 성장요인을 성장효과, 구조효과, 분배효과로 분해하여 분석하였다.

정태분석과 이론분석을 통해 지역 내 총생산은 지역중간투입물의 산업구조와 크기, 지역산업별 소비, 투자, 수출구조 및 규모에 의존하며 지역노동소득 역시 지역의 산업구조, 소비, 투자, 수출규모 및 크기에 따라 노동소득유발액과 유발계수가 결정됨을 알 수 있다.

비교정태분석결과에서 지역 간 노동소득분배율 격차가 개선되고 있으나 여전히 수도권 집중이 심각한 것으로 나타났다. 이의 해결방안으로 정부부문의 소비와 투자에서 적극적 역할이 요구되며, 노동소득유발액 증가를 위해 수출과 같은 대외지향적 성장정책도 필요하지만 안정적인 내수증진과 투자촉진을 통한 성장

정책이 보다 효율적이다.

⑤ **지역산업연관표를 이용한 지방재정자립도 제고방안에 관한 연구: 5대 광역시를 중심으로**

■ 양현석(2008), 한국재정학회 학술대회 논문집, 2008:1-20

본 연구는 인과관계분석과 지역산업연관표를 이용하여 지역의 세입에 영향을 주는 산업과 지역경제 활성화에 영향을 주는 산업을 선정하는데 그 목적이 있다.

통계청과 한국은행의 산업분류가 상이한 관계로 본 연구는 산업 조정을 시작으로 Granger 인과성 검정을 통해 세입에 영향을 주는 산업을 1차적으로 선정하였다. 2003년 전국 산업연관표를 RAS 법을 이용하여 2006년 전국 산업연관표로 업데이트 한 후 입지계수법을 이용하여 5대 광역시의 지역산업연관표를 작성하였다. 인과관계분석에서 세입에 영향을 주는 산업으로 나타난 산업과 지역별로 각종 계수 1위~6위에 해당하는 산업을 분석하여 산업을 선정하였다.

구체적으로 부산의 경우에는 가공 조립형 제조업, 숙박 및 음식점업, 광주의 경우 기타 서비스업, 대전의 경우에는 가공 조립형, 인천의 경우에는 생활 관련형이 선정되었다. 한편, 대구의 경우 특정 산업을 선정치 못하였다는 것이 본 연구의 한계점이라 하겠다. 이는 자료의 한계로 인하여 산업을 더욱 세분화하지 못하고, 15개 부문으로 산업을 선정한 점에서 오는 한계점이라 판단된다. 덧붙여 본 연구에서 선정된 산업들이 보다 구체적으로 지역경제에 어떠한 파급효과를 미치고, 재정 자립도에 얼마만큼의 영향을 주는지에 대한 보완적 실증분석의 필요성이 제기된다.

이와 같은 한계에도 불구하고, 특정 산업을 선정한 후 산업의 활성화 및 유치에 대한 당위성 혹은 해당 산업을 기준으로 하는 분석틀을 벗어나, 균형된 시각에서 두 가지 분석틀을 이용하여 새로운 접근을 시도하였다는 점에서 의미를 찾을 수 있을 것으로 판단된다.

⑥ 지역산업연관표를 이용한 지역 간 소득유발과 소득전이 분석

■ 권태현(2021), 경제분석, 27(3):61-96

본 연구는 지역 소득의 불균형 요인을 분석하기 위해 지역의 단위 소득당 소비 지출에 의한 소득유발효과와 지역 간 단위 소득에 의한 소득 상호의존도를 측정하였는데, 이를 위해 16개 광역자치단체의 지역별 임금 소득 및 소비구조가 반영된 2005년과 2015년 지역산업연관표를 이용하였다.

분석결과를 정리하면 다음과 같다. 먼저, 지역별 단위 소득당 소비 지출에 의한 소득유발효과가 전반적으로 낮아졌는데 자기 지역보다 타지역의 소득유발효과 하락이 주요인이었다. 다음으로 각 지역의 단위 소득 발생에 의한 지역 소득의 상호의존도도 대부분 지역에서 낮아졌는데, 이 역시 타지역으로의 소득전이 하락이 주요인이었다. 한편, 한국경제에서 차지하는 비중이 큰 서울과 경기는 단위 소득당 소비 지출에 의한 소득유발효과가 타지역보다 낮지만 자기지역은 물론 타지역의 소비에 의해 발생한 소득 유발효과를 가장 많이 차지하고 타지역으로부터의 소득전이를 가장 많이 흡수하였다. 이는 소비구조에서 서비스가 차지하는 비중이 높고 경기는 물론 특히 서울의 산업구조 서비스화 진전 과 임금 소득 비중이 높은 데 주로 기인하였다.

이러한 결과를 소득의 상호의존도 측면에서 보면 서울과 경기는 타지역의 소득에 의존하는 정도가 높은 것을 의미한다고 할 수 있다. 특히 경기는 고기술 제조업 제품의 해외 수출을 주도하는 지역이라 대외 요인도 소득유발에 기여하지만, 서울의 경우 서비 스를 기반으로 국내 상호연관구조를 이용한 소득흡수가 높다는 측면에서 본다면 국내 타지역의 경제 상황에 민감한 소득창출 구조를 갖고 있다는 점을 지적할 수 있을 것이다.

지역 간 소득유발효과와 소득전이가 전반적으로 하락하고 서울 과 경기로의 집중이 지속되고 있는 가운데 지역 불균형을 구조적 측면에서 완화하기 위해서는 지역의 산업정책은 서울이나 경기의 구조를 벤치마킹하는 것보다는 각 지역 특화산업의 비교 우위를 강화하여 지역 간 상호연계성 제고가 필요하다고 하겠다.

⑦ 지역별 R&D 투자의 경제적 파급효과 분석

■ 정옥균 · 이민규(2023), 한국혁신학회지. 18(2):225-246

최근 세계경제가 산업 간 경계가 무너지는 무한경쟁시대로 전환 되고 있어 주요 국가들은 급변하는 상황에서 살아남기 위해 기술혁신에 사활을 걸고 있다. 이러한 상황에서 연구개발(R&D) 투자가 기술진보로 이어지고, 기술의 진보는 생산성증대로 나타나며, 이는 경제성장에도 영향을 미치기 때문에 R&D 투자에 대한 관심이 갈수록 높아지는 추세에 있다. 이런 추세에 따라 우리나라도 정부 R&D 예산과 민간기업의 R&D 투자비를 합한 국가 총 R&D 투자도 연간 100조 원을 넘어섰다. 이처럼 R&D 투자 규모가 증가하고 있음에도 그 투자의 효과성에 대한 분석은 미흡한 실정이다. 특히 R&D는 전국 각 지역으로 투자되고 있기 때문에 지역별 R&D 투자가 지역산업에 어떠한 영향을 미치는지, 어느 지역과 어떤 산업분야에 투자해야 더 효율적인지에 대해 살펴볼 필요가 있다.

이에 본 연구에서는 한국은행에서 공표한 '2015년 기준 지역산업연관표'를 활용하여 중앙정부와 지자체, 민간기업의 R&D 투자가 각 지역에 미치는 영향과 지역별로 각각의 산업에 어떠한 영향을 미치는지에 대해 분석하고자 한다. 이를 위해 각 권역별 R&D 투자의 생산유발효과, 부가가치유발효과, 취업유발효과 등 경제적 파급효과를 분석한다.

분석결과, 전국 7개 권역의 R&D 투자가 자기 권역 및 다른 권역에 미치는 경제적효과를 분석한 결과, 각 권역의 R&D 투자는 생산유발계수 및 부가가치유발계수, 취업유발계수 등 모든 파급효과에서 자기 권역에서 효과가 가장 높은 것으로 나타났고, 다른 권역에 미치는 효과는 모든 권역에서 수도권에 미치는 유발효과가 가장 높은 것으로 조사되었다.

또 각 권역별 R&D 투자가 자기 권역의 각 산업에 미치는 경제적 파급효과를 분석한 결과, 모든 권역의 R&D 투자는 주로 서비스산업 분야에 경제적 효과가 높은 것으로 조사되었으며, R&D 투자에 따른 파급효과가 큰 산업으로 서비스산업 분야에서는 전문・과학기술서비스산업과 사업지원서비스산업으로 나타났고, 제조업 분야에서는 전력・가스・증기산업과 화학제품산업이 다른 산업에 비해 상대적으로 파급효과가 큰 것으로 분석되었다.

각 권역별로 R&D 투자에 따른 경제적 파급효과가 높은 상위 5개 산업을 도출해 본 결과, 대부분의 권역에서 1위 산업부터 5위 산업까지 서비스산업이 차지하고 있으나, 생산유발효과의 경우 울경권과 부산권에서 제조 분야인 전력・가스・증기산업이 1위를, 호남권과 울경권에서는 화학제품 산업이 2위를 차지하고 있는 것으로 나타났다.

본 연구의 결과는 각 지자체의 지역산업 진흥정책 수립과정에서 기초자료로 활용될 수 있을 것으로 생각된다.

⑧ 철도운송산업의 지역경제 파급효과분석

■이민규・오동규・이준(2020), 한국철도학회 논문집, 23(9):847-855

본 연구는 2013년 기준 지역산업연관표를 적용하여 지역별 철도운송산업의 경제적 파급효과를 분석하였다.

구체적으로는 지역별 철도운송산업의 생산유발효과, 부가가치 유발효과, 부가가치 순이입 측면에서 경제적 파급효과를 추정하였다.

분석결과, 제주를 제외한 15개 지역에 대한 생산유발계수는 1.604~1.705, 부가가치유발계수는 0.764~0.856, 부가가치 순이입은 -4,908억 원~7,758억 원으로 도출되었다. 유발효과가 높게 나타나는 부문은 철도운송업, 운송장비, 운송서비스, 전력/가스 및 증기, 석유 및 석탄제품, 금융 및 보험서비스 등으로 나타났다. 지역별 차이가 뚜렷한 부가가치 순이입은 철도운송산업의 지역경제 기여도를 부각할 수 있는 지표로 활용 가능하다.

본 연구는 철도운송 분야에 부가가치 순이입 분석을 소개함으로써 철도산업연구의 지평을 확장하는 계기가 될 것으로 판단된다. 분석결과는 지역별 철도운송산업의 발전정책을 수립하는 데 도움이 될 것으로 기대된다.

⑨ **지역대학의 지역 내 총생산유발효과분석: 지역산업연관표를 이용한 상지대학교 사례 연구**

■ 황신준(2015), 질서경제저널, 18(1):21-44

본 논문은 지역에 소재한 대학의 지역경제 파급효과를 총산출, GRDP, 고용 등을 중심으로 추정 분석하였다.

국내에서 일반적으로 사용되고 있는 승수효과분석은 1부문 모형이거나 부분균형접근으로 현실 적합성이 떨어지기 때문에 다부문 일반균형접근인 지역산업연관분석을 추정모형으로 사용하였다. 한국은행이 2009년 조사한 2005년 지역산업연관표를 이용하여 원주 소재 상지대학교가 강원 지역에 미치는 경제적 파급효과를 추정하였다.

연간 소비 1,037억 원, 투자 65억 원 도합 1,102억 원의 최종 수요를 통해 연간 지역 내 총산출 1,341억 원, GRDP 812억 원, 고용 유발 2,188명이 유발되는 것으로 추정되었다. 이 유발효과를 최종수요 항목별로 다시 추정해 보면 각 유발효과는 상당히 감소하는 것으로 나타났다.

즉 강원도의 경우, 수출에 의한 유발효과는 타 지역에 비해 불리하지 않지만, 국내 소비나 투자의 유발효과는 타 지역으로 크게 유출 당하는 취약한 구조라는 것이 확인되었다.

또한 원주 소재 대학의 '입지'를 수도권으로 변경시키는 경우의 효과도 추정해 보았는데 국민경제 전체적으로는 그 변화가 미미하였지만, 강원도 지역경제에 미치는 위축효과는 대단히 크다는 것을 확인하였다. 이는 현재 추진되고 있는 대학구조조정정책에서 대학별 '입지' 요소, 특히 지방대학의 입지를 중요한 요소로 다루어야 한다는 시사를 주는 것이기도 하다.

⑩ 코로나 19 로 인한 대구·경북지역 관광산업 피해와 파급효과: 산업연관분석을 중심으로

■ 송민경·이솔지·조장회(2022), 경영컨설팅연구, 22(6):227-239

본 연구는 코로나19 확산 초기 확진자가 가장 많이 발생한 대구·경북의 관광 지역을 대상으로 관광산업의 피해 규모를 파악하고, 산업연관분석을 통해 국내생산 및 고용(취업자 수)의 파급효과를 분석한다.

관광산업 피해액은 신용카드 자료를 바탕으로 대구·경북 내 지정 관광지가 위치한 시군구에서 관광객이 소비한 금액을 토대로 2020년과 2019년의 차이를 통해 집계한다.

관광산업 피해액은 644억 원이며, 피해의 대부분은 음식 및 주점업에 집중된다. 이때 다른 관광산업과 달리 스포츠 및 오락업은 경북 남부권을 중심으로 관광 매출이 증가하며, 숙박업의 피해는 동해안권에 집중되는 등 권역에 따라 산업별 차이가 발생한다. 이에 따른 생산유발효과는 직·간접적인 관광 매출 감소를 포함한 1,463억 원이 감소하는 것으로 집계되며, 취업유발효과는 취업자 수 1,355명의 감소로 나타난다.

이러한 파급효과로 인한 간접적 피해는 대구·경북을 제외한 서울, 경기, 경남 지역에 집중되며, 산업 관점에서 볼 때 관광산업을 제외한 제조업과 농림어업에 집중되는 경향을 보인다.

본 연구는 신용카드 자료 및 가설을 통해 관광산업에서 코로나 19의 피해를 다각도로 산정하고, 산업연관분석을 통해 대구·경북 지역의 피해에 대한 지역-산업연관구조를 파악함으로써 각 특성에 맞는 정책의 수립에 기여할 수 있다는 시사점을 갖는다.

⑪ **디지털 전환 투자에 따른 지역별 차별적 영향 분석: 지역산업연관분석 접근과 정책적 시사점**

■ 정성문 · 여영준 · 김성진 · 정현민(2022),
한국혁신학회지, 17(4):301-316

디지털 경제로의 전환에 대한 요구가 증대되고 있는 시점에서 정부의 디지털 전환 투자의 성공적 추진을 도모하기 위해서는 지역 간 격차 및 불균형을 완화할 필요가 있다. 하지만, 디지털 전환 등 한국판 뉴딜정책들은 국가차원의 전략적 과제를 발굴하고 탐색하는 데 초점을 맞추고 있다. 그에 따라, 지역 맥락을 고려한 뉴딜정책 추진과 지역차원의 대응전략 수립에 관한 심도 있는 고민은 제한적인 상황이다.

이에 본 연구에서는 디지털 전환 투자 확대에 따른 지역별, 산업별 생산 및 취업유발효과를 정량적으로 분석함으로써 대응전략 수립에 기반이 되는 주요 정량적 근거를 제시하고, 이를 바탕으로 지역단위 디지털 전환 정책 수립에 시사점을 제공하고자 하였다.

그에 따라, 지역단위 산업연관분석을 수행함으로써 디지털 전환 투자에 따른 지역별, 산업별 파급효과를 추산하고자 시도했다.

분석결과, 디지털 전환에 따른 경제적 이득은 수도권이 비수도권보다 상대적으로 높은 것으로 나타났다. 이에 따라 향후 지역 격차 확대 및 지역 불균형 문제는 더욱 심각해질 수 있을 것으로 판단된다. 또한, 디지털 전환이 가속화될수록 고용이 상대적으로 줄어들 수 있는 것으로 나타났다. 이에 노동 대체 현상을 해소하고, 지역 내 인구감소 문제를 해소하기 위한 정책적 대안이 필요함을 파악할 수 있었다.

⑫ 병원조직의 경제적 파급효과 분석 연구: 지역산업연관분석을 이용한 가천대 길병원 사례를 중심으로

■ 조경엽·송병원(2020), 인천학연구, 32:7-47

대한민국이 눈부신 경제성장에도 불구하고 빠르게 고령사회로 접어들고 있다. 국민소득이 개선되고 건강에 대한 관심이 높아지면서 의료서비스산업의 수요도 증가하고 있다. 의료서비스산업은 다른 산업으로의 경제적 파급효과가 크기 때문에 국민경제에서 차지하는 비중이 점차 높아지는 추세이다.

이에 본 연구는 의료서비스산업에 대한 초점에서 한 걸음 나아가 특정 병원조직이 지역사회에 미치는 경제적 영향을 지역산업연관분석을 통해 확인하고자 하였다.

이에 대한 연구 사례로 인천의 대표적 의료기관인 가천대 길병원을 선정하였다. 분석기간은 가용 자료에 대한 객관적 평가가 가능한 2000년~2017년까지로 한정하였다.

길병원의 특성을 분석한 결과, 총 병상 수는 1,400개, 의사 수는 514명, 간호사 수는 1,436명, 진료비 청구액은 2,335억 원 수준인 것으로 나타났다. 이는 병상 수 기준 전국 5위권이며, 진료비 청구액 기준 전국 7위권의 수치이다.

또한, 가천대 길병원이 2000~2017년까지 18년간 지역경제에 미친 영향력을 분석했을 때, 총 22조 5천억 원의 생산유발효과, 14조 1천억 원의 부가가치유발효과, 35만 명의 고용유발효과가 있는 것으로 확인되었다.

이는 국가적 이벤트였던 평창 동계올림픽의 생산유발효과를 상회하는 수치이며, 인천광역시 재정과 비교했을 때 세출 규모 대비 10% 이상, 세입 규모 대비 8% 이상을 유지하는 것으로 나타났다.

연구결과를 통해 가천대 길병원이라는 단일 병원조직이 인천 지역에 미치는 경제적 파급효과가 상당하다는 것을 확인하였다. 본 연구는 경제성장과 고령화에 따른 의료수요를 견인할 동력 사업으로서 병원조직이 갖는 다양한 시사점을 제공하는 데 의의 를 갖는다.

■ 지역산업연관표 활용 연구 사례 요약

① 지역산업연관표를 이용한 울산광역시 3대 주력산업의 구조변화
와 성장요인 분석
- 목적: 울산지역에서 2005~2013년간 성장을 견인한 3대 주력산업
  (석유화학산업, 조선산업, 자동차산업)의 성장요인을 투입산출
  구조분해분석법으로 분석
- 방법: 지역산업연관표를 이용하여 3대 주력산업의 구조변화를
  살펴보고, 각 산업의 요인별 성장기여율을 최종수요, 수출수요,
  최종재 수입대체, 중간재 수입대체, 기술변화 등으로 구분하여
  분석
- 결과
  ① 석유화학산업과 자동차산업의 총산출과 총수요 증가율은
     2005~2010년에 비해 2010~2013년에 증가, 조선산업의
     총산출과 총수요 증가율은 둔화
  ② 3대 주력산업의 총산출 증가에 대한 요인별 성장기여율
     분석은 수출수요가 가장 큰 영향
  ③ 석유화학산업은 수출수요 성장기여율이 2005~2010년에
     209.23%, 2010~2013년에 113.78%로 가장 큰 비중
  ④ 자동차산업은 수출수요 성장기여율이 2005~2010년에 258.72%,
     2010~2013년에 72.69%의 비중을 차지, 기술변화 성장기여율은
     2005~2010년에 -115.36%에서 2010~2013년에 16.91%로
     크게 증가
  ⑤ 조선산업은 2005~2010년에 수출수요 성장기여율 94.47%에
     서 2010~2013년 -255.32%로 크게 감소, 최종수요 성장
     기여율도 2005~2010년에 1.75%에서 2010~2013년에 -502.65%로

급감, 최종재 수입대체와 기술변화 성장기여율은 280.68%와 492.21%로 크게 증가

② **산업고도화를 위한 부산지역 핵심매개산업의 지역산업연관효과분석**

- 목적: 부산지역의 산업구조를 고도화할 수 있는 핵심매개산업을 도출하고 이를 지역산업연관분석과 연계하여 파급효과 제시
- 방법: 부산지역 전략 추진 산업을 대상으로 ATLAS 방법론을 통하여 핵심매개산업을 도출하고, I/O 관점에서 생산유발, 부가가치유발, 수입유발, 취업유발계수 및 전후방연관효과분석
- 결과
  ① 핵심매개산업에 대한 산업연관효과분석결과, 제조업의 경우 생산유발 및 수입유발효과가 높고, 취업유발효과가 매우 낮음
  ② 서비스업의 경우 평균보다 높은 부가가치유발 및 취업유발 효과
  ③ 전방연관효과분석결과, '기계 및 장비', '섬유 및 가죽제품', '금속가공제품', '정보통신 및 방송서비스', '전문, 과학 및 기술서비스'가 포함된 산업의 효과가 높음
  ④ 후방연관효과분석결과, '금속가공제품', '정보통신 및 방송서비스', '전문, 과학 및 기술서비스'가 높음

③ **지역산업연관표로 분석한 광주의 산업구조에 관한 연구**

- 목적: 광주지역 산업구조 개관
- 방법: 광주지역 산업과 타지역 산업 간 관계까지 고려한 지역산업연관표를 활용하여, 산업별 투입 및 산출 규모에 관한 분석과 산업별 경제적 파급효과 분석
- 결과: 광주지역은 운송장비와 전기 및 전자기기, 도소매서비스가 생산의 주를 이루며, 경제규모에 기여하는 정도는 공공행정

및 국방, 도소매서비스, 운송장비 순

④ **지역소비, 투자, 수출이 지역노동소득과 성장에 미친 파급효과:**
   2010, 2015 지역산업연관표 활용

- 목적: 지역소비, 투자, 수출이 지역노동소득과 성장에 미친 파급효과분석
- 방법: 2010, 2015년 지역산업연관표를 정태분석하여 지역 간 소비, 투자, 수출이 지역노동소득에 미친 파급효과를 분석하였으며, 비교정태분석을 통해 노동소득성장요인을 성장효과, 구조효과, 분배효과로 분해하여 분석
- 결과
  ① 지역 내 총생산은 지역 중간투입물의 산업구조와 크기, 지역 산업별 소비, 투자, 수출구조 및 규모에 의존
  ② 지역노동소득은 지역의 산업구조, 소비, 투자, 수출 규모 및 크기에 따라 노동소득유발액과 유발계수가 결정됨
  ③ 비교정태분석결과 지역 간 노동소득분배율 격차가 개선되고 있으나 여전히 수도권 집중이 심각

⑤ **지역산업연관표를 이용한 지방재정자립도 제고방안에 관한 연구:**
   5대 광역시를 중심으로

- 목적: 인과관계분석과 지역산업연관표를 이용하여 지역의 세입에 영향을 주는 산업과 지역경제 활성화에 영향을 주는 산업 선정
- 방법: Granger 인과성 검정을 통해 세입에 영향을 주는 산업을 1차적으로 선정하고, 2003년 전국 산업연관표를 RAS 법을 이용하여 2006년 연장표를 만든 후 입지계수법을 이용하여 5대 광역시의 지역산업연관표를 작성하여 분석
- 결과: 부산은 가공 조립형 제조업, 숙박 및 음식점업, 광주는 기타 서비스업, 대전은 가공 조립형, 인천은 생활 관련형 선정

⑥ **지역산업연관표를 이용한 지역 간 소득유발과 소득전이 분석**

- 목적: 지역 소득의 불균형 요인을 분석하기 위해 지역의 단위 소득당 소비 지출에 의한 소득유발효과와 지역 간 단위 소득에 의한 소득 상호의존도 측정
- 방법: 16개 광역자치단체의 지역별 임금 소득 및 소비구조가 반영된 2005년과 2015년 지역산업연관표 이용 분석
- 결과
  ① 지역별 단위 소득당 소비 지출에 의한 소득유발효과 감소
  ② 단위 소득 발생에 의한 지역 소득의 상호의존도 감소
  ③ 한편, 서울과 경기는 단위 소득당 소비 지출에 의한 소득 유발효과가 타지역보다 낮지만 자기지역은 물론 타지역의 소비에 의해 발생한 소득유발효과를 가장 많이 차지하고 타지역으로부터의 소득전이를 가장 많이 흡수

⑦ **지역별 R&D투자의 경제적 파급효과 분석**

- 목적: 지역별 R&D 투자의 지역 산업에 미친 영향 분석
- 방법: 2015년 기준 지역산업연관표 활용 권역별 R&D 투자의 생산유발효과, 부가가치유발효과, 취업유발효과 등 경제적 파급 효과 분석
- 결과
  ① 각 권역의 R&D 투자는 모든 파급효과에서 자기 권역에서 효과가 가장 높고, 다른 권역에 미치는 효과는 수도권에 미치는 유발효과가 가장 높음
  ② 모든 권역의 R&D 투자는 주로 서비스산업 분야에 경제적 효과가 높음
  ③ 생산유발효과의 경우 울경권과 부산권에서 제조 분야인 전력·가스·증기산업이 1위, 호남권과 울경권에서 화학제품산업이

2위 차지

⑧ **철도운송산업의 지역경제 파급효과분석**

- 목적: 지역별 철도운송산업의 경제적 파급효과 분석으로 철도운송 분야에 부가가치 순이입 분석을 소개
- 방법: 2013년 기준 지역산업연관표 적용
- 결과
  ① 15개 지역에 대한 생산유발계수 1.604~1.705, 부가가치유발계수 0.764~0.856, 부가가치 순이입 -4,908억 원~7,758억 원으로 도출
  ② 유발효과가 높게 나타나는 부문은 철도운송업, 운송장비, 운송서비스, 전력/가스 및 증기, 석유 및 석탄제품, 금융 및 보험서비스 등

⑨ **지역대학의 지역 내 총생산유발효과분석: 지역산업연관표를 이용한 상지대학교 사례 연구**

- 목적: 지역에 소재한 대학의 지역경제 파급효과를 총산출, GRDP, 고용 등을 중심으로 추정
- 방법: 2005년 지역산업연관표 이용하여 원주 소재 상지대학교가 강원 지역에 미치는 경제적 파급효과 추정
- 결과: 연간 소비 1,037억 원, 투자 65억 원 도합 1,102억 원의 최종수요를 통해 연간 지역 내 총산출 1,341억 원, GRDP 812억 원, 고용유발 2,188명으로 추정

⑩ **코로나19로 인한 대구·경북지역 관광산업 피해와 파급효과: 산업연관분석을 중심으로**

- 목적: 코로나19 확산 초기 확진자가 가장 많이 발생한 대구·경북의 관광 지역을 대상으로 관광산업의 피해 규모 파악
- 방법: 관광산업 피해액은 신용카드 자료를 바탕으로 2020년과

2019년의 차이를 통해 집계하며, 산업연관분석을 통해 국내생산 및 고용(취업자 수)의 파급효과분석

- 결과
  ① 관광산업 피해액은 644억 원
  ② 생산유발효과 1,463억 원 감소
  ③ 취업유발효과 1,355명 감소

⑪ **디지털 전환 투자에 따른 지역별 차별적 영향 분석: 지역산업연관분석 접근과 정책적 시사점**

- 목적: 디지털 전환 투자 확대에 따른 대응전략 수립에 기반이 되는 주요 정량적 근거를 제시하고, 지역 단위 디지털 전환 정책 수립에 시사점 제공
- 방법: 지역단위 산업연관분석
- 결과
  ① 디지털 전환에 따른 경제적 이득은 수도권이 높음
  ② 디지털 전환이 가속화될수록 고용은 줄어듦

⑫ **병원조직의 경제적 파급효과 분석 연구: 지역산업연관분석을 이용한 가천대 길병원 사례를 중심으로**

- 목적: 특정 병원조직이 지역사회에 미치는 경제적 영향 분석
- 방법: 인천 가천대 길병원 대상으로 2000년~2017년 지역산업 연관분석
- 결과
  ① 총 병상 수 1,400개, 의사 수 514명, 간호사 수 1,436명, 진료비 청구액 2,335억 원
  ② 18년간 생산유발효과 22조 5천억 원, 부가가치유발효과 14조 1천억 원, 고용유발효과 35만 명

4

국제산업연관표 활용 연구 사례

국제산업연관표(World/International/Global Input-Output Tables)는 여러 나라의 산업연관표를 접속시켜 한 국가의 생산 및 배분뿐만 아니라 수출입을 통하여 발생하는 국가 간의 거래까지 체계적으로 파악할 수 있도록 작성한 통계표로서 생산구조의 국제비교 및 국가 간 상호의존관계의 분석 등에 이용된다.

이러한 국제산업연관표를 활용한 국가 간의 경제구조 및 성장 요인 등의 비교 연구 사례를 살펴본다.

① **우리나라 수상운송업의 국가 간 경제적 파급효과 분석:**
국제산업연관표를 이용하여

■ 이민규(2013), 해양정책연구, 28(2):71-94

본 연구는 글로벌 경제의 연계성이 강화되고 있는 추세를 감안하여 한국 수상운송부문의 경제적 파급효과를 분석하고자 한다.

본 연구는 2009년 기준 WIOD(World Input Output Database)를 이용하여 한국 수상운송부문의 생산유발효과와 공급부족효과를 탐구한다. 특히 국가 간 상호관계에 주목하여 이 분야를 외생화 하였다.

분석결과는 한국 수상운송부문의 생산량 변화에 따른 생산유발 효과는 원유 및 화학부문, 보조수송활동이 다른 부문보다 큰 것으로 나타났다. 또한, 한국 수상운송부문이 외국 국가의 생산과정에서 중간재로서 중요한 역할을 하고 있다.

본 연구는 분석결과가 중간 서비스의 수출로서 수상운송부문의 역할을 정량화한다는 점에서 이전 문헌과 확연히 구분된다. 마지막으로, 이러한 결과는 한국 수상운송부문의 발전에 대한 정책 수립에 기여할 것이다.

② 수상운송산업의 경제적 파급효과 국제비교: 국가별 산업연관분석을 이용하여

■ 이민규 · 고병욱(2013), 해운물류연구, 79:827-852

본 연구는 국가별 산업연관분석을 이용하여 수상운송산업의 경제적 파급효과를 국제비교 분석한다.

구체적으로 GTAP 8 DB[55] 자료를 활용하여 우리나라를 포함한 세계 30대 해운국가의 수상운송산업의 산업적 위상을 조명한다.

---

55) GTAP(Global Trade Analysis Project)은 미국 Purdue 대학교의 Hertel 교수를 중심으로 국제적 정책 이슈가 각 국가에 미치는 거시적 영향을 정량적으로 분석하기 위해 구축된 프로젝트이다. GTAP을 통해 각 국가의 산업연관표, 소득, 무역 등과 같은 다양한 자료를 정리하여 GTAP DB를 구축하였다.

분석결과, 우리나라 수상운송산업의 생산유발효과 순위가 26위, 부가가치유발효과 순위가 28위로 나타난다.

이에 따라 낮은 경제적 파급효과를 제고시킬 수 있는 정책, 예컨대 연안운송의 활성화, 전략적 대량 수입화물의 무역계약조건의 CIF(Cost Insurance and Freight)에서 FOB(Free On Board)로의 전환, 항만 부대서비스산업의 활성화 등의 체계적인 추진이 요구된다. 아울러 연료비를 낮추기 위해 에너지 절감형 선박의 도입 확대가 필요하다.

본 연구에서 채택한 산업연관분석 기법에 활용된 통계자료의 개선이 이루어진다면, 향후 우리나라 수상운송산업의 발전을 위한 정책방향을 수립하는 데 많은 도움이 될 것으로 기대된다.

③ **국제산업연관표를 이용한 한국의 수출둔화 요인 분석: 경기적 요인? vs. 구조적 요인?**

■ 김찬복 · 이홍식 · 한치록(2017), 국제경제연구, 23(4):1-27

최근 우리나라를 포함한 세계무역의 증가가 둔화되고 있는 원인이 경기적 요인인지 아니면 구조적 요인인지에 대한 논의가 활발히 이루어지고 있다. 만약 경기적 요인보다 구조적 요인이 크게 작용하고 있다면 세계경제가 회복되어도 무역증가세는 종전과 다를 것이며 대외무역에 의존하는 우리경제의 정책운영에도 상당한 제약요인으로 작용할 가능성이 있다. 따라서 세계무역의 둔화 요인을 아주 상세하게 분석해 보는 것은 의미 있는 시도가 될 것이다.

이에 본 논문에서는 2016년에 발표된 World Input-Output Database(WIOD 2016)를 이용하여 수출부가가치(Value Added Exports, VAX)를 추산하고, 그 변화를 부가가치계수의 변화(Δv), 투입구조의 변화(ΔL), 최종수요의 변화(Δf)로 분해하여 최근 무역 증가세의 둔화원인이 과연 어디에 있는지를 파악하였다.

분석결과에 의하면 글로벌 무역 증가세의 둔화 요인으로 경기적 요인이 주로 작용하는 것과는 달리 한국의 경우 2013년 이후에 접어들어 구조적 요인의 기여 정도가 경기적 요인보다 더 크게 작용하고 있음을 발견하였다. 특히 중국의 요인이 아주 중요하게 작용하고 있음을 알 수 있었다.

이러한 분석결과는 우리나라와 중국과의 특수한 투자관계에 기인하고 있을 개연성이 매우 큰 것으로 파악된다. 따라서 이에 대한 정책적 대응은 기존의 정책 대응 방향과는 매우 다르게 접근할 필요가 있다. 즉, 대중수출의 둔화 원인을 한국 기업의 투자패턴과 연결하여 국제분업 구조의 관점에서 접근할 필요가 있다. 국제분업 구조의 글로벌 생산기지의 재배치의 큰 틀에서 전략적 시장과 전략적 산업 등을 종합적으로 고려하여 새로운 한국기업의 생산기지 전략을 세울 필요가 있다.

④ 한 · 미 · 일 · 중간 기간산업의 경제적 파급효과 비교 분석:
2010년과 2014년 세계산업연관표를 중심으로

■ 이춘근 · 김호언(2022), 지역개발연구, 54(1):71

본 연구는 2010년과 2014년 세계산업연관표를 활용하여 우리나라와 미국, 일본, 중국 간 기간산업의 경제적 파급효과를 비교 분석하였다.

세계산업연관표는 전 세계 총 43개 국가, 56개 산업부문으로 2,408 × 2,408 중간거래행렬로 이루어진 산업연관표이다.

2010년의 각국의 전체 산업 평균 생산유발효과는 중국이 2.742로 가장 높고, 그 다음 일본이 2.047, 우리나라가 2.014, 미국이 1.898 순으로 나타났다. 2014년의 경우는 중국이 가장 높고, 그 다음 우리나라, 일본, 미국 순으로 나타났다.

2010년과 2014년 생산유발효과는 국가별로 약간 차이가 났지만, 대체적으로 화학 및 화학제품이 가장 높고, 그 다음 1차 금속과 섬유제품, 금속가공 등이 높았다. 한 · 미 · 일 · 중간 2010년과 2014년 후방연관효과를 비교하면, 2010년의 각국의 전체 산업 평균 후방연관효과는 중국, 우리나라, 일본, 미국 순으로 높게 나타났다. 2014년의 경우는 중국, 우리나라, 미국, 일본 순으로 높게 나타났다.

2010년 각국 기간산업의 최종수요가 증가했다고 가정할 경우, 자기 산업과 타 산업에 미치는 생산유발효과를 국가별로 비교 분석한 결과, 중국이 기간산업인 섬유산업과 전자산업, 자동차산업,

기계장비업 등 모든 산업에서 가장 높았고, 미국이 가장 낮았다. 2014년의 경우에도 2010년과 비슷하였다. 한·일간의 관계를 비교하면, 우리나라는 일본에 비해서 섬유산업과 기계장비업, 전자산업에 대해서는 더 높았으나, 일본은 우리나라에 비해서 철강산업과 자동차산업의 전체 파급효과 더 높았다.

⑤ 국제산업연관표를 활용한 중국의 경제적 위상 변화가 세계경제에 미치는 영향 분석

■ 이종하·임상수(2019), 현대 중국연구, 21(1):73-104

본 연구는 2000~2014년 기간 국제산업연관표(WIOT)를 이용해 중국의 경제에서 발생한 충격이 세계경제에 미치는 영향을 산업별로 분석했다.

구체적으로 중국경제의 구조변화를 검토한 후 중국경제가 세계에서 차지하는 산업별 비중 변화와 함께 중국의 최종수요 증가가 전 세계에 미치는 산업별 경제적 파급효과를 분석했다.

분석결과, 첫째, 현행 중국의 산업구조는 제조업 중심인 것으로 나타났지만 부가가치 창출 효과는 낮은 것으로 나타났다. 반면 중간투입 대비 산출 비중은 농림수산업과 서비스업이 큰 것으로 나타났고 최근 상승세를 보이는 것으로 나타났다. 둘째, 전 세계 경제에서 중국이 차지하는 비중은 상승하고 있으며, 특히 농림수산업, 제조업, 건설업 비중이 높은 수준을 보이는데 반해 서비스업 비중은 상대적으로 낮은 수준을 보였다. 마지막으로 중국의 최종수요 증가로 인한 세계 경제 파급효과(해외 생산유발계수와 부가가치유발계수)는 대체로 약화하고 있는 것으로 나타났다.

이상의 결과는 중국경제가 향후에도 제조업과 건설업을 중심으로 전 세계 경제에 큰 영향을 미칠 수 있음을 시사한다. 다만, 부가가치 측면에서 제조업 중심의 경제성장의 한계로 인해 서비스업으로 경제성장의 패러다임이 전환될 경우, 중국의 대세계 영향력은 제조업에서 서비스업 중심으로 변화할 가능성이 있다. 따라서 제조업 중심의 대중 수출 의존도가 높은 국가들은 수출 다변화 전략을 마련함과 동시에 서비스업 경쟁력 강화를 위한 정책 대응이 필요하다는 것을 알 수 있다.

⑥ 세계산업연관표를 이용한 한·미·일 간 전자산업의 생산유발효과 분해

■ 이춘근·김호언(2018), 경제연구, 36(3):165-193

본 연구는 WIOD에서 발표한 2014년 세계산업연관표를 이용하여 우리나라와 미국, 일본 간 전자산업의 생산유발효과를 요인 분해하였다.

세계산업연관표는 EU 28개국과 기타 국가 15개국 등 총 43개 국가로 이루진 산업연관표이나 본 연구에서는 우리나라와 미국, 일본, 기타 국가 등 4개 국가로 재분류하고, 산업부문은 56개 부문을 42개 부문으로 재분류 통합하여 재분석하였다.

분석결과, 자국 내 승수효과는 한국의 경우가 가장 높은 약 2.0배의 파급효과를 나타냈고, 그다음 일본이 1.9배, 미국이 1.4배가량의 효과를 나타냈다. 한·미·일 각국이 타 국가에 미치는 확산효과는 한국과 미국의 경우 일본에 미치는 효과가 가장 높았고, 반면에 일본은 한국보다 미국에 미치는 효과가 약간 높았다. 국가별 확산효과도 한국, 일본, 미국 순으로 높았다.

이러한 경향은 미국의 경우 타 국가로부터의 수입제품을 많이 사용하여 자국 내 산업연관관계가 낮기 때문인 것으로 풀이된다. 다만 미국과 일본의 산업 간 연관관계가 더 높게 나타나 우리나라로서는 다소 문제이다. 2014년의 분석결과를 2010년의 결과와 비교해 보면, 3국 모두 2010년에 비해 2014년의 승수효과가 약간씩 작았다. 2014년의 효과가 2010년에 비해 작아진 요인은 각국 간, 산업 간 전자산업의 연관관계가 감소하였기 때문인 것으로 풀이된다.

우리나라는 전자산업의 중간거래 및 부가가치사슬 등을 연구하고, 전자부품산업의 경쟁력을 제고시켜 자국 내 및 피드백효과가 배가될 수 있도록 노력해야 할 것이다.

---

7 **표준산업분류와 산업연관표를 활용한 한국과 일본 부동산산업 비교 분석**

■ 박철한·이상영(2014), 부동산학보, 59:258-272

본 논문의 목적은 한국과 일본의 부동산산업 간 비교 연구를 통해 향후 우리나라 부동산산업 발전에 대한 시사점을 얻고자 하는 것이다.

이를 위해서 표준산업분류에서는 양국의 업종 분류기준을 통일하여 비교하였고, 산업연관표는 국제투입산출표(WIOD)를 활용하여 분석하였다.

분석결과 일본의 부동산산업의 규모는 우리나라의 2배 이상이고, 일본의 부동산산업이 큰 이유는 상대적으로 주택임대산업이 발달한 결과였다. 투입산출분석에서는 한국이 일본보다 생산유발효과가 좀 더 크게 나타나지만, 부가가치유발효과는 일본이 좀 더 크게 나타나서 일본이 산업적으로 더욱 발전하였다.

이러한 부동산산업의 차이점을 고려할 때 우리나라는 향후 주택임대업의 성장 정도에 따라 산업적 성장이나 산업 간 연관성이 제고될 것으로 판단된다.

⑧ 산업연관표로 본 건설산업: 유럽 국가들과의 비교

■ 빈재익(2017), 한국건설산업연구원 이슈포커스, 2017:1-26

최근, 건설투자가 국내 총생산에서 차지하는 비중이나 성장기여율이 국민경제의 지속가능성에 위협이 되고 있다는 주장이 제기되고 있다.

이 보고서는 산업연관표를 이용해 총수요 혹은 총공급에서 차지하는 건설업의 비중, 투입구조, 생산유발계수, 부가가치율 및 부가가치 구성 등을 분석함으로 건설업이 국민경제에서 차지하고 있는 위상을 분석해 이를 유럽 국가들과 비교하였다.

국내 건설업이 총수요 혹은 총공급에서 차지하는 비중을 유럽 국가들과 비교한 결과, 의미 있는 차이를 발견할 수 없었고 건설업 비중을 이용해 선진국과 신흥국을 구별하는 것도 가능하지 않았다.

건설업에 대한 수요를 최종수요와 중간수요로 구분할 때, 국내 건설업에 대한 중간수요는 거의 존재하지 않지만, 유럽 국가들의 경우, 중간수요의 비중이 높아서 최종수요와 조화를 이루고 있었다.

생산유발계수와 관련하여, 국내 건설업은 산업연관표를 구성하는 30개 산업 중에서 상대적으로 높은 영향력계수와 낮은 감응도계수를 보유하고 있다. 이는 건설업에 대한 최종수요는 높지만 중간수요는 낮다는 사실을 반영하는 것으로, 국내 건설업은 주로 고정자본형성 수요 충족을 통해서 국민경제에 참여하고 있음을 나타낸다.

건설업 생산에 중간투입물로 들어가는 상품을 분석해보면, 유럽 국가들에 비해, 국내 건설업은 제조업 생산물의 투입 비중이 압도적으로 높고 건설업 자체의 생산물은 거의 존재하지 않는다는 특징을 보였다. 국내 건설업은 시설물 시공이 산업 활동의 대부분을 차지하는 반면 유럽의 건설업은 시설물의 시공분만 아니라 운영, 유지 그리고 관리 업무도 포괄하고 있는 것으로 해석할 수 있다.

유럽 국가들과 비교할 때, 국내 건설업의 부가가치율은 낮으며, 부가가치 구성에서도 피용자보수가 차지하는 비중은 크게 높고 기업에게 배분되는 영업잉여와 고정자본소모가 차지하는 비중은 크게 낮다.

산업연관표 분석이 주는 시사점은 사회간접자본시설과 주택 등 시설물을 대량으로 공급하는데 머물러 있는 산업활동을 신규 시설물의 시공은 물론 기존 시설물의 운영과 유지 및 관리 등도 중요한 비중을 차지하는 방향으로 건설업의 진화가 진행되어야 한다는 것이다.

⑨ 산업연관분석을 통한 중국, 베트남, 캄보디아 산업구조 비교 연구

■ 조시준 · 강성진(2019), 국제통상연구, 24(1):75-110

중국, 베트남과 캄보디아는 정치체제의 변화는 수반되지 않았 지만 중앙계획경제에서 시장경제체제로 전환을 한 대표적인 경제 체제 전환 국가들이다. 이 국가들은 경제발전과정이나 단계에서 큰 차이를 보이는데, 이는 체제 전환이 곧 빠른 성공을 보장하는 것은 아니라는 것을 의미한다.

본 연구는 각 국가의 산업구조, 산업별 최종수요에 의한 국내 생산유발효과와 부가가치유발효과를 계산하여 비교·분석하였다. 분석 자료로 중국통계국(National Bureau of Statistics of China, NBS)의 1987년부터 2015년까지의 경쟁수입형 산업연관표 와 OECD에서 작성한 1995년부터 2011년까지의 연도별 비경쟁 수입형 산업연관표를 이용하였다.

분석결과를 보면 중국은 베트남과 캄보디아에 비해 상대적으로 빠른 시점에 2차 산업 비중이 1, 3차 산업에 비해 안정적으로 높았다. 중국의 2차 산업의 생산유발계수, 생산유발효과, 부가가치유발계수 및 부가가치유발효과도 베트남과 캄보디아에 비해 매우 컸다. 2차 산업의 산업구조도 경공업으로부터 하이테크 산업 및 중공업으로 바뀌고 있는데, 베트남은 경공업 위주이며 캄보디아는 2차 산업이 매우 취약하다. 특히 중국은 강한 파급효과를 보이는 건설업이 선도적으로 발달하였는데 베트남과 캄보디아는 상대적으로 산업부문의 발달이 미흡하다.

따라서 이러한 국가별 경제발전 과정을 분석함으로써 북한과 같은 잠재적인 체제 전환국은 체제 전환 및 경제성장의 과정에서 2차 산업의 비중 증가, 2차 산업과 다른 산업 간의 상호 연관성 강화 및 선도 산업 육성 등이 필요하다.

⑩ 산업연관분석을 이용한 중동부 유럽 자동차산업의 경제적 파급효과 분석: 2004년과 2014년간 변화 비교 분석

■ 김종욱(2022), 유럽연구, 40(2):69-93

본 연구는 2004년 이후 유럽의 새로운 자동차 생산기지로 전환한 중동부 유럽을 대상으로 2004년과 2014년의 자동차산업의 경제적 파급효과를 분석한 연구이다.

본 연구의 목적은 유럽 자동차산업의 GVC(Global Value Chain)에 편입한 중동부 유럽국가들이 10년의 시간이 지나면서 실제 자국에 속해있는 자동차산업의 경제적 파급효과가 증대되었는지 확인하는 것이다.

이러한 변화를 확인하기 위해 본 연구는 산업연관분석이라는 연구방법을 선택하였으며, 2004년과 2014년의 NIOT(국가투입산출표)를 기반으로 분석을 수행하였다.

분석결과 생산유발효과, 부가가치유발효과, 취업유발효과, 고용유발효과 모두 감소한 것으로 나타났고, 일부 국가는 전후방연쇄효과도 낮아지는 것으로 나타났다.

세부적으로 살펴보면 직접 유발효과들은 간접 유발효과들보다 상대적으로 증가 또는 높게 나타나면서 부정적인 결과로만 판단하기 어려운 결과가 나왔다.

이러한 결과가 나온 이유는 크게 2가지가 복합적으로 연결되어 나타났기 때문이다. 첫 번째는 연구 분석방법이 비경쟁수입형인 국산투입계수표를 활용하였다는 점, 두 번째는 중동부 유럽 자동차산업이 GVC의 일부로 편입되었기 때문에 중간재 수입이 증가하였다는 점이다. 하지만 결과가 낮게 나온 이유를 떠나서 중동부 유럽 자동차산업이 자국의 고부가가치 산업으로 성장하려면 중간재 수입을 통한 완성차 제조를 뛰어넘어 고부가가치산업으로 성장하는 새로운 국가적 전략이 수립되어야 할 것으로 판단된다.

⑪ 산업연관분석을 활용한 전력의 산업별 공급지장비용 평가: OECD 국가를 중심으로

■ 이승재 · 정동원 · 유재갑(2016), 한국융합학회논문지, 7(4):191-198

국가 기간산업 중 하나인 전력산업은 산출물인 전력을 각 산업

부문에 중간재로 공급하고 있으므로 전력의 공급지장이 국민경제에 미치는 영향은 큰 편이다. 만약 전력 공급이 원활치 못하게 되면 직접적으로는 생산 차질, 원료 공급 불안, 각종 장비 고장 등의 생산 및 공정상의 문제를 일으키고 간접적으로는 생산 차질에 따른 전력 관련 산업의 생산 손실부터 실업 및 물가 상승 등의 문제까지 등장할 수 있다.

본 연구는 산업연관분석을 활용하여, 전력의 공급이 차질을 빚을 경우 공급지장비용이 어느 정도인지 살펴봄으로써 발전 중단에 따른 사회적 비용을 OECD 국가별로 비교 분석하고자 한다.

본 논문에서는 OECD 주요국 중 한국, 일본, 영국, 덴마크 및 호주의 산업연관표를 이용하여 전력 산업을 외생화한 공급 유도형 모형의 적용을 통해 전력 산업의 공급지장이 각 산업부문에 미치는 영향을 개별적으로 분석한다.

공급지장효과의 값은 덴마크가 1.682로 가장 크며 다음으로 한국, 일본, 호주, 영국 순으로 나타났다.

① 우리나라 수상운송업의 국가 간 경제적 파급효과 분석:
국제산업연관표를 이용하여
- 목적: 글로벌 경제의 연계성이 강화되고 있는 추세를 감안하여 한국 수상운송부문의 경제적 파급효과 분석
- 방법: 2009년 기준 WIOD를 이용하여 한국 수상운송부문을 외생화하여 생산유발효과와 공급부족효과 탐구
- 결과: 한국 수상운송부문의 생산량 변화에 따른 생산유발효과는 원유 및 화학부문, 보조수송활동이 다른 부문보다 크며, 한국 수상운송부문이 외국 국가의 생산과정에서 중간재로서 중요한 역할을 담당하고 있음

② 수상운송산업의 경제적 파급효과 국제비교:
국가별 산업연관분석을 이용하여
- 목적: 국가별 산업연관분석을 이용하여 우리나라 수상운송산업의 경제적 파급효과를 국제비교 분석
- 방법: GTAP 8 DB 자료 활용하여 우리나라를 포함한 세계 30대 해운국가의 수상운송산업의 산업적 위상 조명
- 결과: 우리나라 수상운송산업의 생산유발효과 순위 26위, 부가가치유발효과 순위 28위로 나타남

③ 국제산업연관표를 이용한 한국의 수출둔화 요인 분석:
경기적 요인? vs. 구조적 요인?
- 목적: 우리나라를 포함한 세계무역의 증가가 둔화되고 있는 원인이 경기적 요인인지 아니면 구조적 요인인지에 대해 논의
- 방법: 2016년에 발표된 WIOD를 이용하여 수출부가가치를 추산

하고, 부가가치계수의 변화, 투입구조의 변화, 최종수요의 변화로 분해하여 최근 무역 증가세의 둔화 원인 파악

- 결과

  ① 글로벌 무역 증가세 둔화 요인은 경기적 요인이 주로 작용

  ② 한국의 경우 2013년 이후 구조적 요인이 경기적 요인보다 더 크게 작용

  ③ 특히 중국의 요인이 아주 중요하게 작용

④ 한·미·일·중간 기간산업의 경제적 파급효과 비교 분석: 2010년과 2014년 세계산업연관표를 중심으로

- 목적: 우리나라와 미국, 일본, 중국 간 기간산업의 경제적 파급효과 비교 분석
- 방법: 2010년과 2014년 세계산업연관표 활용
- 결과

  ① 각국의 전체 산업 평균 생산유발효과는 2010년에 중국 2.742, 일본 2.047, 한국 2.014, 미국 1.898이며, 2014년에는 중국, 한국, 일본, 미국 순

  ② 생산유발효과 큰 부문은 전체 국가의 평균적으로 화학 및 화학제품, 1차 금속, 섬유제품, 금속가공 순

  ③ 기간산업의 생산유발효과는 중국의 기간산업인 섬유산업과 전자산업, 자동차산업, 기계장비업 등 모든 산업에서 가장 높았고, 미국이 가장 낮음

  ④ 우리나라는 일본에 비해서 섬유산업과 기계장비업, 전자산업에 대해서는 더 높았으나, 일본은 철강산업과 자동차산업의 파급효과 더 높음

⑤ 국제산업연관표를 활용한 중국의 경제적 위상 변화가 세계경제에 미치는 영향 분석

- 목적: 중국경제에서 발생한 충격이 세계경제에 미치는 영향을 산업별로 분석
- 방법: 2000~2014년 기간 국제산업연관표(WIOT)를 이용하여 중국경제의 구조변화를 검토하고 중국경제가 세계에서 차지하는 산업별 비중 변화와 중국의 최종수요 증가가 전 세계에 미치는 산업별 경제적 파급효과 분석
- 결과
  ① 중국의 산업구조는 제조업 중심이며 부가가치 창출효과 낮음
  ② 중간투입 대비 산출 비중은 농림수산업과 서비스업이 큼
  ③ 전 세계경제에서 중국이 차지하는 비중은 상승하며, 농림수산업, 제조업, 건설업 비중이 높은 수준이고, 서비스업 비중은 낮은 수준
  ④ 중국의 최종수요 증가로 인한 세계경제 파급효과(해외생산유발계수와 부가가치유발계수)는 약화하고 있음

⑥ 세계산업연관표를 이용한 한·미·일 간 전자산업의 생산유발효과 분해

- 목적: 우리나라와 미국, 일본 간 전자산업의 생산유발효과요인 분해
- 방법: WIOD에서 발표한 2014년 세계산업연관표를 이용 우리나라와 미국, 일본, 기타 국가 등 4개 국가로 재분류하고, 56개 산업부문을 42개 부문으로 재분류 통합하여 분석
- 결과
  ① 자국 내 승수효과는 한국 2.0배, 일본 1.9배, 미국 1.4배
  ② 타 국가에 미치는 확산효과는 한국과 미국이 일본에 미치는

효과가 높았고, 일본은 한국보다 미국에 미치는 효과가 높
으며, 국가별 확산효과는 한국, 일본, 미국 순임

⑦ **표준산업분류와 산업연관표를 활용한 한국과 일본 부동산산업 비교 분석**

- 목적: 한국과 일본의 부동산산업 간 비교 연구를 통해 향후 우리나라 부동산산업 발전에 대한 시사점을 얻고자 함
- 방법: 표준산업분류에서 양국의 업종 분류기준을 통일하고, 국제투입산출표(WIOD) 활용하여 분석
- 결과
  ① 일본의 부동산산업의 규모는 우리나라의 2배 이상
  ② 한국이 일본보다 생산유발효과가 좀 더 크며, 부가가치유발 효과는 일본이 좀 더 큼

⑧ **산업연관표로 본 건설산업: 유럽 국가들과의 비교**

- 목적: 건설업이 국민경제에서 차지하는 위상을 분석하고 이를 유럽 국가들과 비교
- 방법: 산업연관표 이용 총수요, 총공급에서 차지하는 건설업의 비중, 투입구조, 생산유발계수, 부가가치율 및 부가가치 구성 등 분석
- 결과
  ① 국내 건설업의 비중을 유럽 국가들과 비교한 결과, 의미 있는 차이를 발견할 수 없음
  ② 국내 건설업의 중간수요는 거의 존재하지 않지만, 유럽 국가들의 중간수요의 비중이 높아서 최종수요와 조화를 이루고 있음
  ③ 국내 건설업은 높은 영향력계수와 낮은 감응도계수
  ④ 국내 건설업은 제조업 생산물의 투입 비중이 압도적으로

높고 건설업 자체의 생산물은 거의 존재하지 않음

⑤ 국내 건설업의 부가가치율은 낮으며, 부가가치 구성에서도 피용자보수가 차지하는 비중은 크게 높고, 영업잉여와 고정 자본소모가 차지하는 비중은 크게 낮음

⑨ **산업연관분석을 통한 중국, 베트남, 캄보디아 산업구조 비교 연구**

- 목적: 중국, 베트남, 캄보디아 각 국가의 산업구조, 산업별 최종 수요에 의한 생산유발효과와 부가가치유발효과 계산, 비교 분석
- 방법: 중국통계국의 1987~2015년까지 경쟁수입형 산업연관표와 OECD의 1995~2011년까지 비경쟁수입형 산업연관표 이용
- 결과
    ① 중국은 베트남과 캄보디아에 비해 상대적으로 빠른 시점에 2차 산업 비중이 1, 3차 산업에 비해 안정적으로 높음
    ② 중국의 2차 산업의 생산유발계수, 생산유발효과, 부가가치 유발계수 및 부가가치유발효과도 베트남과 캄보디아에 비해 매우 큼
    ③ 중국의 산업구조도 경공업으로부터 하이테크 산업 및 중공업으로 바뀌고 있는데, 베트남은 경공업 위주이며 캄보디아는 2차 산업이 매우 취약
    ④ 중국은 건설업이 발달하였는데 베트남과 캄보디아는 상대적으로 발달이 미흡

⑩ **산업연관분석을 이용한 중동부 유럽 자동차산업의 경제적 파급효과 분석: 2004년과 2014년간 변화 비교 분석**

- 목적: 유럽 자동차산업의 GVC에 편입한 중동부 유럽 국가들이 10년의 시간이 지나면서 실제 자국에 속해있는 자동차산업의 경제적 파급효과가 증대되었는지 확인
- 방법: 2004년과 2014년의 국가 투입산출표를 기반으로 분석

- 결과: 생산유발효과, 부가가치유발효과, 취업유발효과, 고용유발효과 등 모두 감소

⑪ **산업연관분석을 활용한 전력의 산업별 공급지장비용 평가: OECD 국가를 중심으로**
- 목적: 전력 공급 차질의 경우 공급지장비용이 어느 정도인지 살펴봄으로써 발전 중단에 따른 사회적 비용을 OECD 국가별로 비교 분석
- 방법: OECD 주요국 중 한국, 일본, 영국, 덴마크 및 호주의 산업연관표를 이용하여 전력산업을 외생화한 공급유도형 모형의 적용을 통해 전력산업의 공급지장이 각 산업부문에 미치는 영향을 개별적으로 분석
- 결과: 공급지장효과는 덴마크 1.682로 가장 크며 한국, 일본, 호주, 영국 순서임

5

IO 분석 이론 연구 사례

산업연관표(Input-Output Tables)는 일정 기간 한 지역에서 재화와 서비스를 생산하고 처분하는 과정에서 발생하는 모든 거래를 일정한 원칙과 형식에 따라 행렬형태로 기록한 통계표이다. 이러한 산업연관표를 이용하여 산업 간 상호의존관계를 수량적으로 분석하는 것을 산업연관분석(Inter-Industry Analysis, Industrial Input-Output Analysis) 또는 투입산출분석(Input-Output Analysis)이라 한다.

산업연관표는 1930년대 초 미국의 레온티에프(Wassily W. Leontief) 교수가 처음 작성한 것으로, '레온티에프표'라고도 하며, 국민경제분석의 유용한 도구로서 세계적으로 널리 보급되었다. 또한, 국민소득통계, 자금순환표, 국제수지표 및 국민대차대조표 등과 더불어 5대 국민경제통계를 하나의 체계로 통합하는 국민계정체계(SNA: System of National Accounts)의 한 부분으로서 산업연관표의 작성이나 분석방법 등이 연구 발전되었다. 이밖에도 지역산업연관표 및 국제산업연관표가 작성되어 지역경제분석이나 국제경제의 파급효과분석에 활용되는 등 산업연관분석은 그 이론과 응용의 양면에서 비약적인 발전을 거듭하여 오늘날에 와서는 응용경제학의 중심적인 위치를 차지하게 되었다.

따라서 산업연관분석방법은 상기 설명과 같이 지속적인 발전을 하고 있으며, 이 절에서는 분석방법에 관한 연구 사례를 살펴본다.

① 부문 분리된 산업연관표 추계 방법

■ 정기호(2022), 자원·환경경제연구, 31(4):849-864

본 연구는 에너지 및 환경 경제학에서 기초 데이터로 많이 활용되는 산업연관표에서 특정 부문이 하부 부문들로 분리되는 경우 새로운 산업연관표를 추계하는 과정을 제시하였다.

보편적으로 산업연관표 추계에 이용되는 RAS 방법은 새로운 산업연관표의 부문별 생산액, 중간투입계, 중간수요계의 정보를 반드시 필요로 하지만, 많은 경우에 부문별 중간수요계 정보를 확보하기 어렵다는 문제가 있다.

본 연구는 특정 부문이 하부 부문들로 분리되는 상황에서 부문별 중간수요계 정보를 사용하지 않고도 새로운 산업연관표를 추계할 수 있는 과정을 제시하였다.

핵심 아이디어는 분리 후 산업연관표의 많은 원소들의 값이 분리 전 산업연관표의 원소들 값과 같다는 점과 분리 후 부문들의 원소 합이 분리 전 부문의 원소 값과 같다는 점이다. 중간수요계 정보 대신에 이들 정보를 이용해서 부문 분리 후의 산업연관표에 대한 중간거래 행렬이나 투입계수행렬을 추계하는 과정을 제시하였다.

소규모 시뮬레이션 결과, 본 연구가 제시한 과정은 투입계수 행렬의 경우 평균 약 11.23%의 추정 오차를 가지며 이것은 중간수요계 정보를 활용하는 RAS의 11.30%의 평균 추정 오차보다 작은 것으로 나타났다. 그러나 여러 선행연구들에서 추가 정보를 활용하는 것이 활용하지 않는 것보다 추정 성과를 항상 향상시키지 않는 것으로 나타났기 때문에, 본 연구의 방법을 현실에 적용하기 위해서는 다양한 시뮬레이션 연구가 필요하다고 판단된다.

② 산업연관표를 이용한 생산활동 파급효과 계측 방법 개선 연구: 특정 산업 생산활동을 최종수요로 변환하는 방법을 중심으로

■ 배진한(2016), 지역개발연구, 48(2):1-25

산업연관표를 이용하여 어떤 산업의 생산활동이 여타 산업들에게 미치는 경제적 파급효과를 훨씬 용이하게 계측할 수 있도록 해주는 개선된 계측 방법을 수학적 증명과 함께 제시하고 그 시산예도 보였다.

이 방법의 이점은 첫째, 해당 산업을 외생화시키기 위해 기존 산업연관표의 투입계수표를 전혀 변형시킬 필요가 없으며, 둘째, 여러 산업들에 걸친 생산활동들의 경제적 파급효과도 한 번에 그리고 동시에 쉽게 계측할 수 있다는 것과 셋째, 산출 제약이 존재할 수 있는 기간산업 지역개발계획들의 경제적 파급효과 계측에 매우 적절하게 적용 가능하다는 점 등이다.

③ 지역산업연관표 추정을 위한 비조사기법의 유용성 비교: 확률계수행렬 접근법을 중심으로

■ 김경필 · 이진상(2015), 한국경제연구. 33(2):79-106

지역산업연관표를 작성할 때 전국 산업연관표를 이용하여 지역 산업연관표를 작성하는 여러 가지 비조사기법(non-survey techniques) 들이 개발되었다. 그러나 비조사기법들을 이용하여 지역산업연관 표를 작성하는 경우에도 작성한 표들의 정확성의 문제는 여전히 남아 있다.

본 논문에서는 전국 산업연관표를 이용하여 지역산업연관표를 작성하는 비조사기법(단순입지상기법, 구매입지상기법, 교차산업 상기법, SDP(Supply Demand Pool)기법, RAS기법)들과 비조사 기법에 속하지만 전국 산업연관표를 이용하지 않고 오직 지역의 자료(지역의 산업부문별 산출액과 산업부문별 중간투입액 또는 산업부문별 부가가치액)들만 이용하여 간단한 공식에 기초하여 지역산업연관분석을 가능하게 하는 확률계수행렬기법의 유용성을 비교·평가하였다. 대상 지역은 부산지역과 강원지역으로 하였다.

2005년 지역산업연관표상의 대상 지역들의 28개 부문 산출승수, 즉 실제치들과 비조사기법들에 의한 산출승수 예측치들을 대상 으로 평균자승오차평방근(Root Mean Square Errors: RMSE) 들을 계산하여 예측의 정확성을 비교하였다.

그 결과 양 지역 모두에서 RAS기법과 확률계수행렬기법에 의한 예측의 정확성이 입지상기법군에 속하는 단순입지상기법, 구매입지상기법, 교차산업상기법, SDP기법 등에 의한 예측보다

상당히 높은 것으로 나타났다. 예측의 정확성에서 우월한 것으로 나타난 RAS기법과 확률계수행렬기법의 비교·평가는 불확정적이다. RAD기법으로 전국 투입계수표를 조정하였을 때 완전한 조정이 이루어졌을 경우에는 RAS기법에 의한 예측의 정확성이 확률계수행렬기법에 의한 예측보다 우월하다고 분명하게 말할 수 있지만, RAS기법에 의한 전국 투입계수표의 조정이 불완전 조정에 그치는 경우에는 확률계수행렬기법에 의한 예측이 RAS 기법에 의한 예측보다 우월할 수도 있다는 사실을 발견하였기 때문이다.

④ 외생화 및 내생화가 산업연관분석에 미치는 효과: 주거용 건물 건설업을 대상으로

■ 송준혁(2017), 부동산분석학회 학술발표논문집, 2017(1):79-110

본 연구에서는 산업연관분석을 이용한 경제적 파급효과를 측정하는 데 있어 외생화 및 내생화 기법이 미치는 영향을 분석해 보고자 한다.

생산활동의 궁극적인 목적인 소비, 투자, 수출 등의 최종수요 항목이 아닌 특정 산업의 수요증가의 경제적 파급효과를 분석하는 과정에서 외생화를 적용할 경우에는 투입계수행렬에 변형을 가함으로써 해당 산업의 지출증가에 따른 순수한 경제적 파급효과를 구할 수 있는 반면 외생화를 적용하지 않을 경우 해당 산업의 지출증가가 다시 자신에 대한 중간수요증가로 이어져 경제적 파급효과가 제대로 계상되지 못할 우려가 존재한다.

본 고에서는 부동산산업 중 일반 국민에게 미치는 영향이 큰 주거용 건물 건설업을 대상으로 최종수요에 대한 여러 형태의 내생화와 함께 외생화 적용 여부에 따른 경제적 파급효과의 차이를 살펴보았다.

분석결과 외생화를 적용하지 않은 경우가 적용한 경우에 비해 경제적 파급효과가 모든 경우에서 높게 나타났으며 그 차이 역시 적지 않음을 확인하였다.

이러한 결과는 산업연관모형을 이용한 경제적 파급효과를 분석하고자 할 경우 모형의 선정에 보다 주의를 기울일 필요가 있음을 시사한다.

⑤ 내생 및 외생적 산업연관분석을 통한 기술보증의 효과분석

■ 임규민 · 김상봉(2020), 신용카드리뷰, 14(2):111-128

본 연구는 신용보증을 제공하는 핵심정책 금융기관 중 하나인 기술보증기금의 2018년 신규보증 데이터를 기반으로 생산유발효과, 부가가치유발효과를 분석하여 국민경제 전체에 미치는 경제적 파급효과를 분석하였다. 또한 고용유발효과를 분석하여 기술보증기금이 국내 고용창출에 기여하는 영향을 분석하였다.

내생화를 통한 산업연관분석결과, 생산유발효과는 약 105,550억 원이며 기술보증금액 대비 생산유발효과 승수는 약 2.01로 나타났다. 부가가치유발효과는 약 33,978억 원이며 기술보증 금액 대비 부가가치유발효과는 약 0.65로 나타났다. 고용유발효과는

43,375명이며 보증 금액 한 단위당 고용유발효과는 약 0.826명으로 나타났다.

외생화를 통한 산업연관분석결과, 생산유발효과는 약47,325억 원이며 기술보증 금액 대비 생산유발효과 승수는 약 0.90으로 나타났다. 부가가치유발효과는 약 17,033억 원이며 기술보증 금액 대비 부가가치유발효과는 약 0.32로 나타났다. 고용유발효과는 약 43,831명이며 기술보증 금액 한 단위당 고용유발효과는 약 0.84로 나타났다.

이는 보증 지원을 통해 도출된 총 경제적 파급효과 및 고용유발효과만큼 기술보증기금이 국내 GDP 성장 및 고용 창출에 기여하고 있음을 시사한다.

⑥ 공공투자 의사결정 합리화를 위한 지역경제 파급효과 분석 개선방안 연구

- 김대중 · 김한준(2022), 한국행정학회 동계학술발표논문집, 2022:151-182

국가재정법상 예비타당성조사와 지방재정법상 타당성조사 모두 정책적 분석의 세부기준으로서 지역경제 파급효과를 분석하고 있다. 이러한 지역경제 파급효과는 지역투입산출표에 따른 지역산업연관분석(IRIO)모형을 이용하여 생산유발효과, 부가가치유발효과, 취업유발효과로 제시된다. 그러나 각각의 효과 크기를 판단할 수 있는 기준이 부재하거나 체계적으로 제시되고 있다 보기 어려워 공공사업의 투자 의사결정에서 지역경제 파급효과분석은

제한적으로 활용되고 있다.

이에 본 연구에서는 정책 전문가들이 공공투자사업의 추진 의사결정에 지역경제 파급효과 분석결과를 활용 시 효과 크기를 보다 명확하게 판단할 수 있는 준거를 체계적으로 제시하고자 한다.

연구목적을 달성하기 위해 본 연구는 다음과 같이 수행된다. 첫째, 지역경제 파급효과 분석의 이론적 측면을 선행연구를 통해 고찰한다. 둘째, 현재 수행되고 있는 지역경제 파급효과 분석의 문제점을 제시한다. 셋째, 앞서 제기된 문제점을 해결하기 위한 대안으로 경험분포에 근거한 지역경제 파급효과의 준거 기준을 제시한다. 넷째, 전문가 심층 인터뷰를 통해 제시된 개선안의 타당성과 신뢰성을 검증하고자 한다.

경험분포는 과거 수행된 예비타당성조사의 최종수요에 기반하여 구성되며, 분석목적에 따라 사업유형 또는 사업대상지역 등에 따라 제시될 수 있다. 이러한 경험분포에 근거한 개선안을 전문가 인터뷰를 통해 제한적인 개선효과가 있음을 검증하였다.

본 연구의 결과로 제시되는 개선안을 통해 신규 공공투자 사업의 지역경제 파급효과의 분석의 실효성 향상을 통해 의사결정의 합리성을 개선할 수 있을 것이다.

⑦ 지역투입산출모형 작성을 위한 자료혼합법(DHM) 연구: 산업별 고용탄력성 자료의 활용

■ 권하나·최성관(2020), 경제학연구, 68(1):115-152

본 연구는 산업별 고용탄력성 정보를 활용하여 생산지표와 고용지표 간의 괴리가 발생하는 산업을 식별하고, 이러한 산업에 대해 우월한 자료를 지역투입산출모형(RIO모형) 작성에 이용하는 자료혼합의 방법과 그 타당성을 실증적으로 검정하고자 하는 연구이다.

실증분석결과, 고용탄력성이 산업별로 상이할 경우 고용지표만 이용하는 기존의 비조사법 RIO모형 추정은 산업별 생산성 격차를 반영하지 못함으로써 현실경제의 산업 간 상호의존성을 왜곡할 수 있다는 것을 보여준다.

그리고 본 연구에서 제안하는 자료혼합법은 기초통계자료가 충분치 않은 지역의 RIO모형 추정뿐만 아니라, 지역투입산출표 연장표 작성과 같은 RIO모형의 시간적 확장문제와 지역선도산업 발굴문제 등에도 적절히 활용될 수 있음을 시사한다.

■ IO 분석 이론 연구 사례 요약

① **부문 분리된 산업연관표 추계 방법**
- 목적: 에너지 및 환경 경제학에서 기초 데이터로 많이 활용되는 산업연관표에서 특정 부문이 하부 부문들로 분리되는 상황에서 부문별 중간수요계 정보를 사용하지 않고도 새로운 산업연관표를 추계할 수 있는 과정 제시
- 방법: 핵심 아이디어는 분리 후 산업연관표의 많은 원소들의 값이 분리 전 산업연관표의 원소들 값과 같다는 점과 분리 후 원소의 합이 분리 전 부문의 원소 값과 같다는 점이며 중간수요계 정보 대신에 이들 정보를 이용하여 중간거래행렬이나 투입계수행렬 추계
- 결과: 투입계수행렬의 경우 평균 약 11.23%의 추정 오차를 가지며 이것은 중간수요계 정보를 활용하는 RAS의 11.30% 평균 추정 오차보다 작음

② **산업연관표를 이용한 생산활동 파급효과 계측 방법 개선 연구: 특정 산업 생산활동을 최종수요로 변환하는 방법을 중심으로**
- 목적: 산업연관표를 이용하여 어떤 산업의 생산활동이 여타 산업들에게 미치는 경제적 파급효과를 훨씬 용이하게 계측할 수 있는 개선된 계측 방법 제시
- 방법: 특정 산업 생산활동을 최종수요로 변환
- 결과
  ① 해당 산업을 외생화시키기 위해 기존 산업연관표의 투입계수표를 전혀 변형시킬 필요가 없음
  ② 여러 산업들에 걸친 생산활동들의 경제적 파급효과도 한 번에

그리고 동시에 계측

③ 산출 제약이 존재할 수 있는 기간산업 지역개발계획들의 경제적 파급효과 계측에 적절하게 적용

③ 지역산업연관표 추정을 위한 비조사기법의 유용성 비교: 확률계수행렬 접근법을 중심으로

- 목적: 지역산업연관표를 작성하는 비조사기법(단순입지상기법, 구매입지상기법, 교차산업상기법, SDP기법, RAS기법)의 유용성을 비교·평가
- 방법: 2005년 지역산업연관표의 실제치들과 비조사기법에 의해 산출한 승수 예측치의 평균자승오차평방근을 계산하여 예측의 정확성 비교
- 결과: RAS기법과 확률계수행렬기법에 의한 예측 정확성이 단순입지상기법, 구매입지상기법, 교차산업상기법, SDP기법에 의한 예측보다 높음

④ 외생화 및 내생화가 산업연관분석에 미치는 효과: 주거용 건물 건설업을 대상으로

- 목적: 외생화 및 내생화 기법이 미치는 영향을 분석
- 방법: 주거용 건물 건설업을 대상으로 최종수요에 대한 내생화와 외생화 적용에 따른 경제적 파급효과 차이 분석
- 결과: 내생화의 경제적 파급효과가 외생화에 비하여 모든 경우에서 높게 나타났으며 그 차이 역시 적지 않음

⑤ 내생 및 외생적 산업연관분석을 통한 기술보증의 효과분석

- 목적: 기술보증기금의 산업연관분석
- 방법: 내생화 및 외생화로 비교 분석
- 결과
  ① 내생화 결과, 생산유발효과 2.01, 부가가치유발효과 0.65, 고용

유발효과 0.826명

② 외생화 결과, 생산유발효과 0.90, 부가가치유발효과 0.32, 고용
유발효과 0.84명

⑥ 공공투자 의사결정 합리화를 위한 지역경제 파급효과 분석 개선
방안 연구

- 목적: 공공투자사업의 추진 의사결정에 지역경제 파급효과분석
결과 활용 시 효과 크기를 보다 명확하게 판단할 수 있는 준거
제시
- 방법: 지역경제 파급효과분석의 이론적 측면 선행연구와 분석의
문제점을 제시 및 해결 대안으로 경험분포에 근거한 지역경제
파급효과의 준거 기준 제시
- 결과: 경험분포는 수행된 예비타당성조사의 최종수요에 기반
하여 구성되며, 이러한 경험분포에 근거한 개선안의 전문가
인터뷰 결과 제한적인 개선 효과 있음

⑦ 지역투입산출모형 작성을 위한 자료혼합법(DHM) 연구:
산업별 고용탄력성 자료의 활용

- 목적: 지역투입산출모형(RIO모형)의 방법과 그 타당성 검정
- 방법: 산업별 고용탄력성 정보를 활용하여 생산지표와 고용지표
간의 괴리가 발생하는 산업을 식별하고, 지역투입산출모형(RIO
모형) 작성에 이용하는 자료혼합의 방법과 그 타당성 검정
- 결과: 고용탄력성이 산업별로 상이 할 경우 고용지표만 이용
하는 비조사법 RIO모형은 산업별 생산성 격차를 반영하지 못함
으로써 산업 간 상호의존성 왜곡

6

타 연구방법론 연계 연구 사례

산업연관표는 국민소득통계와 함께 국민경제 전체를 분석하는 데 사용되는 대표적인 통계로서 경제계획의 수립과 예측 그리고 산업구조정책방향 설정 등에 유용한 분석도구로 활용되고 있다. 산업연관표를 이용하면 거시적 분석이 미치지 못하는 산업 간의 연관관계도 분석이 가능하므로 구체적인 경제구조를 분석하는 데 유리할 뿐만 아니라 최종수요에 의한 생산, 고용, 소득 등 국민 경제에 미치는 각종 파급효과를 산업부문별로 나누어서 분석할 수 있다. 그러므로 우리나라와 같이 생산기술이나 산업구조가 빠르게 변화하고 있는 경제에서는 거시경제모형에 의한 총량분석과 산업연관분석이 상호보완적으로 이루어질 때 더욱 효과적으로 경제를 분석할 수 있다.

또한, 산업연관분석은 경제체제의 구조와 작동 원리를 이해하고, 자원배분 효율성을 평가하며, 경제성장을 예측할 수 있는 등의 장점이 있지만, 많은 데이터 처리와 복잡한 경제현실을 단순화하기 위한 여러 가정에 의존하며 분석의 시간 지연이 발생하고 특정 산업에 민감하다는 단점도 존재한다.

따라서 이러한 산업연관분석의 장단점에 상호보완적으로 활용할 수 있는 타 연구방법론을 활용한 연계 연구가 활발하다. 이 장에서는 산업연관분석과 타 연구방법론을 연계한 연구 사례를 살펴본다.

① 산업연관표를 이용한 철도교통과 통신산업의 상호연관성 분석

■ 조신형・이성모・고승영(2017), 대한교통학회 학술대회지, 2017(2):319-322

정보통신 기술의 혁신적인 발전은 교통서비스의 질적 향상을 가져왔다. 이에 따라 통신의 발달이 교통 수요를 대체하는지, 오히려 더 발생시키는지에 대한 연구가 수행되어 왔으나 서비스 측면에 집중되어 왔다. 그러나 교통 및 통신산업은 타 산업의 중간재로서 더 많이 이용되며 그 산업적 연관성을 규명할 필요가 있다.

산업연관표는 산업 간 내부 수요구조를 나타내므로 지역 내 산업 간 연관의 특징을 파악하는 데 유용하다. 따라서 이번 논문에서는 우리나라의 1975년부터 2005년까지 실측년도의 산업연관표의 교통 및 통신 관련 항목들의 투입계수와 생산유발계수를 통계프로그램 SPSS에서 Spearman 상관관계로 분석하여 향후 교통정책 측면에서 두 산업의 발전방향을 모색해 보고자 한다.

상관분석 결과, 분류기준에 따라 상이한 결과가 나타났으나 전반적으로 철도교통과 통신은 상호보완 관계에 있는 것으로 분석되었다. 이는 기존의 통신의 철도교통을 대체한다는 논리에 반대되는 것으로 철도교통정책 부분에 시사하는 바가 크다 할 수 있다.

② 산업연관분석과 단위구조행렬을 활용한 물류산업의 산업 간 연계구조와 사회연결망에 대한 연구

■서영복·박찬권(2022), 경영연구, 37(3):1-24

본 연구는 산업연관분석을 활용하여 창고 및 운송 관련 서비스업의 관점에서 전체 산업들과의 상호관계구조 및 경제 전반에 미치는 영향효과와 함께 단위구조행렬과 사회연결망 분석을 접목하여 연결성(중앙성) 지수, 방향성, 시각화 분석을 시행함으로써 창고 및 운송 관련 서비스업의 위치와 현황 및 전체 산업들과의 관계구조를 연구하는 것이다.

한국은행에서 발간한 산업연관분석 해설 및 2015년 산업연관표를 활용하였으며, 역행렬 함수를 활용하여 투입계수, 생산유발계수, 부가가치유발계수, 산업 간 연쇄효과를 창고 및 운송 관련 서비스업의 관점에서 분석을 시행하고 결과를 제시하였다. 또한 산업연관표를 활용한 단위구조행렬 함수를 작성하였으며, Ucinet6 및 NetDraw[56]를 활용하여 산업 간의 연결 정도로써 사회연결망 연결성(중앙성) 지수 및 시각화 분석을 시행하였다.

이러한 연구를 통해 창고 및 운송 관련 서비스업에 종사하고 있는 경영 실무자들이 자신이 일하고 있는 산업과 다른 산업부문들과 관련된 부분을 명확하게 이해할 수 있도록 하였다. 즉 상호 간에 영향력을 많이 주고받는 산업들과 전략적 제휴 관계를 강화할 필요성이 있을 경우 이러한 산업 간의 연결성의 수준을 사회

---

56) Ucinet6 및 NetDraw는 소셜 네트워크 분석(Social Network Analysis, SNA)을 수행하는 데 사용되는 소프트웨어 중 하나이다.

연결망 연결성(중앙성) 지수와 사회연결망 시각화 분석을 통하여 논리적이고 명확하게 제시하였다.

③ 곰페르츠 성장모형 및 산업연관분석을 활용한 5G 이동통신 산업의 경제적 파급효과 분석

■ 김태멘(2020), 한양대학교 공학대학원
  산업시스템공학 전공 석사학위 논문

본 논문은 5G 기술 도입으로 인한 이동통신산업을 3가지 분야로 분류하여 경제적 파급효과를 분석하였다. 곰페르츠 성장모형[57]을 활용하여 수요예측치를 분석하고 산업연관분석을 통해 어떠한 산업분야에 영향력을 발현할 수 있을지에 대해 연구하였다.

연구에서는 5G 이동통신산업에 대해 세부적으로 살펴보기 위해 문헌연구의 내용을 종합하여 3가지 분야인 (i) 네트워크 장비, (ii) 모바일 디바이스, (iii) 이동통신 서비스로 구분하였다. 분야별 과거의 1~4G 이동통신산업에 대해 파악하고 5G 기술 도입으로 인한 경제적 파급효과를 살펴보았다.

본 연구에서는 곰페르츠 성장모형을 활용하여 산업별 수요예측치를 연구하였으며, 향후 경제적 효과를 어떠한 산업에 영향을 발현하는지 확인하기 위해 산업연관분석방법론을 통해 경제적 파급효과를 예측하였다.

---

57) 곰페르츠 성장모델(Gompertz growth model)은 생물학 및 생태학 분야에서 사용되는 수학적 모델 중 하나로, 종 또는 개체의 성장과 번식을 설명하는 데 사용된다.

연구결과를 살펴보면 5G 기술의 도입으로 이동통신산업이 활성화되어 2020년부터 2025년 초기에는 급격한 성장을 도모하지만, 2051년부터 2055년은 5G 이동통신 시장의 발달로 직접적인 수혜를 받는 3개의 산업은 수요가 음(-)의 값으로 접어들어 산업이 확장되지 않을 것으로 예측된다. 또한, 이동통신산업은 10년 주기로 세대별 전환 되므로 5G 기술이 도입된 시점 2020년을 기준으로부터 10년 이후인 2030년의 누적 매출액 성장속도 예측값을 산출하였다. 2030년 기준 성장속도 예측값 산출 결과, 이동통신산업 3개 분야 중 이동통신 서비스산업의 매출액 성장속도가 가장 급격히 증가할 것으로 예측된다. 즉, 5G는 자체를 하나의 혁신으로 촉매재로 활용되어 기술적인 성장과 타 산업인 스마트 팩토리, 자율주행 자동차, 원격의료, 스마트 시티 등 융·복합적인 산업의 발전이 주도적으로 형성되어야 할 것이다.

5G 기술이 도입된 현시점, 향후 5G 기술의 도입으로 급격한 산업의 성장과 경제적 가치를 꾸준히 제공할 것이라는 일반적 이론에 반해 5G 기술로 인해 직접적인 수혜를 받는 연관된 산업은 약 2051년부터 수요가 발생하지 않으며, (i) 네트워크 장비, (ii) 모바일 디바이스 산업 대비 (iii) 이동통신 서비스에서 누적 매출액 성장속도 예측값이 급격히 증가할 것으로 도출되었다.

2020년부터 2025년까지 6년간 경제적 파급효과의 생산유발 효과는 213조 2,766억 원이며, 전자표시장치 분야에서 생산적 측면에서 높은 활성화 될 것으로 예상된다. 부가가치창출효과는 71조 9,702억 원으로, 반도체산업, 과학기술서비스산업, 소프트웨어개발 공급산업 측면에서 높은 부가가치를 창출할 것으로 예측되었다. 고용유발효과는 723,000명으로 도소매서비스 분야에서 가장 높은 활용성이 나타날 것으로 예측되었다.

그러나 5G 표준화 선점에 실패한 중국, 미국 등 후속 기술개발과 공격적인 투자에 대비하여 국내에서 주도적으로 발현할 산업분야 발굴과 기술개발 등 성장을 주도하여야 할 것으로 분석된다.

결론적으로 5G 기술의 눈부신 발전으로 스마트 팩토리, 자율주행 자동차, 원격의료, 스마트 시티 등 기술을 넘어선 서비스분야로 확장될 것이지만, 5G를 넘어선 6G 기술에 대한 기술발전의 대비와 이동통신산업의 발전을 위한 대응책 마련이 필요할 것이다.

④ 도로사업의 지역경제 파급효과에 관한 메타분석: 지역 간 취업유발효과 차이를 중심으로

■ 이민주 · 김의준(2023), 지역개발연구, 55(1):35-56

이 연구의 목적은 메타분석[58]을 통해 도로사업의 경제적 효과에 영향을 미치는 사업 및 지역 특성 요인을 밝히고, 경제적 효과의 지역 간 차이가 있는지 취업유발효과를 중심으로 실증분석하는 것이다.

기존의 선행연구들이 특정 사업과 지역을 사례로 경제적 효과

---

58) 메타분석(Meta-Analysis)이란 특정 연구 주제에 대하여 이루어진 여러 연구결과를 하나로 통합하여 요약할 목적으로 개별 연구의 결과를 수집하여 통계적으로 재분석하는 방법을 말한다.

를 추정했던 것과는 달리, 본 연구에서는 지난 10년간 한국개발연구원에서 수행한 50개의 도로사업 예비타당성조사 보고서로부터 자료를 구축하여 메타회귀분석을 수행하였다.

분석결과를 통해 도로사업 및 예비타당성조사 특성, 사업비와 지역 특성의 상호작용이 지역경제 파급효과에 미치는 영향을 확인하였다. 또한, 본 연구에서 중요하게 보고자 한 도로사업이 유발하는 취업유발효과의 지역별 차이를 확인하였다.

구체적으로 도로사업의 시행은 고용자 수 증가 등 지역의 경제성장에 긍정적인 효과를 미치지만, 동일한 사업비를 투입하여 도로사업을 시행한다고 가정했을 때 고용 증진의 정도는 비수도권과 비교하여 수도권에서 더 크고, 도시 지역에 비해 농촌 지역에서는 더 낮아 지역 간 차이가 있음을 확인하였다.

⑤ 표준화 방법에 따른 지역산업 파급효과 비교분석: 스마트 관광산업을 중심으로

■ 강기춘 · 조부연(2022), 표준인증안전학회지, 2022:59-75

본 연구는 제4차 산업혁명 및 코로나19로 큰 관심을 받고 있는 스마트 관광산업의 정의, 분류 및 현황을 살펴보고, 2013년 및 2015년 지역산업연관표를 이용하여 스마트 관광산업의 종합파급효과를 계산하고 그 변화를 비교해 보았으며, 스마트 관광산업의 경쟁력 강화 방안을 제언하는 것을 목적으로 한다.

스마트 관광산업의 현황을 사업체당 종사자 수로 살펴보면

관광산업이 활성화된 제주, 강원, 부산의 경우 2016~2019년 연평균 증가율은 강원이 전국 평균보다 높고, 부산 및 제주는 역성장한 것으로 나타났다. 2019년 기준 사업체당 종사자 수는 세 지역 모두 전국 평균에 미치지 못하는 것으로 나타났다.

스마트 관광산업의 2013년 및 2015년 국가 전체 생산유발계수, 부가가치유발계수, 취업계수(명/10억 원)를 z-표준화, 십분위간-표준화, 선형-표준화 등 세 가지 표준화[59] 방법에 따라 표준화를 수행한 이후, 각각의 개별 지표들에게 같은 가중치를 부여하여 종합지표인 '스마트 관광산업 종합파급효과'를 계산하고 순위 차이를 비교해 보았다.

z-표준화 방법이 다른 방법에 비해 상대적으로 우수한 것으로 나타났고, 경기, 대전, 충남, 대구, 경북, 울산 등 6개 지역이 다른 지역에 비해 상대적으로 유리한 것으로 나타났다.

한편, 표준화 방법에 따른 Kendall의 순위상관계수(Kendall's τ) 및 통계적 유의성을 계산한 결과 5% 유의수준에서 통계적으로 유의미한 것으로 판별되어 세 가지 표준화 방법 모두 유용성이 있는 것으로 판단된다.

따라서, 한 가지 방법으로 순위를 결정하기보다는 세 가지 방법을 모두 활용하여 종합적으로 판단하거나 다른 방법론을 활용하는 것이 바람직하다고 할 수 있다. 스마트 관광산업의 경쟁력 강화를 위해 기존 관광산업 생태계에서 스마트 관광산업 생태계로의 전환

---

[59] 표준화는 일정한 분포적 특성을 갖도록 수치형 변수를 변환하는 방법을 말하며, 표준화의 종류에는 z-표준화, 십분위간-표준화, 선형-표준화 등이 있다.

을 제안하였다.

⑥ 공공체육시설 증축에 따른 재무적 타당성 및 사회·경제적 파급효과 분석 연구

■ 김진국·최경호(2021), 한국융합과학회지, 10(3):19-34

본 연구는 공공체육시설의 증축에 따른 재무적 타당성과 사회·경제적 파급효과를 분석하여 의사결정의 준거를 제공하는 것이 목적이다.

이를 위해 재무적 타당성은 편익비용비율법[60]과 순현재가치법[61]을 사회·경제적 파급효과는 산업연관표를 기준으로 추정하였고, 다음과 같은 결과를 도출하였다.

첫째, 편익비용비율법을 통해 타당성을 분석한 결과 현재 체육관의 경우 0.16으로 일반적인 기준치인 0.3을 훨씬 못 미치는 상황이었지만, 증축 후 대회 유치, MICE 개최 등으로 지금보다 다양한 활용이 전제가 된다면 0.5이상의 손익 비율이 10년 이후부터 나타날 것으로 예측되었다.

둘째, 순현재가치법을 통한 타당성 분석결과는 초기 건설 비용이

---

60) 편익 비용 비율법(Cost-Benefit Analysis)은 투자안이나 정책 등의 의사결정을 할 때 비용과 편익을 따져 여러 대안들 중 최적의 대안을 선정하는 기법을 말한다.

61) 순 현재 가치법(NPV, Net Present Value)은 자본 예산 편성과 관련해 투자 가치안을 평가하는 기법의 하나로 투자 금액을 투자로부터 산출되는 순 현금 흐름의 현재 가치로부터 차감한 것을 말한다.

100억 원 정도가 투입되는 관계로 30년간 재무적 타당성은 없는 것으로 나타났으나, 공공체육시설이 공공성을 추구하는 목적으로 건립 및 운영되는 것을 감안하면 증축 후 충분한 가치가 있을 것으로 판단된다.

셋째, 산업연관표를 활용한 사회·경제적 파급효과 분석결과 생산유발효과 약 200억 원, 부가가치유발효과 약 80억원, 수입유발효과 약 20억 원, 고용유발효과 186명으로 추정되었다.

이와 같은 결과에 따라 춘천시 제2봄내체육관 증축은 시민들에게 보다 많은 스포츠 경험을 제공해 줄 수 있는 기회를 만들어주고, 전국에 스포츠 도시 이미지를 구축하여 많은 국민들이 춘천시를 방문하여 체육관 활용과 더불어 관광 도시로써의 역할도 기대할 수 있기 때문에 적극적으로 예산을 투입하여 증축하는 것이 바람직한 것으로 판단된다.

■ 타 연구방법론 연계 연구 사례 요약

① **산업연관표를 이용한 철도교통과 통신산업의 상호연관성 분석**
- 목적: 교통 및 통신산업은 타 산업의 중간재로서 많이 이용되며 그 산업적 연관성을 규명코자 함
- 방법: 1975년부터 2005년까지 실측년도 산업연관표의 교통 및 통신 관련 항목의 투입계수와 생산유발계수를 통계프로그램 SPSS에서 Spearman 상관관계 분석
- 결과: 철도교통과 통신은 상호보완 관계에 있는 것으로 분석

② **산업연관분석과 단위구조행렬을 활용한 물류산업의 산업 간 연계구조와 사회연결망에 대한 연구**
- 목적: 창고 및 운송 관련 서비스업의 위치와 현황 및 전체 산업들과의 관계구조 연구
- 방법: 창고 및 운송 관련 서비스업의 관점에서 산업연관분석을 시행하고, 산업연관표를 활용한 단위구조행렬 함수를 작성하며, Ucinet6 및 NetDraw를 활용하여 산업 간 연결 정도를 사회연결망 연결성(중앙성) 지수 및 시각화 분석
- 결과: 상호 간에 영향력을 주고받는 산업들과 전략적 제휴 관계를 강화할 필요성이 있을 경우 산업 간 연결성의 수준을 사회연결망 연결성(중앙성) 지수와 사회연결망 시각화 분석으로 제시

③ **곰페르츠 성장모형 및 산업연관분석을 활용한 5G 이동통신산업의 경제적 파급효과 분석**
- 목적: 5G 기술도입으로 인한 이동통신산업을 3가지 분야로 분류하여 경제적 파급효과 분석

- 방법: 곰페르츠 성장모형을 활용하여 산업별 수요를 예측하고, 산업연관분석을 통해 경제적 파급효과 예측
- 결과
  ① 5G 기술의 도입으로 이동통신산업이 활성화되어 2020년부터 2025년 초기에는 급격한 성장, 2051년부터 2055년은 수요가 음(-)의 값
  ② 2020년부터 2025년까지 6년간 생산유발효과 213조 2,766억 원, 부가가치창출효과 71조 9,702억 원, 고용유발효과 723,000명

④ **도로사업의 지역경제 파급효과에 관한 메타분석: 지역 간 취업유발효과 차이를 중심으로**

- 목적: 메타분석으로 도로사업의 경제적 효과에 영향을 미치는 사업 및 지역 특성 요인을 밝히고, 경제적 효과의 지역 간 차이가 있는지 취업유발효과분석
- 방법: 10년간 한국개발연구원에서 수행한 50개의 도로사업 예비타당성조사 보고서로부터 자료를 구축하여 메타회귀분석 수행하고 도로사업이 유발하는 취업유발효과분석
- 결과: 도로사업의 시행은 고용자 수 증가 등 지역경제성장에 긍정적인 효과를 미치지만, 동일한 사업비를 투입하여 도로사업을 시행한다고 가정했을 때 고용증진의 정도는 수도권에서 더 크고, 도시 지역이 더 크므로 지역 간 차이가 있음

⑤ **표준화 방법에 따른 지역산업 파급효과 비교분석: 스마트 관광산업을 중심으로**

- 목적: 스마트 관광산업의 종합파급효과를 계산하고 그 변화를 비교하여 스마트 관광산업의 경쟁력 강화방안을 제언
- 방법: 스마트 관광산업의 2013년 및 2015년 국가 전체 생산유발

계수, 부가가치유발계수, 취업계수를 z-표준화, 십분위간-표준화, 선형-표준화 등 세 가지 표준화 방법에 따라 표준화하여 종합지표인 '스마트 관광산업 종합파급효과' 산출

- 결과: z-표준화 방법이 다른 방법에 비해 상대적으로 우수한 것으로 나타났고, 경기, 대전, 충남, 대구, 경북, 울산 등 6개 지역이 다른 지역에 비해 유리함

⑥ **공공체육시설 증축에 따른 재무적 타당성 및 사회·경제적 파급효과 분석 연구**

- 목적: 공공체육시설의 증축에 따른 재무적 타당성과 사회·경제적 파급효과를 분석하여 의사결정의 준거를 제공
- 방법: 재무적 타당성은 편익비용비율법과 순현재가치법을 사회·경제적 파급효과는 산업연관표를 기준으로 추정
- 결과
  ① 편익비용비율법 분석결과 0.16으로 일반적인 기준치인 0.3을 훨씬 못 미치는 상황
  ② 순현재가치법 분석결과 30년간 재무적 타당성 없음
  ③ 생산유발효과 200억 원, 부가가치유발효과 80억 원, 수입유발효과 20억 원, 고용유발효과 186명

새로운 모형의 산업연관표
연구 사례

산업연관표는 1930년대 초 레온티에프(Wassily W. Leontief)에 의해 작성되기 시작한 이래 지금까지 이론과 실증의 양면에서 비약적인 발전을 거듭해 왔다. 경제구조 분석방법이 다양해지고 경제의 국제화가 진전됨에 따라 종래의 산업연관표를 확장한 복잡한 모형의 개발과 더불어 새로운 형태의 산업연관표 작성이 시도되고 있다. 그 내용을 보면, 에너지 및 환경산업연관표, 사회회계행렬과 연산일반균형모형 등이 있다.

이 장에서는 다양한 형태로 구성된 새로운 모형의 산업연관표 연구 사례를 살펴본다.

① 에너지산업연관표 작성

■ 심상렬 · 마용선(2005),
  에너지경제연구원 연구보고서, 2005:1-164

본 연구는 에너지 문제의 분석 시 자주 접하게 되는 자료의 부족을 조금이라도 메워보려는데 그 동기가 있다. 예를 들면, 한국은행이 발표하는 산업연관표(연관표)는 자료가 방대하고 유용함에도 불구하고 에너지의 물리적 수급균형과 합리적으로 연계되지 못하여 에너지 문제에 대한 연관표의 이용이 제한적일 수밖에 없는 실정이다. 이 같은 현실을 감안하여 본 연구는 기존의 자료를 체계적으로 가공함으로써 에너지산업연관분석에 있어 관련 통계자료의 활용가치를 제고하려는데 그 목적을 두고 있다.

구체적으로, 본 연구는 에너지산업연관표(에너지연관표)의 개념과 구조에 대하여 이해의 폭을 넓히기 위해 노력하였다. 아울러 본 연구는 한국은행이 발표하는 접속불변산업연관표(접속표)를 토대로 에너지산업연관분석에 적합한 경상 및 불변거래표를 작성하였다. 이와 병행하여 본 연구는 연관표의 구조와 어울리는 부문 간 에너지거래량표를 작성하였다. 개략적으로 볼 때 에너지연관표는 연관표와 에너지거래량표를 연계한 통계표이다. 이러한 에너지연관표를 작성·제시하면서 본 연구는 에너지연관표의 응용분석 사례로서 우리나라의 에너지소비 추이를 분석하였다. 본 연구는 또한 이러한 시범분석을 통해 에너지연관표의 신뢰도를 살펴보고 향후의 개선 방향을 제시하고자 노력하였다.

본 연구의 주요 결과는 연구의 내용 측면에서 볼 때 몇 가지 의미 있는 결과를 제시할 수 있었다. 본 연구는 연관표의 체계 내에서 에너지연관표의 특징을 비교적 소상하게 밝히고 있다. 에너지연관표는 특히 1차 에너지가 2차 등으로 전환되는 효율 조건을 용이하게 반영할 수 있는 장점이 있다. 반면에 에너지연관표는 혼합단위를 사용함으로 인하여 연관표에서 구현되는 가격체계의 분석을 어렵게 만드는 요인이 될 수 있다. 그리고 본 연구는 통계 원칙 및 기준, 통계의 대상 및 범위, 그리고 수급균형 항등식의 구조 측면에서 연관표와 수지표의 통계 성격에 대해 차이점과 유사점을 자세히 분석하였다. 이 결과, 두 통계는 상호 연계될 수 없는 많은 차이점이 있었으며 향후 이 차이점을 밝히는 것이 자료의 이용가치를 제고하는데 기여할 것으로 판단된다.

본 연구의 한계점 내지 제약점은 중간투입과 최종수요부문의 에너지거래량을 경상거래금액의 비율로 추정한 점이다. 이러한 배분방법에 의하면, 용도별 도매요금에 차이가 있는 전력, 도시가스 및 열에너지의 거래량은 적지 않은 오차를 가져올 것으로 추측된다. 그리고 에너지전환산업에 있어서 1차 에너지의 투입과 전환에너지의 산출 관계를 나타내는 에너지전환효율은 에너지거래량표의 여러 곳에서 예상을 벗어나고 있다. 한편 에너지연관표의 불변거래표는 라스페이레스 가격지수[62]의 개념에 토대를 두고 있기 때문에 합계불일치성의 문제점을 지니고 있다.

이 같은 한계점에도 불구하고 연구진은 이번의 연구결과가 산업계, 학계, 연구계에서 많이 이용되기를 기대하며, 향후 연구에 대하여 몇 가지 제언을 하고자 한다. 에너지산업연관분석을 효과적으로 수행하기 위해서는 관련 자료의 신뢰도가 향상되어야 한다. 특히 연관표, 수지표 및 에너지 총조사의 통계성격이 면밀히 비교·분석되어야 하며, 에너지거래량표는 그 결과에 근거하여 개선·보완되어야 할 것이다. 한편 라스페이레스 가격지수에 따른 합계불일치성의 문제에 대하여 심층적인 분석과 대안이 마련되

---

62) 라스페이레스 가격지수(Raspeyres Price Index)는 소비자 물가 지수 (CPI)의 한 형태로, 제조업 및 기술 부문에서 사용되는 지수 중 하나이다. 이 지수는 제품 및 서비스 가격의 변동성을 측정하고 품목의 가격 변동을 추적하기 위해 사용된다.

어야 하고, 불변거래표는 그에 따라 개선되어야 할 것이다. 그리고 에너지연관표가 다른 경제모형과 연계·사용되기 위해 동 연관표는 향후 연도별로 작성되어야 할 것이다. 한국은행의 연장표는 이러한 연구에 유용하게 활용될 수 있는 자료이다.

② 환경산업연관분석(EEIOA)을 이용한 경제 부문별 온실가스 배출량 특성분석

■ 박유진·김준범·경대승·박흥석(2022), 대한환경공학회지. 44(9):308-335

기후변화가 심화되면서 2050 탄소중립 개념이 도입되었고, COP 26 글래스고 회의에 의해 2030년 국가 온실가스 감축 목표도 크게 강화되었다. 그러나 에너지 정책과 경제 부문별 온실가스 배출 특성을 고려할 때 온실가스 감축 목표의 실현 가능성에 대한 논란이 있다. 이런 점을 고려하여, 본 연구에서는 2017 환경산업연관표를 작성하고, 이를 통해 경제활동별 온실가스 배출특성을 분석하고자 하였다.

이산화탄소 배출량은 연료별 발열량과 배출계수를 이용하여 연료원별 이산화탄소 배출계수를 2017년 에너지밸런스에 적용하여 계산하였으며, 그 외의 온실가스 배출량은 국가 온실가스 인벤토리 자료를 이용하였다. 모든 온실가스 배출량을 부문별 온실가스 배출특성을 파악할 수 있도록 산업연관표의 381개 기본부문으로 할당한 후 대분류와 유사한 35개 부문으로 통합하여 2017 대한민국 환경산업연관표(ROKEEIOT, Republic of Korea Environmentally

Extended Input-Output Table)를 작성하였다. 이를 이용하여 경제활동별 배출량과 배출계수를 산출하고 Scope 1, Scope 2 및 Scope 3[63])에 따른 온실가스 배출 특성을 분석하였다.

본 연구에서 작성된 2017 ROKEEIOT로 산출한 이산화탄소 배출량을 2017년 정부의 공시된 온실가스 배출통계자료와 비교한 결과 2%의 차이를 보여주어, 2017 ROKEEIOT는 실효성이 매우 높음을 확인하였다. 온실가스 직접 배출량 상위 3개 산업은 전력 및 신재생에너지와 증기 및 온수공급업(262,280 kt CO_2eq.), 1차 금속제품업(117.098 kt CO_2eq.), 운송업(58,332 kt CO_2eq.) 순이였으며, 온실가스 총 배출량 상위 3개 산업은 건설업(151,476 kt CO_2eq.), 운송장비업(112,168 kt CO_2eq.), 컴퓨터, 전자 및 광학기기업(107,868 kt CO_2eq.) 순으로 나타나 서로 상이함을 확인하였다. 또한, 온실가스 총 배출량 Scope별 구분한 결과 Scope 1에서 50%를 넘는 산업은 6개였으나, Scope 3에서 50%를 넘는 산업은 29개가 나옴에 따라, Scope 3에 의해 발생되는 온실가스 배출량을 고려한 공급망 및 가치사슬에 따른 온실가스 감축대책이 필요함을 확인할 수 있었다. 특히, 수출에 의한 온실가스 배출 기여가 최종수요의 41.68%에 이르러 탄소국경조정제도 도입에 대비한 수출산업의 탄소경쟁력 강화가 시급함을 확인하였다.

산업부문의 경제적인 기여도와 온실가스 직접 배출량과 공급망 및 가치사슬에 따라 유도된 온실가스 간접 배출량이 경제활동별로

---

63) 온실가스 배출은 세 가지 Scope(배출범위)로 분류된다. Scope 1은 직접 배출, Scope 2는 간접 배출, Scope 3은 기타 간접 배출로 구분한다.

매우 다른 양상을 보여주었다. 따라서, Net zero 나 기후변화 대응과 같은 온실가스 저감을 위한 과학적 정책은 경제활동별 직접 배출인 Scope 1, 전력 및 증기 사용에 의한 Scope 2, 그리고 공급망 및 가치사슬에 따라 발생되는 Scope 3의 배출특성 이 반영되어야 함을 확인할 수 있었다.

③ 하향식 지역자치단체 배출량 산정방안: 지역온실가스 산업연관표 작성

■ 장미란·강성원(2018), 환경정책, 26(1):117-153

본 논문은 지자체 배출량 산정의 벤치마크로 활용할 수 있는 지역온실가스 산업연관표 구축 방법을 제시한다.

현재 지방자치단체는 「지방녹색성장 5개년계획」 및 「지방자치단체 기후변화 적응대책 세부시행계획」을 통해 기후변화 대응정책에 참여하고 있다. 이러한 지방자치단체 기후변화 정책의 효율적인 운용을 위해서는 지방자치단체의 성과를 비교 평가할 수 있어야 하며, 이를 위해서는 비교 가능한 지방자치단체 온실가스 배출량 통계가 필요하다. 그런데 현재 지방자치단체 배출량은 서로 상이한 기준으로 산정되어 비교가 불가능한 단점이 있다.

본 논문은 지역산업연관표 및 지역에너지 밸런스를 사용하는 공통된 기준으로 지방자치단체의 온실가스 배출량을 산정하여, 비교 가능한 지방자치단체 배출량을 제공하고자 한다. 그리고 향후 2030년 감축 목표 달성을 위해서는 정책 파급효과를 세밀히 분석할 수 있는 정교한 배출량 산정 기준 마련이 필요하다.

구체적으로 본 연구에서는 지역에너지밸런스에서 파악된 화석연료 에너지소비량을 지역산업연관표에 할당하고, 에너지소비량에 배출계수를 적용하여 배출량을 산정하였다.

이렇게 산정한 배출량의 합은 594.9백만 톤(CO_2eq.)으로 국가온실가스 인벤토리 보고서의 에너지 사용 온실가스 배출량 596.6 백만 톤(CO_2eq.)과 0.29%(1.7 백만 톤(CO_2eq.) 차이에 그쳐 국가 온실가스 인벤토리 자료와 일관성이 있음이 확인되었다. 지역별로는 충청남도(26.5%), 전라남도(16.9%), 경상남도(11.1%)의 배출량 비중이 전체 배출량의 50% 이상으로 파악되었다.

④ **자원순환경제로의 이행을 위한 정책평가 방법론 개선: 폐기물산업연관표 구축 및 활용을 중심으로**

■신상철 · 박효준 · 한인성(2015), 한국환경연구원, 2015:3042-3117

이 연구에서는 한국의 데이터를 활용하여 폐기물투입산출행렬을 구축하고 이를 활용하여 폐기물 처리와 관련된 정책변화에 따른 파급효과를 분석하였다. 다만, 기존의 정방형 투입산출행렬을 활용하는 일반적인 연구방법론과는 달리 비정방형 투입산출구조를 갖는 행렬을 이용하여 소각과 매립으로 구성되는 폐기물 처리 정책의 변화와 최종수요 등의 변수가 미치는 영향을 동시에 분석할 수 있는 방법론을 활용하였다. 구체적으로 Nakamura and Kondo(2002) 및 中村愼一郎(2000) 등의 방법론을 차용하였다.

분석을 위하여 이 연구에서는 2010년 산업연관표의 대분류에 나타난 산업들을 통합하여 10개의 업종으로 재분류하였다. 또 이들 다양한 부문에서 배출되는 폐기물을 3개의 범주로 구분하는 한편, 소각과 매립 두 개의 폐기물 처리 부문을 포함하는 폐기물투입산출행렬을 작성하였다.

이 연구에서 적용된 폐기물투입산출행렬은 기존의 정방행렬로 구성된 일반적인 투입산출표를 활용하되 폐기물의 처리와 관련하여 소각·매립업종이 추가로 포함되었기 때문에, 소각·매립이 각 산업에 어떻게 연계되어 있는지를 파악하기 위하여 소각·매립 시설들에 대하여 설문조사를 실시하였다. 즉, 각 산업부문과 폐기물 처리수단 사이의 경제활동 자료 및 소각 매립 등의 폐기물 처리 과정에서 발생하는 폐기물 배출량 자료의 구축을 위하여 사업장 배출시설계 폐기물을 처리하는 민간소각장 및 민간매립장을 대상으로 하여 폐기물 처리과정에서 투입되는 투입물 현황 및 소각·매립 과정에서의 폐기물 배출량을 추정하였다.

⑤ 하이브리드 산업연관표를 이용한 우리나라 CO_2 배출 구조 분석

■ 박창귀(2009), 자원·환경경제연구, 8(1):49-72

우리나라의 산업별 직·간접 CO_2 배출 구조 분석을 위해서는 산업연관표의 에너지 부분을 물량화한 하이브리드 산업연관표 (소위 에너지 및 환경산업연관표)가 필요하다. 그러나 최근까지의 연구 성과를 보면 CO_2 배출 총량이 연구자에 따라 각각 다르고 산업별 배분 역시 많은 편차를 보인다.

본 논문에서는 기존의 에너지 및 환경산업연관표 작성방법을 비교 분석하고 개선방안을 제시함으로써 우리나라의 CO_2 배출 총량 산정과 산업별 배출량 추정의 정도를 높이는데 기여하고자 한다.

이를 위해 에너지 원료로의 사용과 연료로의 사용을 구분하고, 생산물세 및 보조금으로 인한 교란요인을 제거한 새로운 하이브리드 산업연관표를 작성하였다.

그 결과 석유석탄 산업에서는 원료로 투입된 에너지를 거래표에서 제거한 후가 제거하기 전보다 CO_2 배출량이 5.2배 낮게 나타났다. 또한 기초가격기준 산업연관표를 이용하여 추정한 CO_2 배출량이 생산자가격기준 산업연관표를 이용한 경우에 비해 2.7% 적게 나타났다.

본 연구는 한국은행이 발표하는 산업연관표 테두리 내에서 에너지 및 환경산업연관표를 어떻게 정확하게 작성할 수 있는지에 초점을 맞추었다. 에너지경제연구원에서 작성하는 에너지수지표 등 에너지 물량단위 기초통계를 어떻게 활용하여 물량단위 혼합 산업연관표 작성의 정도를 높일 것인가는 추후 과제로 남겨 놓는다. 아울러 동 표를 환경 사회회계행렬(SAM)로 확장한다면 일반균형분석을 통한 탄소세 도입의 산업별 효과 측정 등에도 유용하게 사용되어 효과적인 정책 기준을 제공할 것으로 생각된다.

■ 김용균(2020), 연세대학교 대학원 경제학과 박사학위 논문

본 연구는 연산가능일반균형(Computable General Equilibrium, CGE) 모형의 방법론적 기원과 역사에 대해 살펴보고 이를 실제 경제 문제 분석에 적용하여 한국경제 산업구조의 변화와 산업 부문별 생산기술의 발전과정을 고찰해보고 있다.

CGE 모형은 한 경제의 경제구조와 그 경제를 이루고 있는 경제 주체들의 행동형태를 수식으로 표현한 방정식들의 체계로 이루 어져 있다. 이러한 방정식 체계는 묘사하고 있는 그 경제를 모형 으로서 재현함으로써 이를 활용하여 그 경제에 대한 '실험실'에 서의 실증분석을 가능하게 해준다. 이 모형의 중심에는 Wassily Leontief에 의해 학문적으로 도입된 산업연관표(Input-Output Table)와 이의 확장된 개념인 사회회계행렬(Social Accounting Matrix)이 자리하고 있다. 사회회계행렬은 한 경제를 이루는 경제주체들의 상호연관성을 내재하고 있어, 이를 활용한 CGE 모형은 외부충격에 대한 어떤 경제의 반응을 살펴봄에 있어 일반균형적 분석을 하는 것이 가능하다.

이러한 분석도구를 활용하여 본 고의 2장에서는 1997년의 아시아 금융위기 이후 한국경제구조의 변화, 특히 산업부문별 생산 기술의 변화에 대하여 살펴보고 있다. 이러한 변화의 분석을 위하여 이중보정방법(Double Calibration Method)을 활용하고, CGE 모형을 이용하여 '변화된' 경제가 아시아 금융위기와 같은 외부충격에 대하여 이전과 어떻게 다른 반응을 보이는지를 살펴

보았다.

2000년보다는 2005년의 한국의 경제가 기술집약적 산업들의 기술발전에 힘입어 외부충격에 보다 잘 대응하는 모습을 보여주고 있다. 이는 경제위기로 인하여 한국경제가 '청산효과(Cleansing Effect)'를 경험했음을 시사하는 모양이다.

또한, 3장에서는 최근 기후변화로 그 정도와 빈도가 증가하고만 있는 파괴적 기상현상에 대한 대응책으로 온실가스 저감대책에 대한 관심이 높아지고 있는 중에 한국경제에 대한 탄소세 도입의 경제적 효과에 대해 살펴보고 있다. 세금의 '신설'에 대한 반감에도 불구하고 탄소세는 매우 비용 효율적인 온실가스저감 대책이며 외부효과를 내재화함으로써 경제의 부정적 왜곡 해소에 이바지할 수 있는 정책 수단이다. 그러므로 '저탄소 녹색성장 기본법'이 시행된 2010년과 2018년의 한국경제에 대하여 탄소세 도입을 가정하여 '두' 경제가 어떻게 다르게 반응하는지를 살펴보는 것은 유의미한 분석이라고 할 수 있다.

CGE 모형 분석결과, 2010년부터 2018년까지 한국경제는 온실가스저감 대책을 이미 어느 정도 실행하고 있음을 알 수 있었으며 제조산업부문의 불완전 경쟁을 가정할 경우가 완전 경쟁을 가정하였을 시보다 더 큰 저감효과가 있음을 볼 수 있었다.

7 COVID-19 Pandemic의 지역별 파급효과: 지역 CGE 모형을 이용한 분석

■ 남상호(2021), 한국지방재정학회 세미나자료집, 2021(12):487-503

본 연구에서는 한국은행에서 발표한 2015년 지역산업연관표 (대분류, 33부문)를 이용하여 연산가능일반균형(CGE) 모형을 구축하고, 이를 이용하여 중국 우한에서 비롯된 COVID-19 Pandemic 의 경제적 파급효과를 지역별로 구분하여 살펴본다.

외부충격의 크기는 선행연구를 참고하여 설정하였으며, 거시적 효과와 산업별 부가가치 및 고용효과를 16개 산업 및 17개로 시도로 구분하여 지역별 영향을 분석하였다.

분석결과에 의하면 COVID-19의 발현으로 인하여 우리나라는 국내총생산이 3.4%만큼 감소한 것으로 나타났다. COVID-19가 다른 핵심 거시변수에 미치는 영향을 살펴보면, 국가 전체적으로 볼 때 실질 GDP는 3.4% 감소하고, 소비자물가는 0.63% 상승한 것으로 나타났다. 민간소비의 경우 경기(-0.94%) 및 서울(-0.68%) 의 감소가 두드러지며, 제주(-0.03%), 광주(-0.08%), 세종(-0.01%) 은 상대적으로 영향을 받지 않은 지역이었다.

COVID-19의 부문별 영향을 살펴보면 총산출의 경우 건설업 (-3.43%)과 문화·예술·스포츠(-3.02%)가 가장 크게 영향을 받고 있다. 반면 공공행정·국방(0.87%)은 오히려 혜택을 보는 것으로 나타나고 있었다.

⑧ 산업연관분석을 활용한 가축질병재난의 경제적 파급효과 분석

■ 황요한·윤동근(2019), 한국방재학회 논문집, 2019:203-211

2011년 재난 및 안전 관리 기본법이 개정되어 국가재난유형에 가축전염병이 포함된 이후, 가축 질병 발생을 예방하고 발생 시 조기에 차단하기 위한 노력이 계속되고 있다. 하지만 최근 5년간 구제역과 조류인플루엔자로 인해 7,200여만 두의 가축이 살처분 되고, 약 4,611억 원의 살처분 보상금이 지원되는 등 가축 질병 의 발병으로 인한 피해가 지속적으로 발생하고 있다.

따라서 가축 질병으로 인한 축산업 피해가 우리나라 전 산업 부문에 미치는 경제적 영향을 분석하는 것은 재난 피해의 경감 차원에서 중요한 의미가 있다.

이에 본 연구는 가축 질병으로 인해 축산물의 생산이 지장을 받는 경우의 경제적 파급효과를 분석하기 위해 산업연관분석 중 공급유도형 투입산출모형과 수요유도형 투입산출모형을 변형한 리츠-스폴딩(Ritz-Spaulding) 모형을 사용하여 분석한 결과를 비교하였다.

연구결과, 가축 질병으로 인해 축산물 생산이 1,153억 원 감소할 경우(최근 5년간 살처분 보상금의 평균값) 다른 33개 산업 전체의 생산은 공급유도형 투입산출모형의 경우 약 2,023억 원, 리츠-스폴딩(Ritz-Spaulding) 모형의 경우 약 1,382억 원이 각각 감소 하는 것으로 나타났다.

이는 가축 질병으로 인한 축산업의 생산 차질보다 축산업으로 인한 타 산업 전체의 생산 감소에 미치는 영향이 더 크다는 것을 의미한다. 특히 축산업으로 인한 음식료품의 파급 피해는 두 모형 모두에서 가장 크게 나타나 이에 대한 대책 마련이 필요하다.

⑨ 리츠-스폴딩(Ritz-Spaulding) 투입산출모형을 활용한 화물연대 파업의 경제적 파급효과 분석

■ 강승규·전주용·박재민(2022), 산업혁신연구. 35(4):95-124

화물연대파업은 구성원 간 갈등에 의해 발생하는 사회재난이다. 물류산업의 생산 차질이 타 산업의 공급 제약을 발생시키고 이것은 타 산업부문 전반의 생산 제약이란 경제 교란을 유발한다.

이 같은 문제의식에 기반하여 본 연구는 화물연대파업이 초래하는 경제적 파급효과를 분석하기 위한 투입산출모형으로서 내생부문-내생부문 간 관계를 기반으로 하는 리츠-스폴딩 모형(Ritz-Spaulding Model)을 채택함으로써 기존 방법론적 제약을 개선하고자 하였다.

분석결과, 화물연대파업이 국민경제에 미치는 파급효과로서 세 가지 사실을 확인할 수 있었다.

첫째, 화물연대 파업과 관련된 물류산업의 수요승수는 1.77, 공급승수는 2.54로 나타났으며, 산출이 생산요소화된 매개적 성격과 전방연계효과를 더 크게 유발하는 특징을 확인할 수 있었다.

둘째, 화물연대파업으로 인해 물류산업의 공급차질이 20% 발생했을 경우 유발되는 파급효과는 약 60조 4,058억원으로, 1차적

인 생산제약으로 인해 약 30조 3,692억원이, 이후 파생과정에서 약 30조 365억원이 추가 유발되는 것으로 나타났다.

셋째, 물류산업의 공급차질이 제조업 및 건설업을 중심으로 강하게 나타나지만 그 파급과정에서 연관산업의 수요량감소로 인한 피해는 음식점 및 숙박업, 전문·과학 및 기술서비스업, 보건 및 사회 복지서비스업, 정보통신 및 방송업 등 후방연계산업까지 확대되는 것으로 나타났다.

⑩ 한국, 중국, 및 일본의 경제성장이 대기오염에 미치는 영향 : 미세먼지-다국가 연산가능일반균형(PMCGE) 모형 구축

■ 문승운·김의준(2021), 환경정책, 29(1):1-19

한국, 중국, 및 일본의 경제성장이 각국의 미세먼지 배출량에 미치는 영향을 분석하기 위해 경제모형, 에너지모형, 대기이동모형이 연계된 3개국의 미세먼지-다국가 연산가능일반균형(PMCGE) 모형을 구축하고, 경제성장이 자국 및 타국가에 미치는 영향을 생산기반 배출량과 소비기반 배출량 기준으로 분석하였다.

분석결과, 중국의 성장은 동북아시아 대기질에 부정적인 영향을 미치고 있었으나, 한국과 일본의 경우는 경제성장 시 3국의 경제가 성장함에도 불구하고 3국의 미세먼지 총량을 감소시킬 수 있었다. 또한, 중국은 경제성장률 보다 더 큰 폭의 미세먼지 배출 상승율을 보였다.

■ 김상우 · 허가형(2008), 한국재정학회 학술대회 논문집, 2008:191-208

대형 국책사업의 사업타당성 검증에 있어서 지역균형발전효과는 중요한 판단근거이다. 지역균형발전효과를 분석하기위해서는 지역 내 생산과 소비활동 뿐 아니라 지역 간 생산과 소비활동에 대한 분석을 통해 사업의 효과를 파악할 필요가 있다.

한국은행에서 발간한 지역산업연관표는 생산 및 고용활동에 대한 정보만 제공하므로 본 연구에서는 지역사회회계행렬을 구축하여 소비활동에 대한 분석도 가능하도록 하였다.

본 연구의 지역사회회계행렬은 생산활동부문과 상품부문, 생산요소부문, 생산주체부문, 투자부문으로 구성되고 산업분류는 산업대분류에서 건설부문과 에너지부문을 세분화한 38개 부문으로 구성하였다. 이와 같은 산업분류의 세분화는 모형의 활용 시 지역별 산업별 생산활동의 파급효과에서 지역별 우위를 비교하기 위함이다. 특히 대형 국책사업의 지역균형발전효과에 초점을 맞추어 산업활동 중 건설부문을 세분화하였고 제도부문은 민간과 정부부문으로 구분하여 정부투자의 민간투자 구축여부를 분석하고자 했다. 지역분류는 한국은행 지역산업연관표의 지역분류를 따라 수도권과 강원권, 충청권, 경북권, 경남권, 전라권의 6개 권역으로 구성하며 생산요소는 노동과 자본으로 단순화하였다.

모형 구축순서는 각 부문을 하나의 셀로 표현한 전국의 거시사회회계행렬을 구축한 후 지역과 산업분류를 적용한 미시사회회계행렬을 구축하여 자료의 통일성을 높였다.

모형 구축에는 한국은행의 2003년 지역산업연관표와 2003년 국민계정을 이용했고 전국자료의 지역구분의 경우 권역별 주민 등록인구통계와 지역내총생산을 이용해 비례조정하였다.

모형을 구축한 결과, 피용자보수와 1인당 소비지출은 수도권이 가장 높고 1인당 자본소득은 경북권이, 1인당 정부지출은 경남권이 가장 높았다. 생산과 소비활동의 자립도에서 수도권은 지역 내 생산이 80%, 지역 내 소비가 81%로 타지역과의 교역에 의존하는 정도가 낮았다. 반면, 충청권과 강원권은 지역 내 생산이 62%와 67%로 상대적으로 낮으며 수두권과의 교역비중이 20%와 17%로 상대적으로 보다 의존적인 것으로 나타났다. 수도권과의 교역 비중은 지리적으로 먼 전라권과 경남권이 15%로 낮았다.

이와같이 지역사회회계행렬에서는 산업별 지역별 생산과 소비 활동에 대한 분석을 통해 국토균형개발과 관련된 공간정책을 분석 하고 지역별 재정사업의 파급효과 및 타당성을 파악하는데 유용 하게 활용할 수 있을 것으로 판단된다.

⑫ 지식기반 사회회계행렬 작성방안 연구

■ 양희원 · 정성문 · 이정동(2012), 생산성연구:국제융합학술지, 26(3):257-285

지식은 현대사회에서 중요한 생산요소로서 경제성장의 원동력 으로 인정받고 있다. 연구개발 활동은 지식을 창출하는 원천으로서 그 중요성이 강조되었고 연구개발을 위한 투자는 점차 증가하고 있다. 그러나 연구개발 활동이 미래의 소득을 창출하기 위해 수행된다는 점에서 투자로서 인식되고 있지만 실무적 어려움으로 인해 경상적 지출로 처리되어 왔으며, 최근의 2008 국민계정체계를 통해 비로소 연구개발의 자본화가 명시되었다.

본 연구에서는 2008 국민계정체계의 권고안을 기준으로 2008 국민계정체계 이전에 중간소비로 처리되었던 연구개발을 자본화하고, 지식을 생산요소로서 반영한 사회회계행렬의 작성 방안을 제시하였다.

지식기반 사회회계행렬은 그 작성방법의 복잡함으로 인해 두 단계로 구분하였다. 먼저 노동과 자본의 생산요소만을 고려한 기본 사회회계행렬을 구축한 후, 지식 생산요소를 추가하여 지식기반 사회회계행렬로 확장하였다. 추계된 지식기반 사회회계행렬을 토대로 민간과 정부공공부문에서 수행하는 연구개발활동을 일정 부분 증가시킬 경우 산출량 및 부가가치 형성에 미치는 승수효과를 분석하였다.

지식기반 사회회계행렬은 연구개발을 투자로서 인식함으로써 연구개발의 본질적 특성을 고려한 경제적 효과를 분석할 수 있는 계기를 마련하였다. 제시된 지식기반 사회회계행렬은 그 자체가 승수효과분석의 토대가 된다. 또한 연구개발의 효과를 생산활동과 제도부문을 포괄하여 분석하는 연산일반균형모형에 적용할 수 있는 근본적 자료 체계를 제공할 수 있다는 점에서 그 의의를 지닌다.

본 연구의 지식기반 사회회계행렬은 기본적으로 각종 통계자료가 불일치하고 산업연관표에서 중간소비로 처리되어있는 연구개발을 자본화시키는 과정에서 일부 행 합과 열 합이 불일치되는 등 자료가 왜곡되는 한계점을 지니고 있다. 또한, 연구개발을 자본화함에 따라 수반되는 연구개발의 자산평가, 감가상각, 시차 등은 지식기반 사회회계행렬 추계의 정확성을 제고시키는 중요한 논제로서 개별적 연구가 별도로 진행되어야 한다.

분석방법론 측면에서도 사회회계행렬을 이용한 승수효과분석보다는 향후 연산일반균형모형을 적용하여 지식의 직·간접적 파급효과가 반영된 연구개발의 효과를 동태적으로 분석하는 것이 고려되어야 한다.

 ■ 새로운 모형의 산업연관표 연구 사례 요약

① **에너지산업연관표 작성**
- 목적: 에너지산업연관분석에 관련 통계자료의 활용가치를 제고코자 함
- 방법: 에너지산업연관표(에너지연관표)의 개념과 구조에 대하여 이해의 폭을 넓히고, 접속불변산업연관표를 토대로 에너지산업연관분석에 적합한 경상 및 불변거래표 작성하여, 부문 간 에너지거래량표를 작성하여 우리나라 에너지소비 추이 분석
- 결과
  ① 에너지연관표는 에너지효율 조건을 용이하게 반영할 수 있는 장점 있음

② 에너지연관표는 혼합단위를 사용함으로 인하여 연관표에서 구현되는 가격체계 분석에서 어려움 있음

③ 연관표와 수지표는 상호연계될 수 없는 많은 차이점 있음

② **환경산업연관분석(EEIOA)을 이용한 경제 부문별 온실가스 배출량 특성분석**

- 목적: 2017 환경산업연관표를 작성하고, 경제활동별 온실가스 배출 특성분석
- 방법: 연료원별 온실가스 배출량은 국가 온실가스 인벤토리 자료 및 에너지밸런스를 이용하여 나타내고, 산업연관표의 기본부문으로 할당한 후 35개 부문 통합, 2017 환경산업연관표 작성
- 결과
  ① 작성된 2017 환경산업연관표와 2017년 정부의 공시된 온실가스 배출 통계자료와 비교한 결과 2% 차이
  ② 온실가스 직접 배출량 상위 3개 산업은 전력 및 신재생에너지와 증기 및 온수공급업(262,280 kt CO_2eq.), 1차 금속제품업(117.098 kt CO_2eq.), 운송업(58,332 kt CO_2eq.) 순
  ③ 온실가스 총배출량 상위 3개 산업은 건설업(151,476 kt CO_2eq.), 운송장비업(112,168 kt CO_2eq.), 컴퓨터, 전자 및 광학기기업(107,868 kt CO_2eq.) 순
  ④ Scope 1에서 50%를 넘는 산업은 6개, Scope 3에서 50%를 넘는 산업은 29개
  ⑤ 수출에 의한 온실가스배출 기여가 최종수요의 41.68%

③ **하향식 지역자치단체 배출량 산정방안: 지역온실가스 산업연관표 작성**

- 목적: 지자체 배출량 산정의 벤치마크로 활용할 수 있는 지역

온실가스 산업연관표 구축 방법 제시
- 방법: 지역에너지밸런스에서 파악된 화석연료 에너지소비량을 지역산업연관표에 할당하고, 에너지소비량에 배출계수를 적용하여 배출량을 산정
- 결과
  ① 산정한 배출량 합은 594.9백만 톤($CO_2eq.$)으로 국가 온실가스 인벤토리 보고서의 온실가스 배출량 596.6 백만 톤($CO_2eq.$)과 0.29%(1.7 백만 톤($CO_2eq.$) 차이
  ② 지역별로 충청남도(26.5%), 전라남도(16.9%), 경상남도(11.1%) 배출

④ **자원순환경제로의 이행을 위한 정책평가 방법론 개선: 폐기물산업연관표 구축 및 활용을 중심으로**
- 목적: 폐기물투입산출행렬을 구축하고 이를 활용하여 폐기물 처리와 관련된 정책 변화에 따른 파급효과분석
- 방법: 2010년 산업연관표 대분류를 통합하여 10개의 업종으로 재분류하고, 배출되는 폐기물을 3개의 범주로 구분하여, 소각과 매립 두 개의 폐기물 처리부문을 포함하는 폐기물투입산출행렬 작성
- 결과: 각 산업부문과 폐기물 처리수단 사이의 경제활동 자료 및 소각매립 등의 폐기물 처리과정에서 발생하는 폐기물 배출량 자료 등을 구축하여 폐기물투입산출행렬 구축

⑤ **하이브리드 산업연관표를 이용한 우리나라 CO_2 배출 구조 분석**
- 목적: 기존의 에너지 및 환경산업연관표 작성 방법을 비교 분석하고 개선 방안을 제시함으로써 우리나라의 CO_2 배출 총량 산정과 산업별 배출량 추정의 정도를 높이는데 기여
- 방법: 에너지 원료로의 사용과 연료로의 사용을 구분하고,

생산물세 및 보조금으로 인한 교란요인을 제거한 새로운 하이
브리드 산업연관표 작성
- 결과
    ① 석유석탄 산업에서 원료로 투입된 에너지를 거래표에서 제거한
    후가 제거하기 전보다 CO_2 배출량이 5.2배 낮게 산출
    ② 기초가격기준 산업연관표를 이용하여 추정한 CO_2 배출량이
    생산자가격기준 산업연관표를 이용한 경우에 비해 2.7% 적게
    산출

⑥ **연산가능일반균형모형: 방법론과 분석 적용**
- 목적: 연산가능일반균형(CGE) 모형의 방법론적 기원과 역사에 대해
  살펴보고 이를 실제 경제문제 분석에 적용하여 한국경제 산업구조
  의 변화와 산업부문별 생산기술의 발전과정을 고찰
- 방법: 1997년의 아시아 금융위기 이후 한국경제구조변화를 살펴보
  고, 한국경제에 대한 탄소세 도입의 경제적 효과 고찰
- 결과: CGE 모형 분석결과, 2010년부터 2018년까지 한국경제는
  온실가스 저감대책을 이미 실행하고 있으며, 제조산업부문의 불완전
  경쟁을 가정할 경우 완전 경쟁을 가정하였을 시보다 더 큰 저감효과
  있음

⑦ **COVID-19 Pandemic의 지역별 파급효과:**
  지역 CGE 모형을 이용한 분석
- 목적: COVID-19 Pandemic의 경제적 파급효과를 지역별로 구분
  고찰
- 방법: 2015년 지역산업연관표(대분류, 33부문)를 이용하여 연산
  가능일반균형(CGE) 모형을 구축하고 이를 이용
- 결과
    ① 국내 총생산 3.4% 감소, 소비자 물가 0.63% 상승

② 민간소비는 경기(-0.94%), 서울(-0.68%)의 감소가 크고, 제주(-0.03%), 광주(-0.08%), 세종(-0.01%)은 적음

③ 총산출의 경우 건설업(-3.43%)과 문화·예술·스포츠(-3.02%)가 가장 크게 감소, 공공행정·국방(0.87%)은 오히려 증가

⑧ **산업연관분석을 활용한 가축질병재난의 경제적 파급효과 분석**

- 목적: 가축 질병으로 인한 축산업 피해가 우리나라 전 산업부문에 미치는 경제적 영향 분석
- 방법: 산업연관분석 중 공급유도형투입산출모형과 수요유도형 투입산출모형을 변형한 리츠-스폴딩(Ritz-Spaulding) 모형 사용하여 분석
- 결과: 가축 질병으로 축산물 생산 1,153억 원 감소할 경우 전체 생산은 공급유도형투입산출모형의 경우 약 2,023억 원, 리츠-스폴딩(Ritz-Spaulding) 모형의 경우 약 1,382억 원이 각각 감소

⑨ **리츠-스폴딩(Ritz-Spaulding) 투입산출모형을 활용한 화물연대 파업의 경제적 파급효과 분석**

- 목적: 화물연대파업이 초래하는 경제적 파급효과 분석
- 방법: 투입산출모형 중 내생부문-내생부문 간 관계를 기반으로 하는 리츠-스폴딩 모형(Ritz-Spaulding Model) 채택
- 결과
  ① 화물연대파업과 관련된 물류 산업의 수요승수는 1.77, 공급승수는 2.54
  ② 화물연대파업으로 인해 공급차질이 20% 발생했을 경우 유발되는 파급효과는 약 60조 4,058억 원, 1차적인 생산제약으로 인해 약 30조 3,692억 원, 이후 파생과정에서 약 30조 365억 원 추가 유발

③ 물류산업의 공급차질이 제조업 및 건설업에서 강한 영향, 그 파급과정에서 연관산업의 수요량감소 피해는 음식점 및 숙박업, 전문·과학 및 기술서비스업, 보건 및 사회복지 서비스업, 정보통신 및 방송업 등 후방연계산업 확대

⑩ **한국, 중국, 및 일본의 경제성장이 대기오염에 미치는 영향 : 미세먼지-다국가 연산가능일반균형(PMCGE) 모형 구축**

- 목적: 한국, 중국, 및 일본의 경제성장이 각국의 미세먼지 배출량에 미치는 영향 분석
- 방법: 경제모형, 에너지모형, 대기이동모형이 연계된 3개국의 미세먼지-다국가 연산가능일반균형(PMCGE) 모형을 구축하고, 경제성장이 자국 및 타국가에 미치는 영향을 생산기반 배출량과 소비기반 배출량 기준으로 분석
- 결과
  ① 중국의 성장은 동북아시아 대기질에 부정적인 영향
  ② 한국과 일본의 경우 경제성장 시 3국의 경제가 성장함에도 불구하고 3국의 미세먼지 총량을 감소시킬 수 있음
  ③ 중국은 경제성장률 보다 더 큰 폭의 미세먼지 배출 상승율 보임

⑪ **지역사회회계행렬 구축 및 활용방안 연구**

- 목적: 지역균형발전 효과분석
- 방법: 한국은행의 2003년 지역산업연관표와 2003년 국민계정을 이용하고 지역 권역별 주민등록인구통계와 지역내총생산을 이용해 비례조정하여 지역사회회계행렬 구축으로 소비활동 분석
- 결과
  ① 피용자보수와 1인당 소비지출은 수도권이 가장 높고 1인당 자본소득은 경북권이, 1인당 정부지출은 경남권이 가장 높음

② 생산과 소비활동의 자립도에서 수도권은 지역 내 생산이 80%, 지역 내 소비가 81%로 타지역과의 교역에 의존하는 정도가 낮음

③ 충청권과 강원권은 지역 내 생산이 62%와 67%로 상대적으로 낮으며 수두권과의 교역비중이 20%와 17%로 상대적으로 의존적

④ 수도권과의 교역비중은 전라권과 경남권이 15%로 낮음

⑫ 지식기반 사회회계행렬 작성방안 연구

- 목적: 지식은 현대사회에서 중요한 생산요소로서 경제성장의 원동력으로 인정받으므로, 연구개발을 자본화하고, 지식을 생산요소로서 반영한 사회회계행렬의 작성 방안을 제시

- 방법: 노동과 자본의 생산요소만을 고려한 기본 사회회계행렬을 구축한 후, 지식 생산요소를 추가하여 지식기반 사회회계행렬로 확장하였으며, 추계된 지식기반 사회회계행렬을 토대로 민간과 정부 공공부문에서 수행하는 연구개발활동을 일정 부분 증가시킬 경우 산출량 및 부가가치 형성에 미치는 승수효과분석

- 결과: 지식기반 사회회계행렬 구축으로 연구개발을 투자로서 인식함으로써 연구개발의 본질적 특성을 고려한 경제적 효과를 분석할 수 있는 계기 마련

[참고 문헌]

강기춘·조부연(2022), "표준화 방법에 따른 지역산업 파급효과 비교분석: 스마트 관광산업을 중심으로", 표준인증안전학회지, 2022:59-75.

강승규·전주용·박재민(2022), "리츠-스폴딩(Ritz-Spaulding) 투입산출모형을 활용한 화물연대파업의 경제적 파급효과 분석", 산업혁신연구. 35(4):95-124.

강승복(2015), "최저임금인상이 물가에 미치는 영향: 산업연관표를 활용한 분석", 노동정책연구, 15(2):1-23.

곽기호·박주형(2009), "산업연관분석을 활용한 기계산업의 경제적 파급효과 분석", 산업경제연구, 22(1):179-199.

권태현(2021), "지역산업연관표를 이용한 지역 간 소득유발과 소득전이 분석", 경제분석, 27(3):61-96.

권하나·최성관(2020), "지역투입산출모형 작성을 위한 자료혼합법 (DHM) 연구: 산업별 고용탄력성 자료의 활용", 경제학연구, 68(1):115-152.

김경필·이진상(2015), "지역산업연관표 추정을 위한 비조사기법의 유용성 비교: 확률계수행렬 접근법을 중심으로", 한국경제연구. 33(2):79-106.

김대중·김한준(2022), "공공투자 의사결정 합리화를 위한 지역 경제 파급효과 분석 개선방안 연구", 한국행정학회 동계학술 발표논문집, 2022:151-182.

김동수·조정환(2020), "4차 산업혁명 관련 산업의 경제적 파급 효과에 대한 산업연관분석", 경제발전연구, 26(1):1-26.

김민수(2012), 「KDI 산업연관표 DB」, 서울: 한국개발연구원.

김상우·허가형(2008), "지역사회회계행렬 구축 및 활용방안 연구", 한국재정학회 학술대회논문집, 2008:191-208.

김소연·류수열(2017), "지역산업연관표를 이용한 울산광역시 3대 주력산업의 구조변화와 성장요인 분석", 한국경제지리학회지, 20(1):1-15.

김승연·이장재(2018), "산업연관분석을 통한 선박해양플랜트 산업의 경제적 파급효과 분석", 한국기술혁신학회 학술대회, 2018(11):613-626.

김용균(2020), "연산가능일반균형모형: 방법론과 분석 적용", 연세대학교 대학원 경제학과 박사학위 논문.

김윤경(2006), "환경산업연관표 2000을 이용한 산업부문의 이산화 탄소(CO_2) 발생 분석", 자원·환경경제연구, Vol 15(3):425-450.

김윤경·장운정(2011), "접속불변에너지산업연관표 00-05-08을 이용한 산업별 에너지소비 변화량의 구조분해분석", 자원· 환경경제연구, 20(2):255-291.

김윤수·박추환(2021), "산업고도화를 위한 부산지역 핵심매개

산업의 지역산업연관효과분석", 경제연구, 39(2):85-106.

김종구(2021), "지역소비, 투자, 수출이 지역노동소득과 성장에 미친 파급효과: 2010, 2015 지역산업연관표 활용", 경제연구, 39(2):193.

김종욱(2022), "산업연관분석을 이용한 중동부 유럽 자동차산업의 경제적 파급효과 분석: 2004년과 2014년간 변화 비교 분석", 유럽연구, 40(2):69-93.

김진국·최경호(2021), "공공체육시설 증축에 따른 재무적 타당성 및 사회·경제적 파급효과 분석 연구", 한국융합과학회지, 10(3):19-34.

김찬복·이홍식·한치록(2017), "국제산업연관표를 이용한 한국의 수출둔화 요인 분석: 경기적 요인? vs. 구조적 요인?", 국제경제연구, 23(4):1-27.

김태멘(2020), "곰페르츠 성장모형 및 산업연관분석을 활용한 5G 이동통신산업의 경제적 파급효과 분석", 한양대학교 공학대학원 산업시스템공학 전공 석사학위 논문.

김태형·김민수(2022), "한국형 리쇼어링 정책을 위한 산업연관분석 기반의 리쇼어링 영향지수 설계", 한국전자거래학회지, 27(3):127-138.

남상호(2021), "COVID-19 Pandemic의 지역별 파급효과: 지역 CGE 모형을 이용한 분석", 한국지방재정학회 세미나자료집, 2021(12):487-503.

문승운·김의준(2021), "한국, 중국, 및 일본의 경제성장이 대기오염에 미치는 영향: 미세먼지-다국가 연산가능일반균형(PMCGE) 모형 구축", 환경정책, 29(1):1-19.

박승규·김의준(2009), "산업연관표를 이용한 권역별 산업 성장의 구조변화분석", 경제연구, 2009:79-103.

박승빈(2017), "4차 산업혁명 주요 테마 분석: 관련 산업을 중심으로", 통계계발원 2017년 하반기 연구보고서, 2017(3):226-286.

박유진·김준범·경대승·박흥석(2022), "환경산업연관분석(EEIOA)을 이용한 경제 부문별 온실가스 배출량 특성분석", 대한환경공학회지. 44(9):308-335.

박재운(2012), "산업연관분석을 활용한 한국 소비재산업의 구조변화 및 기술구조변화지수 추이 분석", 국제통상연구, 17(1):1-24.

박재운·김기홍(2010), "한국 ICT 제조업의 고용유발효과 변화 추이 분석: 산업연관표 부속 고용표를 중심으로", 국제경제연구, 16(3):157.

박창귀(2009), "하이브리드 산업연관표를 이용한 우리나라 CO_2 배출 구조 분석", 자원·환경경제연구, 8(1):49-72.

박창대·안승구·박중구(2018), "한국 R&D투자의 기술 수준별 제조업 구분에 따른 경제적 파급효과 분석: 산업연관표 활용", 기술혁신연구, 26(1):85-105.

박철민(2019), "구조분해분석을 통한 철도산업의 성장요인 분석", 한국철도학회 논문집, 22(3):249-259.

박철한·이상영(2014), "표준산업분류와 산업연관표를 활용한 한국과 일본 부동산산업 비교 분석", 부동산학보, 59:258-272.

박현석·이민규(2021), "산업연관분석을 활용한 수소버스 개발의 파급효과분석", 기술혁신학회지, 24(4):653-672.

배진한(2016), "산업연관표를 이용한 생산활동 파급효과 계측방법 개선 연구: 특정 산업 생산활동을 최종수요로 변환하는 방법을 중심으로", 지역개발연구, 48(2):1-25.

빈재익(2010), "시계열 산업연관표를 통해 본 우리나라 건설산업의 특징과 시사점", 한국건설산업연구원 ISSUE FOCUS 2010:1-25.

빈재익(2017), "산업연관표로 본 건설산업: 유럽 국가들과의 비교", 한국건설산업연구원 이슈포커스, 2017:1-26.

서영복·박찬권(2022), "산업연관분석과 단위구조행렬을 활용한 물류산업의 산업 간 연계구조와 사회연결망에 대한 연구", 경영연구, 37(3):1-24.

서한결·이인우·정양헌(2019), "신재생에너지 가치사슬 산업의 경제적 파급효과 비교 분석 연구: 2010, 2015년 산업연관표를 활용하여", 경영교육연구, 34(6):583-599.

석왕헌·송영근·박추환(2009), "M2M(Machine-To-Machine) 부문에 대한 산업연관분석: RAS법을 활용", 산업경제연구, 28(6):2303-2327.

송민경·이솔지·조장희(2022), "코로나19로 인한 대구·경북지역 관광산업 피해와 파급효과: 산업연관분석을 중심으로", 경영 컨설팅연구, 22(6):227-239.

송준혁(2017), "외생화 및 내생화가 산업연관분석에 미치는 효과: 주거용 건물 건설업을 대상으로", 부동산분석학회 학술발표 논문집, 2017(1):79-110.

신동천·이혁·김용균(2014), "북한의 산업연관표와 북한산업의 전,후방연관효과", 통일연구, 18(2):37-65.

신상철·박효준·한인성(2015), "자원순환경제로의 이행을 위한 정책평가 방법론 개선: 폐기물산업연관표 구축 및 활용을 중심으로", 한국환경연구원, 2015:3042-3117.

심상렬·마용선(2005), "에너지산업연관표 작성", 에너지경제 연구원 연구보고서, 2005:1-164.

심상렬·오현영(2012), "산업연관표의 신재생에너지 산업 설정 방안 연구", 기본연구보고서, 12-03, 의왕: 에너지경제연구원.

양민영·김진수(2017), "발전부문 천연가스 사용 확대에 따른 도시가스산업의 경제적 파급효과 분석", 자원·환경경제연구, 26(4):549-575.

양민영·김진수(2023), "10차 전력수급기본계획에 따른 발전원별 경제적 파급효과 분석", 에너지경제연구, 22(1):135-158.

양현석(2008), "지역산업연관표를 이용한 지방재정자립도 제고 방안에 관한 연구: 5대 광역시를 중심으로", 한국재정학회 학술대회 논문집, 2008:1-20.

양희원·정성문·이정동(2012), "지식기반 사회회계행렬 작성 방안 연구", 생산성연구:국제융합학술지, 26(3):257-285.

염성규·최경환(2023), "군 급식의 경제적 파급효과 분석: 산업연관 분석을 중심으로", 한국산학기술학회 논문지, 23(6):170-177.

왕춘뢰·최용재(2021), "산업연관분석을 이용한 중국의 산업 및 기술구조 변화요인 분석", 아시아연구, 24(4):65-85.

이민규(2013), "산업연관분석을 이용한 운송부문별 경제적 파급 효과 분석", 해양정책연구, 27(2):55-91.

이민규(2013), "우리나라 수상운송업의 국가 간 경제적 파급효과 분석: 국제산업연관표를 이용하여", 해양정책연구, 28(2):71-94.

이민규·고병욱(2013), "수상운송산업의 경제적 파급효과 국제비교: 국가별 산업연관분석을 이용하여", 해운물류연구, 79:827-852.

이민규·송민호·이건우(2020), "산업연관분석을 활용한 수출입 항만물동량 유발효과의 계산", 해운물류연구, 83:617-635.

이민규·오동규·이준(2020), "철도운송산업의 지역경제 파급효과 분석", 한국철도학회 논문집, 23(9):847-855.

이민주·김의준(2023), "도로사업의 지역경제 파급효과에 관한 메타분석: 지역 간 취업유발효과 차이를 중심으로", 지역개발 연구, 55(1):35-56.

이승재·정동원·유재갑(2016), "산업연관분석을 활용한 전력의 산업별 공급지장비용 평가: OECD 국가를 중심으로", 한국융합 학회논문지, 7(4):191-198.

이영수·홍필기·서환주(2021), "산업연관표를 활용한 정보통신 기술과 로봇기술의 확산 분석", 정보화연구, 18(2):105-114.

이용호·김재진(2017), "대·중소기업 간 생산파급효과분석: 낙수효과와 분수효과의 실증분석을 중심으로", 산업경제연구, 30(6):1885-1904.

이의경·허희영(2014), "우주개발사업의 복합성을 고려한 산업연관 분석", 한국항공우주학회지, 42(9):739-744.

이종하·임상수(2019), "국제산업연관표를 활용한 중국의 경제적 위상 변화가 세계경제에 미치는 영향 분석", 현대 중국연구, 21(1):73-104.

이지영·김지안(2021), "산업연관분석을 활용한 무용산업의 경제적 파급효과", 한국체육학회지, 60(3):371-389.

이춘근·김호언(2018), "세계산업연관표를 이용한 한·미·일 간 전자산업의 생산유발효과 분해", 경제연구, 36(3):165-193.

이춘근·김호언(2022), "한·미·일·중간 기간산업의 경제적 파급 효과 비교 분석: 2010년과 2014년 세계산업연관표를 중심으로", 지역개발연구, 54(1):71.

이홍배(2012), "산업연관분석에 의한 한국 제조업의 수입의존 구조변화와 특징", 기업과혁신연구, 5(1):91-111

임규민·김상봉(2020), "내생 및 외생적 산업연관분석을 통한 기술보증의 효과분석", 신용카드리뷰, 14(2):111-128.

임상수(2017), "지역산업연관표로 분석한 광주의 산업구조에 관한 연구", 기업과혁신연구, 10(2):63-77.

임상수(2023), "화력발전의 신재생에너지 전환에 따른 경제적 파급효과 분석", 자원·환경경제연구, 32(2):127.

장미란·강성원(2018), "하향식 지역자치단체 배출량 산정방안: 지역온실가스 산업연관표 작성", 환경정책, 26(1):117-153.

장철호(2021), "개인정보 보호 산업의 경제적 파급효과 분석", 경제연구, 39(4), pp. 111-131.

정규채·김필성·이인우·정양헌(2017), "산업연관분석을 이용한 과기출연연 경제적 기여효과에 대한 연구: 한국생산기술연구원 사례를 중심으로", 기술혁신학회지. 24(1):137-155.

정기호(2022), "부문 분리된 산업연관표 추계 방법", 자원·환경경제연구, 31(4):849-864.

정성문·여영준·김성진·정현민(2022), "디지털 전환 투자에 따른 지역별 차별적 영향 분석: 지역산업연관분석 접근과 정책적 시사점", 한국혁신학회지, 17(4):301-316.

정연구(2021), "수소승용차 산업의 경제적 파급효과 및 기후환경 영향 연구", 세종대학교 대학원 기후 변화협동과정 정책학 박사 학위논문.

정옥균·이민규(2023), "지역별 R&D투자의 경제적 파급효과 분석", 한국혁신학회지. 18(2):225-246.

조경엽·송병원(2020), "병원조직의 경제적 파급효과 분석 연구: 지역산업연관분석을 이용한 가천대 길병원 사례를 중심으로",

인천학연구, 32:7-47.

조병도・정준호(2011), "산업연관분석을 이용한 한국경제의 산업
　　구조변화와 성장요인 분석(1995~2008년)", 산업경제연구, 24
　　(6):3433-3456.

조시준・강성진(2019), "산업연관분석을 통한 중국, 베트남, 캄보
　　디아 산업구조 비교 연구", 국제통상연구, 24(1):75-110.

조신형・이성모・고승영(2017), "산업연관표를 이용한 철도교통
　　과 통신산업의 상호연관성 분석", 대한교통학회 학술대회지,
　　2017(2):319-322.

최문성(2023), "LNG 벙커링 및 관련 인프라 산업의 경제적 파급
　　효과: 해양금융에의 시사점", 무역금융보험연구, 24(4):57-71.

최종일・윤자영(2016), "산업연관분석을 이용한 저작권산업 연구",
　　계간저작권, 29(4):147-168.

한국은행(2014), 「산업연관분석 해설」, 서울: 한국은행.

한국은행(2020), "2015년 지역산업연관표로 본 지역경제 및 지역
　　간 산업연관구조", 국민계정리뷰, 2020년 제3호.

한국은행 경제통계시스템(ECOS)(2023), "통계검색", https://ec
　　os.bok.or.kr/#/SearchStat(2023.07.03.).

홍재표・김동억・홍순중(2019), "스마트 팜의 국민경제적 파급효과:
　　산업연관분석을 중심으로", 산업경제연구, 32(4):1313-1332.

황신준(2015), "지역 대학의 지역 내 총생산유발효과분석: 지역
　　산업연관표를 이용한 상지대학교 사례 연구", 질서경제저널,

18(1):21-44.

황요한·윤동근(2019), "산업연관분석을 활용한 가축질병재난의 경제적 파급효과 분석", 한국방재학회 논문집, 2019:203-211.